Exerçons-nous

Vocabulaire

350 exercices, textes et glossaires
Niveau avancé

Roland ELUERD
Docteur ès lettres
Chargé d'enseignement
à l'Université de la Sorbonne Nouvelle

Jacques FRANÇOIS
Docteur ès lettres
Professeur à l'Université de Nancy II

HACHETTE
Français langue étrangère
www.hachettefle.fr

Dans la même collection

Exerçons-nous

Titres parus ou à paraître

Pour chaque ouvrage, des corrigés sont également disponibles.

- **Grammaire**
  (350 exercices)
  - *niveau débutant (**nouvelle édition**)*
  - *niveau moyen (**nouvelle édition**)*
  - *niveau supérieur I*
  - *niveau supérieur II*

- **Conjugaison**
  (350 exercices)

- **Révisions** (350 exercices)
  - *niveau 1*
  - *niveau 2*
  - *niveau 3*

- **Vocabulaire**
  (350 exercices)
  - *Vocabulaire illustré niveau débutant*
  - *Vocabulaire illustré niveau intermédiaire*
  - *niveau avancé*

- **Phonétique** (350 exercices)
  avec 6 cassettes

Grammaire du Français

Cours de Civilisation française de la Sorbonne

Y. Delatour, D. Jennepin, M. Léon-Dufour, A. Mattlé-Yeganeh, B. Teyssier

Pour découvrir nos nouveautés,
consulter notre catalogue en ligne,
contacter nos diffuseurs, ou nous écrire,
rendez-vous sur Internet :
www.hachettefle.fr

Maquette intérieure : Thierry BY
Maquette de couverture : Version Originale

ISBN : 978-2-01-017719-4
ISSN : 114 2 —768 X
© HACHETTE 1991, 79 boulevard Saint-Germain, F 75006 Paris.

AVANT - PROPOS

Une nouvelle méthode

L'apprentissage d'une langue étrangère conduit souvent ceux qui apprennent (élèves, étudiants ou adultes) à **deux impasses** :
- *connaître des mots sans savoir comment les réunir dans une phrase correcte,*
- *connaître des constructions figées de locutions ou de phrases sans savoir les décomposer pour les utiliser autrement.*

Dans les deux cas, celui qui veut parler ou écrire se sent comme infirme. Il a des jambes mais il ne sait pas marcher. Il a fait l'effort d'apprendre quelque chose mais il ne sait pas utiliser son savoir.

Les exercices qui sont rassemblés dans ce livre ont pour but d'éviter ces deux impasses. Ils permettent :
1. **d'apprendre des mots ou des locutions,**
2. **tout en apprenant à les utiliser.**

Un vocabulaire utile

Le livre comporte **4 modules** de travail organisés selon différents thèmes :

MODULE A : Parler, Écrire, Communiquer
MODULE B : Percevoir, Réfléchir
MODULE C : Aimer, Unir, Gouverner
MODULE D : Entreprendre, Produire

Ces thèmes sont des thèmes généraux. **Ils se situent à mi-chemin entre le vocabulaire de base et les vocabulaires spécifiques.** Le livre n'est donc pas une initiation à l'étude du vocabulaire de base du français. Ce n'est pas non plus un ouvrage d'apprentissage de plusieurs vocabulaires très spécifiques. Répétons-le : trop d'étudiants possèdent ces vocabulaires mais ne savent pas les utiliser...

> **Ce livre apprend à mieux employer le vocabulaire de base déjà connu et ouvre la voie à un apprentissage efficace de n'importe quel vocabulaire spécifique.**
> Il permet de passer de l'un à l'autre par la pratique de la langue.
> Notre but n'est pas de faire apprendre aux étudiants des listes de mots mais de les entrainer à utiliser les mots qu'ils apprennent.

Un ensemble original pour un travail actif et efficace

Chaque **module** comporte 5 parties :

1. textes et contextes

Les mots ne sont donc pas d'abord donnés sous forme de listes, en-dehors de leur usage réel. Ils sont d'abord donnés dans des **contextes.**
Un mot, tout mot, sorti de ses contextes est une enveloppe vide et sans vie. Le contexte est l'oxygène indispensable à son existence.

2. Glossaires thématiques

Les glossaires thématiques ne sont ni des listes de mots, ni des articles de dictionnaire. Ils sont les guides qui permettront à l'étudiant de continuer son travail sur des mots en contexte.
Pour cela, nous proposons dans chaque thème un ensemble de plusieurs dizaines de **mots clés.**

Dans la grande majorité des cas, les mots clés sont des verbes parce que le **verbe** permet tout de suite d'articuler autour de lui des constructions – les **collocations** – qui sont le ciment de la phrase. **Apprendre une liste de noms ou d'adjectifs, c'est presque toujours apprendre des mots isolés, sans "oxygène". Apprendre des verbes et leurs constructions, c'est disposer tout de suite des moyens de leur associer d'autres mots et de construire des phrases.**

Ces mots clés sont présentés de manière à montrer ces constructions **et à guider dans leur usage**.

3. Exercices

Ils sont le cœur de la méthode. Chaque série d'exercices comporte plusieurs types de travaux :

- des **exercices thématiques** où sont mises en œuvre les **collocations**, c'est-à-dire ces assemblages qui permettent de réunir les mots entre eux ;
- des **exercices sémantiques** pour apprendre à utiliser les mots de sens proches ou contraires ;
- des **exercices morphosémantiques** pour apprendre à employer les relations de sens et de forme qui existent entre les mots.

Ces exercices sont de difficultés différentes : **simples** (marqués ◆), **plus difficiles** (◆◆), **difficiles** (◆◆◆). L'étudiant pourra d'abord commencer par faire tous les exercices simples et passer aux exercices difficiles quand il aura maîtrisé les premiers.

Attention !

Il ne faut surtout pas séparer les **exercices** des **textes et contextes** ni des **glossaires thématiques**. L'ensemble forme un tout. C'est dans le va-et-vient continuel entre ces trois parties que se situe tout le travail.

L'étudiant procèdera donc de la manière suivante :

1. Lecture des *textes et contextes* et compréhension à l'aide du glossaire thématique.

2. Lecture attentive des *glossaires thématiques* pour s'imprégner des mots clés et de leurs contextes.

3. Travail sur les *exercices* en cherchant les réponses dans les *textes et contextes* et dans les *glossaires thématiques*.

4. Glossaire alphabétique

Ce glossaire a pour but de permettre de retrouver rapidement un mot. Tous les mots d'un module y sont classés par ordre alphabétique et suivis de l'indication de la partie du module où ils sont définis et employés.

En tête de chaque glossaire alphabétique, nous avons placé vingt ou trente mots qui sont les mots les plus courants, **les mots essentiels du module**. Les apprendre par cœur, avec leurs collocations, est indispensable.

5. Corrigés

Tous les exercices sont corrigés ; mais ces corrigés sont donnés à part pour que le livre puisse être utilisé soit par une personne qui étudie seule, soit par une personne qui étudie dans un cours.

Les abréviations

SYN   : Synonyme
SPÉC   : Usage spécifique
CONTR : Contraire
STYLE : (soutenu, familier...)
Indic : suivi d'un indicatif
Subj   : suivi d'un subjonctif

MODULE A

PARLER, ÉCRIRE, COMMUNIQUER

| A1-A3 | **TEXTES ET CONTEXTES** |

A1

Monsieur,
Je vous remercie de m'avoir **présenté à** M. Dupont. Il m'a **mis en contact avec** votre service commercial. J'espère que nous **resterons en relation** pour suivre cette affaire. Sincères salutations.
Pierre Simon.

• • •

Note. M. Dubois **s'est présenté à** votre secrétariat à 10 h. Je lui ai dit que vous étiez absent jusqu'à demain. Il souhaite **entrer en contact avec** vous pour vous **présenter** son nouvel adjoint.

• • •

Paul **accueillait** ses invités dans le jardin. Il **présentait** l'un à l'autre ceux qui ne se connaissaient pas : « Anne, **je te présente** Jean, un voisin. Jean, **je te présente** Anne, une collègue. » Puis il apportait deux verres. Ça **facilitait les contacts** et les bonnes **relations**.

• • •

« Mais permettez-moi de **me présenter :** Jean-Baptiste Clamence, pour vous servir. Heureux de vous connaître. » (Camus, *La Chute*)

A2

Françoise aime trop **parler**. Elle **discute de** tous les sujets **avec** n'importe quel interlocuteur. En fait, elle est incapable de **s'entretenir** vraiment **avec** quelqu'un. Ce n'est pas la **conversation** ou l'**entretien** qui l'intéresse, c'est la **dispute**. Elle n'**écoute** pas ce qu'on lui dit. Elle **bavarde** presque toute seule.

• • •

L'élève Berger sera puni. Motif : **Bavardage** continuel pendant la leçon de musique. Punition : Conjuguer à tous les temps « Les **bavards** dérangent la classe ».

• • •

Scène de ménage violente à S. Hier, les voisins de M. et Mme T. ont demandé aux gendarmes de venir interrompre une **scène de ménage** entre les deux époux. Ils ont dit : « C'est souvent qu'elle lui **fait une scène** mais cette fois c'était insupportable. Ils se **lançaient** encore **des injures** à 2 h du matin ! »

• • •

Pour la campagne des élections européennes, M. Fabius, tête de liste du parti socialiste, préférait **participer à un débat** à trois avec les deux candidats de l'opposition de droite. M. Giscard d'Estaing **a dit qu'**il souhaite plutôt rencontrer le candidat socialiste dans un **face à face**. Dans les deux cas, la **discussion** sera vive.

• • •

« On **parle** peu quand la vanité ne fait pas **parler**. » « On aime mieux **dire du** mal de soi-même que de n'en point parler. » (La Rochefoucauld, *Maximes*)

TEXTES ET CONTEXTES

A3

J'ai **appris que** vous interrogez mes collègues sur mon travail. N'insistez pas ! Je **vous demande d'**arrêter. Je **vous préviens que** si vous continuez, j'**avertirai** le directeur. Je ne **vous le répéterai** pas une deuxième fois !

• • •

Le médecin a **démontré que** la pollution de la rivière était dangereuse. Il l'a **fait savoir à** la presse pour qu'elle **prévienne** la population. « Ma **démonstration** est facile à refaire et mes **preuves** sont claires », a-t-il **ajouté**.

• • •

Ce professeur **explique** très bien les questions de grammaire les plus difficiles. Il **insiste** toujours sur les points les plus difficiles. Il sait **interroger** les élèves, il sait les faire parler avec aisance. C'est un bon **enseignant**.

• • •

Pendant son **interrogatoire**, le suspect a **déclaré à** la police **qu'il** n'avait aucune relation avec M. V., la victime. Mais les inspecteurs ont **démontré qu'**ils étaient en contact. Des témoins ont entendu le suspect répondre au téléphone qu'il était **au courant** de l'heure du retour de M. V.

• • •

Interrogé par les journalistes, le chanteur a **fait savoir qu'**il reviendrait donner un concert à Paris cet automne. « Je vous **préviens** que ce sera un spectacle exceptionnel ! » et il a **ajouté** en riant : « Je **prouverai que** je suis le plus **grand** ! »

• • •

« Tous **déclarèrent que** la République était impossible en France. » (Flaubert, *L'Éducation sentimentale*)

• • •

« Après les premiers compliments de bienvenue et les politesses de voisinage, personne ne trouva plus rien à dire… Chacun cherchait une phrase, un mot à dire. On parla de l'hiver pluvieux. Jeanne, avec d'involontaires frissons d'angoisse, demanda ce que pouvaient faire leurs hôtes, tous deux seuls, toute l'année. » (Maupassant, *Une vie*)

A1-A3 GLOSSAIRES THÉMATIQUES

A1 – LA PRISE DE CONTACT

ACCUEILLIR

quelqu'un

→ l' / un **accueil**

L'accueil de la maîtresse de maison fut très chaleureux, je n'avais jamais encore été aussi aimablement accueilli.

CONTACT (le) — SYN : le rapport, la relation

avec quelqu'un

→ prendre contact avec quelqu'un
→ entrer / se mettre / être / rester en contact avec quelqu'un / perdre le contact avec quelqu'un
→ contacter quelqu'un

N'hésitez pas à la contacter et à rester en contact avec elle jusqu'à ce que l'affaire soit réglée.

PRÉSENTER — SYN : mettre en relation

quelqu'un à quelqu'un

→ faire les **présentations**

Je vous le présenterai au prochain dîner. C'est moi qui ferai les présentations.

RELATION (la) — SYN : le rapport, la fréquentation

→ avoir des relations avec quelqu'un
→ entrer / se mettre / être / rester en relation(s) avec quelqu'un

J'ignorais que vous vous étiez déjà mis en relation avec Pierre. Comptez-vous rester en relation avec lui ?

A2 – LA CONVERSATION

BAVARDER — = discuter, s'entretenir familièrement

(de quelque chose)
avec quelqu'un

Á force de bavarder de tout et de rien avec nos hôtes, nous n'avons pas vu passer le temps.

→ le **bavard**
→ le **bavardage** (Spéc : conversation inutile)

Le professeur ne tolère pas le bavardage en cours et réprimande les bavards.

CONTREDIRE — (voir dire)

CONVERSATION (la)

→ faire / entretenir la / entrer dans la conversation

Je m'ennuie à mourir, mon cher, faites-moi donc un peu de conversation !

→ **converser** avec quelqu'un (Style : soutenu)

DÉBATTRE — SYN : discuter / Style : soutenu

(de quelque chose)
avec quelqu'un

→ le **débat** (radiophonique, télévisé, politique)

Les représentants des syndicats ont débattu avec le patronat de l'évolution des salaires ; le débat a été houleux.

A1-A3	GLOSSAIRES THÉMATIQUES

DIRE

quelque chose à
quelqu'un / à quelqu'un
que (Indic) / à quelqu'un
de faire quelque chose

On m'a dit de vous dire que votre affaire est bien engagée.
→ **contredire** quelqu'un
→ la **contradiction**
→ le **contradicteur**

DISCUTER
SPÉC : échange d'arguments

(de quelque chose)
avec quelqu'un

→ la **discussion**, lancer une / suivre une / participer à une discussion
Êtes-vous prêt à en discuter immédiatement avec vos partenaires ou bien préférez-vous reporter la discussion ?

DISPUTER (se)
SPÉC : partenaires en désaccord

avec quelqu'un
(sur quelque chose)

→ la **dispute**
Je voudrais éviter que la discussion tourne à la dispute car il n'y a aucune raison de se disputer sur cette affaire.

ÉCOUTER
= entendre et faire attention pour comprendre

quelqu'un / quelque chose → l'**écoute**, être à l'~ de quelqu'un / quelque chose

ENTRETENIR (s')
SPÉC : échange courtois

(de quelque chose)
avec quelqu'un

→ l'**entretien** (SYN : une conversation)
   accorder / demander un entretien à quelqu'un
Vous souhaitez vous entretenir avec moi de votre profil de carrière ?
Je peux vous accorder un entretien jeudi prochain.

EXPLICATION (une)
SYN : une dispute

avoir une ~ avec quelqu'un

FACE À FACE (un)
= un débat entre deux personnes

INJURIER
= dire des mots blessants

quelqu'un → l'**injure**, lancer des ~ à quelqu'un (SYN : une insulte)

INTERLOCUTEUR / -TRICE (l')
= personne à qui l'on parle

PARLER

(de quelque chose) (à /
avec quelqu'un) /
une langue

J'ignorais que vous parliez aussi chinois.
Excusez-moi, j'avais oublié de parler de ce problème avec vous / de vous en parler.
→ le **parloir** (= pièce où l'on parle à un prisonnier)
→ la **parlote** (SYN : le bavardage)
→ le **beau parleur** (= personne qui s'écoute volontiers parler)

RÉPONDRE

quelque chose à quelqu'un → la **réponse**

SCÈNE (la)

faire une ~ à quelqu'un (SYN : se disputer)
Il va falloir que j'aie une explication avec elle, mais j'espère qu'elle ne me fera pas encore une scène.

A1-A3	GLOSSAIRES THÉMATIQUES

A3 – AFFIRMER, EXPLIQUER, INSISTER...

AFFIRMER = dire énergiquement
quelque chose à
quelqu'un / que (Indic)
→ l'**affirmation**

AJOUTER = dire en plus
quelque chose / que (Indic)

APPRENDRE
1. quelque chose / à faire
quelque chose /
que (Indic) / si (Indic)
2. à quelqu'un quelque
chose / que (Indic) /
si (Indic)

J'ai appris la nouvelle / que vous étiez de retour / à rédiger une lettre commerciale. Je vous apprendrai l'obéissance / où se trouve le trésor.
→ l'**apprentissage**
→ l'**apprenti** (Spéc : dans une entreprise)

AVERTIR = dire à l'avance que quelque chose va arriver
quelqu'un de quelque
chose / que (Indic)

J'aurais préféré en être averti à temps / être averti que vous êtes démissionnaire.
→ l'**avertissement**

DÉCLARER = dire avec une certaine solennité
quelque chose / que
(Indic) à quelqu'un

→ la **déclaration**
Le Premier ministre a déclaré que la France allait saisir le Conseil de Sécurité de l'ONU. Le président de la République fera une déclaration demain.

DEMANDER À
quelqu'un quelque chose /
si (Indic) / de faire quelque
chose

Quand elle m'a demandé de l'épouser, je me suis demandé si elle se moquait de moi.
→ la **demande** (de quelque chose)
→ le **demandeur** (d'emploi)

DÉMONTRER SYN : prouver
quelque chose à
quelqu'un / à quelqu'un
que (Indic)

Vous n'arriverez jamais à démontrer à vos partenaires que votre entreprise est saine / la santé de votre entreprise.
→ la **démonstration**
une démonstration par A + B (= bien menée, solide)

ENSEIGNER = faire apprendre quelque chose à quelqu'un
quelque chose à
quelqu'un / à quelqu'un
que (Indic)

→ l'**enseignement**
→ l'**enseignant**
Le russe n'est pas enseigné à beaucoup d'élèves en France. Aussi les enseignants qui dispensent cet enseignement sont-ils peu nombreux.

EXPLIQUER = donner des détails pour faire comprendre
quelque chose
à quelqu'un

→ l'**explication**
→ **explicable, inexplicable**
Le professeur de physique a cherché à m'expliquer la théorie de la relativité, mais je n'ai rien compris à ses explications.

A1-A3 GLOSSAIRES THÉMATIQUES

FAIRE SAVOIR ▬▬▬▬▬▬▬▬▬▬▬▬▬▬▬▬▬▬▬▬▬ SYN : apprendre, informer

quelque chose / que
(Indic) à quelqu'un

Je te fais savoir que Paul arrive demain

IDÉE ▬▬▬▬▬▬▬▬▬▬▬▬▬▬▬▬▬▬▬▬▬▬▬▬▬▬▬▬▬▬▬

→ lancer / reprendre une idée

INFORMER ▬▬▬▬▬▬▬▬▬▬▬▬▬▬▬▬▬▬▬▬▬▬▬ SYN : faire savoir

quelqu'un de quelque
chose / que (Indic)

→ l'**information**
→ l'**informateur / -trice**

INSISTER ▬▬▬▬▬▬▬▬▬▬▬▬▬▬▬▬▬▬▬▬▬▬▬▬ SYN : répéter, redire

sur quelque chose

→ l'**insistance**, dire quelque chose avec insistance

Il a répété avec insistance qu'il voulait vous voir. Il insiste beaucoup sur la nécessité de cette rencontre.

INTERROGER ▬▬▬▬▬▬▬▬▬▬▬▬▬▬▬▬▬▬▬▬▬▬▬▬▬▬▬▬▬

quelqu'un (sur quelque
chose)

→ l'**interrogation** (orale, écrite / passer une ~)
→ l'**interrogatoire** (de police / subir un ~)
→ l'**interrogateur / -trice** (personne qui interroge à un examen)

Au baccalauréat l'interrogateur de français ne m'a pas interrogé seulement sur les textes du programme mais aussi sur mes goûts littéraires si bien que l'interrogation a finalement tourné à l'interrogatoire.

METTRE AU COURANT ▬▬▬▬▬▬▬▬▬▬▬▬▬▬▬ SYN : informer / STYLE : familier

quelqu'un (de quelque
chose)

→ être au courant (= savoir)

Personne ne vous en avait encore mis au courant ? Eh bien ! maintenant vous êtes au courant !

PRÉVENIR ▬▬▬▬▬▬▬▬▬▬▬▬▬▬▬▬▬▬ SYN : avertir (éventuellement d'un danger)

quelqu'un de quelque
chose / que (Indic)

PROUVER ▬▬▬▬▬▬▬▬▬▬▬▬▬▬▬▬▬ = démontrer de manière incontestable

quelque chose à
quelqu'un / à quelqu'un
que (Indic)

→ la **preuve**

Messieurs les jurés, M. le Procureur cherche à vous prouver que mon client est coupable / la culpabilité de mon client, mais il n'est pas capable de faire la preuve de ses accusations.

REDIRE ▬▬▬▬▬▬▬▬▬▬▬▬▬▬▬▬▬▬▬▬▬▬▬▬▬▬▬▬▬▬

quelque chose / que
(Indic) à quelqu'un

→ la **redite** (SYN : la répétition)

RÉPÉTER ▬▬▬▬▬▬▬▬▬▬▬▬▬▬▬▬▬▬▬▬▬▬▬▬▬▬ SYN : redire

quelque chose / que
(Indic) à quelqu'un

→ la **répétition**
→ le **répétiteur** (SPÉC : adjoint d'un enseignant qui entraîne les élèves)

A1-A3   EXERCICES

1 ◆

En réunissant les deux colonnes, formez cinq phrases :

1. J'ai suivi la discussion
2. Il m'a accordé un entretien
3. Je l'ai mis au courant
4. Ils ont bavardé longtemps
5. Il m'a répété

A. pour que je m'explique avec lui.
B. de votre départ.
C. que j'étais mal informé.
D. en écoutant attentivement.
E. sans se disputer.

2 ◆

En prenant une partie de phrase dans chaque rectangle, composez trois phrases :

1. Je vous avertis
2. Sa démonstration est si solide
3. Si vous n'avez pas de preuves

A. que je suis convaincu
B. que vous avez tort
C. contredire les autres

a. de ne pas vouloir discuter avec lui.
b. ne sert à rien.
c. qu'il a raison.

3 ◆

Transformez les phrases en imitant le modèle :

Je ne tolérerai pas plus longtemps *ceux / celles qui passent leur temps à bavarder* → les bavards / les bavardes.

1. Robert était un de ces *hommes qui s'écoutent parler*.

→ ....

2. À l'époque Pierre sortait juste du Lycée professionnel et n'était rien d'autre que *quelqu'un qui apprend son métier*.

→ ....

3. Les offres d'emploi de l'Agence Nationale Pour l'Emploi s'adressent à *ceux qui demandent à exercer un emploi*.

→ ....

4. La réunion pédagogique réunira *ceux qui enseignent* et *ceux qui répètent les cours à l'intention des élèves lents*.

→ ....

5. La presse satirique s'appuie sur les renseignements que lui fournissent *ceux qui l'informent régulièrement*.

→ ....

6. Dans les réunions publiques, les hommes politiques doivent s'exercer à repousser les critiques de *ceux qui les contredisent*.

→ ....

A1-A3   EXERCICES

4 ◆

Replacez dans le texte suivant les verbes de communication ci-dessous à la place convenable.

apprendre (2 fois) ; demander ; avertir ; prévenir ; dire ; prouver ; déclarer ; être au courant ; ajouter.

À l'occasion de sa visite à l'hôpital de Garches, le ministre des Transports a . . . . . aux journalistes que la France allait organiser un colloque européen sur la sécurité routière. Il a . . . . . : « Je . . . . . à tous les automobilistes de . . . . . qu'on peut faire baisser le nombre des accidents. J' . . . . . les chauffards que la gendarmerie et la police seront très sévères sur les routes des vacances. Je les . . . . . dès maintenant. Personne ne pourra . . . . . : je n' . . . . . . J' . . . . . que mes services préparent une réforme de l'enseignement du code de la route. Il faut . . . . . aux jeunes automobilistes à mieux le connaître ».

5 ◆ ◆

Les noms *contact, relation* et *rapport* sont introduits par des verbes spécifiques, par exemple : *Je me mets en contact avec lui dès demain.*
Complétez les phrases suivantes à l'aide du verbe convenable, si nécessaire en vous aidant du glossaire.

1. Depuis des jours les opérateurs cherchaient en vain à . . . . . contact avec l'équipage de la navette spatiale en orbite autour de la lune.
2. Ils avaient . . . . . contact après un message de détresse, ce qui laissait craindre une fin tragique de l'expédition.
3. Mais au bout de quelques heures la station orbitale SPACELAB parvint à . . . . . le centre spatial de Californie . . . . . contact avec la navette.
4. Bien que la liaison ait été très mauvaise, la navette et les opérateurs à terre ont pu . . . . . contact et évaluer les dégâts causés par la pluie de météorites à laquelle avait été soumise la navette.
5. . . . . . vous . . . . . rapport immédiatement avec moi dès que vous serez de retour !
6. Cette maison me conviendrait parfaitement, il faut que je me . . . . . relation avec le vendeur.

6 ◆ ◆

Transformez les phrases suivantes en remplaçant l'expression (verbe + nom d'action) par un verbe simple.

Modèle : Le gouvernement a *adressé un avertissement* aux terroristes :
« Nous ne céderons pas au chantage. »
→ Le gouvernement a *averti* les terroristes qu'il ne céderait pas au chantage.

1. Le groupe des terroristes a *publié une déclaration* selon laquelle il était prêt à échanger les otages contre des armes.

→ ....

2. Le Secrétaire général de l'ONU a *adressé une demande* aux deux pays en conflit concernant l'ouverture immédiate des négociations.

→ ....

3. Encore une fois à l'occasion du 1er mai les syndicats n'ont pas pu *faire la démonstration* de leur volonté de collaboration.

→ ....

4. L'association des professeurs de sciences physiques regrette de devoir souvent *assurer l'enseignement* de la physique et de la chimie sans un équipement suffisant.

→ ....

5. Le jury ne peut pas *soumettre* les candidats à *une interrogation* supérieure à 20 minutes.

→ ....

6. Le Conseil d'Administration prie Monsieur le Directeur général de lui *fournir des explications* sur les raisons du déficit de la société et sur les mesures qu'il compte prendre pour redresser la situation.

→ ....

7. En réponse, le Directeur général a *répété son affirmation* selon laquelle les mauvais résultats sont dus aux grèves réitérées du personnel.

→ ....

8. Le Conseil a estimé que le Directeur n'avait pas *fourni une réponse* claire et pertinente et l'a prié de donner sa démission.

→ ....

9. Il n'a pas su *faire la preuve* de ses capacités et de sa combativité.

→ ....

10. Le Conseil a *envoyé cette information* à tous les actionnaires.

→ ....

7 ◆ ◆ ◆

Transformez les phrases suivantes selon le modèle :

Le maître de maison a présenté ses respects *au préfet*.
→ Quant au préfet, le maître de maison *lui* a présenté ses respects.

Remarque : Selon le cas, la préposition subsiste et le pronom personnel ne se déplace pas, ou bien la préposition disparaît et le pronom passe à gauche du verbe.

1. J'aimerais que nous restions en relation *avec les Fournier*.

→ ....

2. Il va encore falloir que je fasse la conversation *à la fille des Durand*.

→ ....

3. Les négociateurs sont prêts à débattre *de tous les problèmes en suspens*.

→ ....

4. Les locataires se sont disputés avec le propriétaire à *propos de la vétusté du logement*.

→ ....

5. Le maire souhaite discuter avec tous les intéressés *de l'aménagement du nouveau quartier*.

→ ....

A1-A3	**EXERCICES**

8

Les phrases suivantes comportent un verbe qui se construit à la fois avec un complément direct et un complément indirect. Encadrez dans chaque phrase les deux compléments puis remplacez-les par les pronoms personnels convenables.

> **Modèle :** Tu apprendras la victoire de l'Olympique de Marseille à ton voisin
> Tu apprendras (la victoire de l'Olympique de Marseille) (à ton voisin)
> → Tu la lui apprendras.

1. J'ai averti mon patron de mon absence.

→ ....

2. Le juge d'instruction interroge le suspect sur son emploi du temps.

→ ....

3. Je souhaite informer le juge que je me tiens à sa disposition pour témoigner.

→ ....

4. Il a déclaré sa passion à la jeune fille qu'il a rencontrée sur la Côte d'Azur.

→ ....

9

Transformez les expressions données en une phrase complète.

Modèle : démontrer l'exactitude du raisonnement
→ Je réussirai à (vous) démontrer que mon raisonnement est exact.

1. dire la raison de son absence

→ ....

2. prévenir de sa visite

→ ....

3. apprendre le passage prochain d'un ami

→ ....

4. demander la date et le lieu d'une rencontre

→ ....

5. enseigner la gravitation de la terre autour du soleil

→ ....

6. faire savoir au commissaire le nom du meurtrier du chauffeur de taxi

→ ....

10 ◆ ◆ ◆

Voici une réflexion de La Rochefoucauld dans laquelle certains verbes et noms ont été remplacés par des synonymes. Retrouvez le texte original !

« Ce qui fait que si peu de personnes sont agréables dans *les entretiens* (. . . . .), c'est que chacun songe plus à ce qu'il veut *exprimer* (. . . . .) qu'à ce que les autres *expriment* (. . . . .). Il faut *être attentif à* (. . . . .) ceux qui *prennent la parole* (. . . . .), si on veut *bénéficier de leur attention* (être . . . . .)...
Au lieu de *dire le contraire d'eux* (les . . . .) ou de les interrompre comme on fait souvent, on doit, au contraire, entrer dans leur esprit et dans leur goût, montrer qu'on les entend, *s'entretenir avec eux* (leur . . . . .) de ce qui les touche... »

A4-A6 **TEXTES ET CONTEXTES**

A4

Quand on parle au téléphone, il faut **articuler** soigneusement. Il est inutile de **hurler** ou de **crier**, votre correspondant n'entendra pas mieux. Mais ne **chuchotez** pas, il n'entendrait plus rien. Si vous donnez un nom propre, **épelez**-le : « Je m'appelle Jean Pliac, P. L. I. A. C. »

• • •

Les acteurs doivent avoir une **élocution** parfaite. Ils apprennent à **articuler** convenablement en faisant des exercices de diction. Par exemple en répétant : Les chemises de l'archiduchesse sont-elles sèches, archisèches ? Ils peuvent, sans effort, se faire entendre au fond de la salle non seulement quand ils **hurlent** mais aussi quand ils **murmurent**.

• • •

« Assis sur son lit, le garçon attendait, sans le regarder.
– Mais… dis quelque chose… au moins… **bredouilla** le père. »
(Chabrol, *Les Rebelles*)

• • •

Cris et chuchotements. (Titre français d'un film d'I. Bergman)

• • •

« Andermatt se présenta, se nomma, nomma son beau-frère le comte de Ravenel, **s'inclina** profondément devant les jeunes filles, avec un **salut** plongeant de la plus extrême élégance, puis s'assit tranquillement… »
(Maupassant, *Mont-Oriol*)

• • •

« Quand Christiane l'interrogea :
– Que vous a répondu Gontran ?
Il **balbutia** :
– Mon Dieu, il… il préfère l'aînée, à présent… Je crois même qu'il veut l'épouser…
Christiane s'abattit sur une chaise en murmurant :
« Oh ! mon Dieu ! … Mon Dieu ! … » (Maupassant, *Mont-Oriol*)

• • •

« Le lieutenant s'aperçut soudain que tout ce qu'il racontait **amusait** l'instituteur et le maire au lieu de les **indigner**. Sous le coup de la colère, il se dressa, soulèvant le pupitre des genoux… Il hurla :
– Mais enfin, tout le monde est inconscient ici ! …
Alain **secoua doucement** la tête en **murmurant** :
– Non, c'est trop tard maintenant, trop tard… »
(Chabrol, *Les Rebelles*)

• • •

« De nouveau, il **baissa la tête** et sa voix se fit plus sourde.
– En décidant de retirer André du collège, j'ai agi par inspiration.
Ce dernier mot fut presque **chuchoté**. » (Green, *Si j'étais vous…*)

A4-A6 | GLOSSAIRES THÉMATIQUES

A4 – L'ÉLOCUTION

ARTICULER ▬▬▬▬▬▬▬▬▬▬▬▬▬▬▬▬ = prononcer distinctement
quelque chose → l'**articulation**, avoir une bonne / mauvaise articulation

BALBUTIER ▬▬▬▬▬▬▬▬▬▬▬▬▬▬▬ = prononcer indistinctement
quelque chose

BÉGAYER ▬▬▬▬▬▬▬▬▬▬▬▬ = avoir des difficultés d'élocution
quelque chose → le **bégaiement**

BREDOUILLER ▬▬▬▬▬▬▬▬▬▬▬▬▬▬▬▬▬ **SYN** : balbutier
quelque chose

CHUCHOTER ▬▬▬▬▬▬▬▬▬▬▬▬▬▬▬ = dire à voix basse
quelque chose → le **chuchotement**
à quelqu'un

CRIER ▬▬▬▬▬▬▬▬▬▬▬▬▬▬ = dire en parlant très fort
quelque chose → le **cri**, pousser / retenir un cri
à quelqu'un

DICTION (la) ▬▬▬▬▬▬▬▬▬▬▬ voir **dire** → **A2** / Spéc : manière d'articuler

ÉLOCUTION (l') ▬▬▬▬▬▬▬▬▬▬▬▬ = manière de s'exprimer oralement
→ avoir une bonne / une mauvaise élocution

ÉPELER ▬▬▬▬▬▬▬▬▬▬▬▬▬ = nommer toutes les lettres d'un mot
quelque chose

GÉMIR ▬▬▬▬▬▬▬▬▬▬▬▬▬▬▬▬▬▬▬▬▬
→ le **gémissement**
Le blessé gémissait sans pouvoir prononcer aucun son articulé.

HURLER ▬▬▬▬▬▬▬▬▬▬▬▬▬▬▬▬ = crier très fort
quelque chose à quelqu'un → le **hurlement**, pousser un hurlement

MURMURER ▬▬▬▬▬▬▬▬▬▬▬▬▬▬▬ **SYN** : chuchoter
quelque chose / que → le **murmure**
(Indic) à quelqu'un *Il lui a murmuré à l'oreille : « Je t'aime ! » Ce murmure lui parut exquis.*

PRONONCER ▬▬▬▬▬▬▬▬▬▬▬▬▬▬▬▬▬▬▬▬
quelque chose → prononcer un discours / un mot
→ la **prononciation**, avoir une bonne / une mauvaise prononciation,
soigner sa prononciation
Les Parisiens sont souvent difficiles à comprendre pour un étranger parce qu'au lieu de prononcer distinctement certaines syllabes, ils les avalent.

A4-A6 GLOSSAIRES THÉMATIQUES

A5 – LES ÉMOTIONS

AMUSER `quelqu'un`   SYN : réjouir / = faire rire, faire sourire
→ s'**amuser** de quelque chose
→ l'**amusement**
→ l'**amuseur**

APEURER `quelqu'un`   SYN : effrayer / = faire peur

ATTRISTER `quelqu'un`   = rendre triste
→ s'**attrister** de quelque chose

BOULEVERSER `quelqu'un`   SYN : émouvoir beaucoup

EFFRAYER `quelqu'un`   = donner de l'effroi, de la peur
→ s'**effrayer** de quelque chose

ÉGAYER `quelqu'un`   = rendre gai

ÉMOUVOIR `quelqu'un`   = remuer le cœur, l'esprit, mettre au bord des larmes
→ être **ému**
→ l'**émoi**, mettre quelqu'un en émoi
→ l'**émotion**, ressentir une vive ~ / partager l'émotion de quelqu'un
→ **émouvant**

ENTHOUSIASMER `quelqu'un`   = plaire beaucoup
→ s'**enthousiasmer** pour quelque chose
→ l'/ un **enthousiasme**, provoquer / soulever l'enthousiasme
→ **enthousiaste** (un public)
→ **enthousiasmant** (un discours)

Le plaidoyer vibrant de l'orateur enthousiasma / souleva l'enthousiasme de l'assistance.

ÉTONNER `quelqu'un`   = surprendre
→ s'**étonner** de quelque chose
→ l'**étonnement**, provoquer l'~

INQUIÉTER `quelqu'un`   = rendre inquiet
→ s'**inquiéter** de quelque chose
→ l'/ une inquiétude, éprouver / ressentir de l'inquiétude

INTRIGUER `quelqu'un`   = provoquer la curiosité

A4-A6	GLOSSAIRES THÉMATIQUES

IRRITER ▬▬▬▬▬▬▬▬▬▬▬▬▬▬▬▬▬ = mettre de mauvaise humeur
quelqu'un
→ **s'irriter** de quelque chose
→ l'**irritation**

RÉJOUIR ▬▬▬▬▬▬▬▬▬▬▬▬▬▬▬▬▬ = rendre joyeux
quelqu'un
→ **se réjouir** de quelque chose
→ la **réjouissance**, organiser / participer aux réjouissances
→ **réjouissant / -e**

TRANQUILLISER ▬▬▬▬▬▬▬▬▬▬▬▬▬ = rendre tranquille, calmer
quelqu'un
(sur quelque chose)
→ se **tranquilliser**
→ le **tranquillisant** (= médicament qui calme les nerfs)

A6 – LES GESTES

APPLAUDIR ▬▬▬▬▬▬▬▬▬▬▬▬▬▬▬ = manifester sa satisfaction en battant des mains
quelqu'un / à quelque
chose
→ les **applaudissements**
À la fin de la représentation une partie du public applaudissait les interprètes à tout rompre tandis qu'une autre partie les huait. Mais les applaudissements l'emportaient sur les huées.

SE DÉTOURNER ▬▬▬▬▬▬▬▬▬▬▬▬ Spéc : signe de rejet, de dégoût
de quelqu'un

HAUSSER LES ÉPAULES ▬▬▬▬▬▬ Spéc : signe de résignation ou d'indifférence
→ le **haussement d'épaules**

HOCHER LA TÊTE ▬▬▬▬▬▬▬▬▬▬▬▬ Spéc : signe d'approbation
→ le **hochement de tête**

HUER ▬▬▬▬ = crier contre quelqu'un pour lui exprimer son mécontentement / Contr : applaudir
quelqu'un
→ les **huées**
Il est parti sous les huées.

MONTRER LE POING ▬▬▬▬▬▬▬▬▬ Spéc : signe de colère, de haine
à quelqu'un

SE PROSTERNER ▬▬▬▬▬▬▬▬▬▬▬ Spéc : signe de respect, de vénération
devant quelqu'un

SIFFLER ▬▬▬▬▬▬▬▬▬▬▬▬▬▬▬▬ SYN : huer quelqu'un
quelqu'un
→ les **sifflets** (Syn : les huées)

TRÉPIGNER ▬▬▬▬▬▬▬▬▬▬▬▬▬▬ = frapper vivement des pieds par terre
(de joie / colère / excitation, etc.)

A4-A6	**EXERCICES**

11 ◆

Remplacez les expressions en italique par des verbes plus précis.

Modèle : La liaison téléphonique était si mauvaise qu'il se mit à *parler très fort* dans l'appareil → ... il se mit à *hurler* dans l'appareil.

1. L'interrogateur avait de la peine à *dire correctement* le nom du prochain candidat.

....

2. Il préféra donc *dire toutes les lettres de* son nom pour l'appeler à l'examen oral.

....

3. Le candidat était tellement ému qu'il n'arrivait qu'à *dire indistinctement* des bribes de phrases.

....

4. L'interrogateur, qui cherchait en vain à saisir un mot, le pria *de parler clairement*.

....

5. Mais le candidat, sous l'effet du trac, se mit alors à *parler à voix basse*, ce qui agaça l'interrogateur.

....

6. Celui-ci *dit, d'une voix forte* au malheureux candidat : « Ou bien vous vous exprimez de manière à être compris, ou bien nous en resterons là ! »

....

7. Effondré, le candidat *dit d'une voix pleurante :* « Je crois que j'ai tout oublié... »

....

12 ◆

Remplacez le groupe en italique par un verbe de la même famille que le nom ou l'adjectif.

Modèle : Je vous en prie, *retrouvez votre calme* ! = *Calmez-vous* !

1. L'absence de nouvelles de Gérard depuis qu'il est parti en vacances aux USA me *rend inquiète*.

....

2. Une simple carte postale de lui suffirait à me *rendre joyeuse*.

....

3. *Retrouvez votre tranquillité* (1), Gérard vient de téléphoner de Louisiane. Il va bien, mais il n'a plus un sou en poche.

....

4. Je *deviens triste* (forme réfléchie) quand je pense à tous les hectares de forêts qui ont disparu dans les incendies de cet été.

....

5. L'enfant *pris de peur* devant (→ par) le chien menaçant tremblait de tous ses membres.

....

A4-A6	EXERCICES

6. Allez donc voir un vaudeville (comédie légère) sur les boulevards, cela vous *redonnera de la gaieté* (1).

....

7. Quand je vois combien d'accidents de la route tragiques sont dus à l'alcoolisme, cela me *donne de l'effroi*.

....

(1) ne tenez pas compte du préfixe re-

13 ◆ ◆

a) Faites correspondre les phrases de gauche exprimant un sentiment ou une intention et les verbes de droite exprimant un geste caractéristique de ce sentiment ou de cette intention

b) Formez à l'aide de chaque verbe de droite une phrase en rapport avec le contexte de gauche correspondant.

Modèle :
a) Les supporters étaient très déçus par leur équipe de football . . . . . → siffler
b) les supporters, déçus par leur équipe de football, la sifflaient.

1. Eliane trouve ridicules les remontrances de son mari. →	A. se prosterner (devant quelqu'un)
2. L'enfant est en colère parce qu'il ne peut pas atteindre son jouet préféré →	B. applaudir (quelqu'un)
3. Les spectateurs sont très contents du jeu des acteurs →	C. se détourner (de quelqu'un)
4. Robert fait un signe de la tête pour montrer qu'il est d'accord avec moi. →	D. montrer le poing (à quelqu'un)
5. Les mélomanes (amateurs de musique classique) trouvent la cantatrice très médiocre →	E. trépigner (de + sentiment)
6. Tous les évêques réunis à Rome ont manifesté leur vénération devant le pape →	F. hocher la tête
7. L'automobiliste est en rage contre le chauffard (conducteur dangereux) qui a failli causer un grave accident. →	G. hausser les épaules
8. Pierre éprouve du mépris devant son ancien ami qui a trahi leur amitié. →	H. huer

A4-A6 | **EXERCICES**

14 ◆ ◆

Remplacez chacun des verbes (ou expressions verbales) à la forme négative par un verbe de sens contraire à la forme affirmative.

1. Le prestidigitateur *n'ennuyait pas* la salle avec ses tours.

→ ....

2. Certains étaient si habiles qu'ils *ne laissaient pas indifférents* même les spectateurs les moins intéressés.

→ ....

3. Il *ne prononçait pas à haute voix* des formules incompréhensibles en disant que c'était des formules magiques.

→ ....

4. Quand il commença de scier la caisse où il avait enfermé une spectatrice, il *ne tranquillisa pas* quelques personnes.

→ ....

5. Mais quand la femme sortit entière de la caisse coupée en trois, *personne ne montra de mécontentement*.

→ ....

6. Les enfants *ne tenaient pas en place* de joie.

→ ....

15 ◆ ◆

Mots croisés. Remplissez la grille de mots croisés ci-dessous à l'aide des définitions qui suivent.

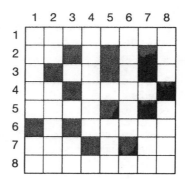

Horizontalement
1. Parler très doucement.
2. On se réjouit à l'occasion de son premier jour.
3. Pronom personnel indéfini.
4. Les consonnes de **neige**. Émotion.
5. (À l'envers) voies de circulation.
6. On le montre quand on est en colère.
7. Un cri en désordre. Métal précieux.
8. Il « parle » avec ses pieds.

Verticalement
1. Elles servent à applaudir. Les consonnes de **rater**.
2. Avant deux. Se plaindre en pleurant.
3. Adjectif démonstratif.
4. (À l'envers) Devant le nom de famille.
5. Le contraire du 7 vertical.
6. Content, heureux.
7. Le contraire du 5 vertical.
8. Est content. Dans les contes, il vaut mieux que les petits enfants ne le rencontrent pas.

| A7 | **TEXTES ET CONTEXTES** |

A7

Cher Paul, J'ai tout fait pour essayer de **convaincre** Anne **de** renoncer à vendre son magasin. Je lui ai **recommandé de** bien réfléchir, je lui ai **conseillé de** prendre l'avis d'autres amis et je l'ai presque **suppliée de** ne rien faire sans m'avertir. J'espère que j'ai été assez persuasif mais je suis un peu **découragé**. Une **intervention** de ta part aurait peut-être plus de réussite. Je le souhaite mais je n'en suis pas sûr. Après tout, elle est libre… même de faire une bêtise. Personne ne peut lui **ordonner** de ne pas vendre.

• • •

Les gendarmes sont un peu **découragés**. Ils **se plaignent** du commandement : « Quand on veut **inciter** les officiers à faire des changements, ils nous **déconseillent d'**intervenir auprès de la Direction de la Gendarmerie. Certains même nous **ordonnent de** nous taire. Nous n'avons aucun **interlocuteur** avec qui débattre. On ne règle pas les problèmes à coups d'**interdiction** ».

• • •

« C'est vrai, dit Deslauriers, lui **coupant** net **la parole**, ça ne peut pas durer plus longtemps ! » (Flaubert, L'*Éducation sentimentale*)

• • •

« Gontran, pâle, la voix cassante, l'**interrompit :**
– Tais-toi ! … Tu en as déjà trop dit… et j'en ai trop entendu… »
(Maupassant, *Mont-Oriol*)

• • •

« Il faut protéger la vanille et le consommateur », **affirme** le magistrat en s'inquiétant de la quantité de parfum naturel contenu dans une glace *à la vanille*. En tout cas, M. L. **estime** **qu'**il s'agit d'« une affaire de principe »… Pour leur défense, D. et Y. **soulignent que** leurs emballages ont été soumis au service de la répression des fraudes (M. Peyrot, *Le Monde*, 21 mai 89)

A7 — GLOSSAIRE THÉMATIQUE

A7 - AGIR SUR L'INTERLOCUTEUR

COMMANDER
à quelqu'un de faire
quelque chose

SYN : ordonner / = dire à quelqu'un ce qu'il doit faire
→ le **commandement** 1. (de Dieu) = ce qui est commandé
2. (d'une troupe) = l'action de commander

CONSEILLER
quelque chose / de faire
quelque chose à
quelqu'un

→ le **conseil**, donner / recevoir un conseil
→ le **conseiller**

Ne croyez pas que je cherche à vous commander ce que vous devez faire.
Je ne veux que vous conseiller : n'y voyez aucun commandement, seulement
un conseil !

CONVAINCRE
quelqu'un
de quelque chose

= persuader (par des arguments)
→ la **conviction**, exprimer / partager une conviction
→ **convaincant / -e**

L'avocat cherchait depuis une heure à convaincre les jurés de l'innocence
de son client ; finalement son ton convaincant entraîna la conviction
des hésitants.

DÉCONSEILLER
à quelqu'un de faire
quelque chose

CONTR: conseiller

DÉCOURAGER
quelqu'un à faire
quelque chose

CONTR : encourager

DÉFENDRE
à quelqu'un de faire
quelque chose

SYN : interdire
→ la **défense** (de)

Il est défendu de doubler = défense de doubler.
Il est interdit de stationner = interdiction de stationner.

ENCOURAGER
quelqu'un à faire
quelque chose

→ l' / un **encouragement** (prodiguer des ~ à quelqu'un)

ENGAGER
quelqu'un à faire
quelque chose

SYN : pousser, inciter

ENJOINDRE
à quelqu'un de faire
quelque chose

STYLE : soutenu
→ l' / une **injonction**

EXIGER
quelque chose
de quelqu'un

= demander avec autorité
→ l'**exigence**, exposer / manifester des exigences

Le groupe de terroristes exige que l'avion détourné soit autorisé à se poser
sur l'aéroport de la capitale.
Il fera connaître plus tard ses autres exigences.

A7	GLOSSAIRE THÉMATIQUE

INCITER ▭▭▭▭▭▭▭▭▭▭▭▭ SYN : pousser quelqu'un à faire quelque chose
quelqu'un à faire
quelque chose
→ l' / une **incitation** (à la révolte, au meurtre)

INTERDIRE ▭▭▭▭▭▭▭▭▭▭▭▭▭▭▭▭▭▭ SYN : défendre
à quelqu'un de faire
quelque chose
→ l' / une **interdiction**

INTERROMPRE ▭▭▭▭▭▭▭▭▭▭▭▭▭ = arrêter brièvement
quelqu'un (dans quelque
chose)
→ s'**interrompre**
→ l' / une **interruption** (= un arrêt dans quelque chose)

INTERVENIR ▭▭▭▭▭▭▭▭▭▭▭▭▭▭▭▭
dans quelque chose
→ l' / une **intervention**, faire une intervention
→ l' / un **intervenant** (STYLE : néologisme / = personne qui prend la parole
dans un cadre officiel)

INVITER ▭▭▭▭▭▭▭▭▭▭▭▭▭▭▭▭▭▭
quelqu'un à faire
quelque chose
→ l' / une **invite**
→ une **invitation**, lancer / recevoir une invitation

OBÉIR ▭▭▭▭▭▭▭▭▭▭ = faire ce qu'une autorité a dit de faire
à quelqu'un
→ l'**obéissance**
→ **obéissant / -e**

ORDONNER ▭▭▭▭▭▭▭▭▭▭▭▭▭▭ SYN : commander
quelque chose à
quelqu'un / à quelqu'un
de faire quelque chose
→ l' / un **ordre**, donner à quelqu'un /
    recevoir de quelqu'un l'ordre de…

PAROLE ▭▭▭▭▭▭▭▭▭▭▭▭▭▭▭▭▭▭▭
couper la ~ à quelqu'un (SYN : interrompre)

PERSUADER ▭▭▭▭▭▭▭▭▭▭▭▭▭▭ SYN : convaincre
quelqu'un de faire
quelque chose
→ la **persuasion**
→ **persuasif / -ve**, prendre un ton ~

*Son père a pris un ton persuasif et a réussi à le
persuader de la véracité de ses affirmations. Il l'a persuadé de le soutenir
dans son action.*

POUSSER ▭▭▭▭▭▭▭▭▭▭▭▭ = dire à quelqu'un qu'il faut qu'il fasse quelque chose
quelqu'un à faire
quelque chose

PRIER ▭▭▭▭▭▭▭▭▭▭▭▭▭▭▭▭▭▭▭▭
quelqu'un de faire
quelque chose
→ la **prière** 1. SYN : la demande
                2. faire sa prière (SPÉC : acte religieux)

A7	GLOSSAIRE THÉMATIQUE

PROTAGONISTE (le) ▬▬▬▬▬▬▬▬▬▬ = acteur principal, figure centrale dans un débat, une action

RECOMMANDER ▬▬▬▬▬▬▬▬▬▬▬▬▬▬▬▬▬▬▬▬▬▬▬▬ **SYN** : conseiller

quelque chose / de faire → la **recommandation**, faire ses recommandations à quelqu'un
quelque chose à
quelqu'un

SOMMER ▬▬▬▬▬▬▬▬▬▬▬▬▬▬▬▬▬▬▬▬▬▬▬▬▬▬▬ **SYN** : enjoindre, commander

quelqu'un de faire → la **sommation**, faire les ~ d'usage (= prévenir l'adversaire qu'on va passer
quelque chose à l'attaque)

La sentinelle somma l'inconnu de lui dire le mot de passe.
Le policier a tiré sur le cambrioleur sans sommations (= sans l'avoir sommé
de se rendre)

SUPPLIER ▬▬▬▬▬▬▬▬▬▬▬▬▬▬▬▬▬▬▬▬▬▬▬▬▬▬▬▬ = prier quelqu'un avec humilité

quelqu'un de faire → la **supplication**
quelque chose

A7	**EXERCICES**

16 ◆

Complétez chaque phrase en choisissant au moins deux des verbes mentionnés :

engager - conseiller - ordonner - recommander - défendre - commander - inciter - interdire - inviter - pousser

1. En criant, le capitaine a . . . . . aux soldats de se cacher dans les bois parce que les avions ennemis approchaient.
2. Le professeur me . . . . . de réviser mes verbes irréguliers.
3. Le docteur m'a . . . . . de ne plus fumer et il m'a . . . . . à faire plus de sport.
« Si vous ne faites rien, je serai forcé de vous donner des ordres », a-t-il ajouté.
4. Le règlement . . . . . aux joueurs de courir sur la pelouse du stade avec les chaussures à pointes qui servent pour courir sur les pistes.
5. « Le commandant vous souhaite un bon séjour à terre. Il vous rappelle que pendant l'escale, les passagers sont . . . . . à regagner le bateau chaque soir avant minuit. »

17 ◆

En réunissant les textes deux par deux, composez sept phrases.

Exemple h + 3 : C'est un panneau d'interdiction de stationner, il ne faut pas s'arrêter.

a. Vous ne m'avez pas convaincu …
b. Je vous recommande de faire attention …
c. Il est complètement découragé …
d. Je vous supplie de me croire ,…
e. C'est une lettre de Paul ,…
f. J'ai rencontré un conseiller financier, …
g. Faites ce que j'ai dit,…
h. C'est un panneau d'interdiction de stationner …

1. … je n'ai pas changé d'avis.
2. … il m'invite à dîner.
3. … il ne faut pas s'arrêter.
4. … je n'ai aucune raison de vous mentir.
5. … la route est dangereuse.
6. … il m'a incité à acheter des dollars.
7. … c'est un ordre !
8. … je lui ai conseillé de se reposer.

18 ◆

Rangez les verbes suivants en trois catégories selon le rapport d'autorité entre les deux protagonistes et formez une phrase d'exemple.

1. A exerce une autorité sur B	ordonner
	supplier
	prier
	interdire
	conseiller
2. A et B sont égaux	commander
	défendre
	obéir
	recommander
3. A est sous l'autorité de B	encourager

A7	**EXERCICES**

19 ◆ ◆

Transformez les phrases selon le modèle :

Aimer son prochain comme soi-même, c'est ce que le Christ *commande*
→ Aimer son prochain comme soi-même, c'est un *commandement* du Christ.

1. Il se refuse à tenir compte de ce que ses parents lui *conseillent*.

→ ....

2. Tous les participants au Conseil des ministres attendaient que le Président *intervienne* dans le débat.

→ ....

3. Les députés de l'opposition ont réclamé que la séance soit *interrompue* pendant une heure.

→ ....

4. Le gouvernement redoute que les étudiants *soient incités* au désordre.

→ ....

5. Le prisonnier regardait le gardien avec un air *suppliant*.

→ ....

6. Je vous remercie sincèrement de m'avoir *invité*.

→ ....

7. Je manque de confiance en moi, j'ai besoin que l'on m'*encourage*.

→ ....

8. Je vous serais reconnaissant de me *recommander* auprès du ministre.

→ ....

9. J'ignorais qu'il est *interdit* de stationner sur un pont.

→ ....

10. Je n'ai pas l'intention de suivre à la lettre ce que vous m'*ordonnez*.

→ ....

20 ◆ ◆ ◆

Transformez les phrases ci-dessous en introduisant dans la proposition principale un verbe de sens contraire et en supprimant la négation *ne pas* ou le préfixe négatif *in-* dans la proposition infinitive.

Exemple : Sa mère lui a *ordonné* de *ne pas* se mettre en retard.
→ Sa mère lui a *défendu* de se mettre en retard.

1. L'officier ordonna à ses hommes de ne pas tirer avant le signal.

→ ....

2. Il leur conseilla de ne pas bouger.

→ ....

3. Il les encouragea à ne pas faire de feu dans la forêt.

→ ....

4. Il défendit aux plus jeunes d'être inattentifs à ses instructions.

→ ....

5. Il déconseilla aux plus âgés d'être impatients.

→ ....

A7	**EXERCICES**

21 ◆ ◆ ◆

Observez les correspondances ci-dessous entre expressions au discours indirect et au discours direct :

Il m'a commandé / ordonné / supplié de le rejoindre
→ Il m'a dit : « Il faut que vous me rejoigniez » / « Rejoignez-moi »

Il m'a interdit / défendu de le suivre
→ Il m'a dit : « Il ne faut pas que vous me suiviez » / « Ne me suivez pas »

Il m'a recommandé d'être à l'heure
→ Il m'a dit : « Il est souhaitable / Il vaudrait mieux / Il serait préférable que vous soyez à l'heure. »

Il m'a déconseillé d'apporter une valise
→ Il m'a dit : « Il n'est pas souhaitable que vous apportiez une valise » / « Il est préférable / Il vaut mieux que vous n'apportiez pas de valise. »

Transformez les phrases suivantes sur ce modèle :

1. Sa femme l'a supplié de ne pas prendre la route avec tant de verglas.

....

2. Mes partenaires m'ont déconseillé de tenter ma chance seul.

....

3. Le directeur de l'école de ma fille m'a incité à la laisser redoubler sa classe.

....

4. Le percepteur des impôts m'a sommé par lettre recommandée de payer mon retard d'impôts.

....

5. Le chef du personnel m'a prié d'être plus assidu au bureau, sinon il devra se passer de mes services.

....

6. Tous mes amis m'ont conseillé de me présenter à nouveau à l'examen où j'ai échoué.

....

7. Son patron l'a encouragé à se présenter au concours de recrutement.

....

22 ◆ ◆ ◆

Exercice-parcours

Suivez les instructions ! Attention, quand une instruction ne comporte pas la mention de la phrase que vous devez transformer, il s'agit de la phrase obtenue à la ligne précédente :

Phrase-source :
Othello demande à Iago de prouver l'infidélité de Desdémone.

1. remplacez *demander* par *prier*
→ ....

2. remplacez *prier* par *exiger;* observez les conséquences !
→ ....

3. remplacez *exiger* par *supplier;* observez les conséquences !
→ ....

A7	**EXERCICES**

4. remplacez *supplier* par *ordonner*; quels sont les effets de la substitution ?

→ ....

5. transformez *Iago* en sujet de *prouver*

→ ....

6. parmi les verbes *demander, prier, exiger, supplier,* quels sont ceux qui admettent la construction précédente ? Formez ces phrases.

→ ....

7. remplacez dans <2> *qu'il prouve* par *la preuve*

→ ....

8. remplacez *exiger* par chacun des autres verbes introduits précédemment et retenir les phrases acceptables.

→ ....

9. remplacez dans <7> *Othello*, *Iago* et *la preuve* par un pronom.

→ ....

10. remplacez *exiger* par chacun des verbes mentionnés précédemment ainsi que *inciter* et *encourager* et classer les phrases obtenues par type de construction.

→ ....

11. rassembler vos observations en introduisant dans les phrases suivantes les verbes qui admettent la construction de la phrase :

0 ....à I de prouver l'infidélité de D

0 .... I de prouver l'infidélité de D

0 .... que I prouve l'infidélité de D

0 ....de I la preuve de l'infidélité de D

0 I(e) .... de lui

0 le lui ....

0 l'en ....

0 l'y ....

TEXTES ET CONTEXTES

A8-A9

En France l'**adresse** d'une **lettre** comporte le numéro de l'immeuble ou de la maison, le nom de la rue, un numéro codé de cinq chiffres et le nom de la commune. Exemple :
M. Jacques ROLAND
44, rue de la Gare
16210 MONTMOREAU
16 correspond au numéro du département, ici la Charente. 210 à celui de la commune dans le département.

• • •

Cher ami, J'ai reçu votre **lettre** ce matin. J'essaye depuis deux jours de **téléphoner** à Paul mais il n'est pas là. Je tombe sans cesse sur son **répondeur téléphonique**. Je vais lui **adresser** un télégramme en demandant de le faire suivre.

• • •

Vous êtes chez Paul Lesage. Je suis absent. Vous pouvez laisser un **message** sur le **répondeur.** Vous pourrez parler pendant une minute à partir du bip. BIP ! « Paul, c'est Jean. J'ai trouvé ton **billet** sur mon bureau. J'avais dû aller **mettre une lettre à la poste**. C'est d'accord pour demain. Si j'avais un empêchement, je te repasse un **coup de fil**. Salut. »

• • •

Communiqué de presse. La direction des autobus de la ville **avise** les voyageurs que la circulation est interrompue sur la ligne 15. Des **informations** supplémentaires seront données ce soir.

• • •

Quand le **reporter** est arrivé pour **interviewer** le vainqueur, celui-ci était déjà parti. Ses amis ont déclaré qu'il n'aimait pas qu'on lui fasse de la **publicité** et qu'il ne voulait pas voir sa photo dans les **journaux**.

• • •

Le rôle d'un **éditeur** de livres est de trouver de bons auteurs. Il reçoit un manuscrit tapé à la machine, il le fait **imprimer** et il **diffuse** le livre dans le maximum de librairies. Certains **éditeurs** **publient** beaucoup de livres. D'autres en **publient** moins mais dans des **éditions** de luxe qui coûtent plus cher.

• • •

La **retransmission** de la finale de la coupe de football sera assurée par la première chaîne de télévision mais c'est la seconde qui **diffusera** les demi-finales. Pour ces événements, tous les **reporters** sportifs seront sur place. Les frais seront payés par les recettes de la **publicité**.

• • •

Pour discuter du problème de la paix, les deux présidents se sont enfermés dans un des salons du Palais de l'Élysée, avec seulement leurs interprètes. Les **journalistes** restent dans la cour en attendant les **nouvelles**. Le président de la République a déclaré qu'il **ferait une communication à la presse** ce soir pour l'**informer** du résultat des conversations.

• • •

A8-A9 TEXTES ET CONTEXTES

« Je repris le **journal** tombé sur le tapis et je recommençai à le feuilleter, comme si j'avais sauté quelque part une **nouvelle** qui m'importait. » (Gracq, *Le roi Cophetus*)

• • •

« Aujourd'hui, maman est morte. Ou peut-être hier, je ne sais pas. J'ai reçu un **télégramme** de l'asile : - Mère décédée. Enterrement demain. Sentiments distingués. - Cela ne veut rien dire. » (Camus, *L'Étranger*)

• • •

« Des gendarmes du département de l'Isère ont **adressé** à leur tour, vendredi 11 août, une **lettre** anonyme à plusieurs radios et journaux de la région... » (*Le Monde*, 13-14 août 89)

• • •

« J'ai **téléphoné** à Morgane. J'avais son numéro... Au **téléphone**, elle avait une drôle de voix, un peu étouffée, un peu filtrée, elle a dit : - Viens tout de suite, ma chérie, ou plutôt, non, reste où tu es, je viens te chercher. - Je l'ai attendue près de la **cabine téléphonique**... » (Le Clezio, *Printemps*)

A8-A9 GLOSSAIRES THÉMATIQUES

A8 - ÉCRIRE, TÉLÉPHONER...

ADRESSER   SYN : envoyer

quelque chose
à quelqu'un
→ l'**adresse**

Faut-il vous adresser le colis à votre adresse de vacances ?

AFFRANCHIR   = coller un timbre sur la lettre
une lettre   → l'**affranchissement**

BILLET (le)   = court message écrit

CACHETER   = fermer une lettre

COMBINÉ (le)   = écouteur et micro du téléphone

CORRESPONDRE   = échanger du courrier

avec quelqu'un
→ le **correspondant** / la **correspondante**

→ la **correspondance**, être en / entretenir une correspondance avec quelqu'un

COUP DE FIL (le)   STYLE : familier

→ passer un coup de fil à quelqu'un (SYN : téléphoner à quelqu'un)

COURRIER (le)   = lettres et paquets-poste

DESTINATAIRE (le / la)   CONTR : l'expéditeur

ÉCRIRE

quelque chose à
quelqu'un / à quelqu'un
que (Indic)
→ l' / une **écriture**

→ l' / un **écrivain**

ENVELOPPE (l')

*Après avoir mis sur l'enveloppe l'adresse du destinataire et de l'expéditeur,
il la cacheta et l'affranchit.*

ENVOYER

un courrier
→ un **envoi**

→ l'**envoyeur(-euse)**. Le retour à l'envoyeur

A8-A9	GLOSSAIRES THÉMATIQUES

EXPÉDIER Contr : recevoir
un courrier → l'**expéditeur(-trice)**

LETTRE (la)
→ la **lettre recommandée** (= portée au destinataire en mains propres)

LIAISON (la) = la communication téléphonique

MESSAGE (le)
→ le **messager**

MINITEL (le) = appareil branché sur le téléphone donnant accès à des banques de données et des messageries

POSTE (la)
→ bureau de poste
→ **poster** (= déposer un courrier à la poste)
(ne pas confondre avec **poster quelqu'un = mettre quelqu'un à un poste / une place**)

TÉLÉCARTE (la) = carte électronique permettant de téléphoner pendant un nombre d'unités de temps déterminé.

TÉLÉCOPIER = envoyer une copie par le réseau de télécommunications
quelque chose → le **télécopieur** (= appareil de télécopie)
à quelqu'un → une **télécopie**

TÉLÉGRAPHE (le)
→ **télégraphier** (quelque chose) à quelqu'un
→ le **télégramme**, envoyer / recevoir un télégramme
→ le **télégraphiste**
Si le destinataire de votre télégramme a le téléphone, le postier le lui téléphonera pour éviter au télégraphiste de se déplacer.

TÉLÉPHONER
(quelque chose) à quelqu'un → le **téléphone**
→ **téléphonique**, une communication / une cabine / un répondeur téléphonique.

A9 - INFORMER

AVISER Style : administratif
quelqu'un de → l' / un **avis** (aux usagers, aux locataires)
quelque chose

COMMUNIQUER
quelque chose → la **communication**
à quelqu'un → le **communiqué**, publier un communiqué
Le gouvernement a adressé un communiqué à la presse dans lequel il communique les dates des prochaines élections municipales.

A8-A9 GLOSSAIRES THÉMATIQUES

DIFFUSER = faire connaître à beaucoup de gens

quelque chose → la **diffusion**, assurer la ~ d'un journal

Les nouvelles d'une actualité brûlante sont diffusées d'abord dans les bulletins d'information de la radio puis au journal télévisé et dans les quotidiens.

ÉDITER SYN : publier

quelque chose → l' / une **édition**, la dernière édition, l'édition spéciale du journal
→ l'**éditeur (-trice)**

HEBDOMADAIRE (un) = journal, magazine paraissant chaque semaine

IMPRIMER

quelque chose → l' / une **impression**
→ l' / un **imprimeur**
→ l' / un **imprimé**

La qualité de l'impression des imprimés est inférieure à celle des livres car les imprimeurs les impriment sur un papier bon marché.

INFORMER

quelqu'un de quelque → l' / une **information**
chose / que (Indic) → l'**informateur(-trice)**

INTERPRÈTE (l' / un / une) = celui qui traduit oralement d'une langue dans une autre
→ se faire l'interprète de quelqu'un (= communiquer fidèlement sa pensée)
→ **interpréter** (d'allemand en français)
→ l' / un **interprétariat** (= traduction orale simultanée ou consécutive)

INTERVIEWER mot anglais, prononcer [interviouver], s'entretenir avec quelqu'un
quelqu'un (pour un journaliste, en vue d'une publication)
→ une **interview** (en français = un entretien)
→ un **interviewer**

JOURNAL (le)
→ le / la **journaliste**
→ le **journalisme**

LETTRE (la)
→ une lettre anonyme (= lettre non signée)
→ une lettre ouverte (= lettre publiée dans un journal)

LIVRE (le)
→ le **libraire**
→ la **librairie**

A8-A9	GLOSSAIRES THÉMATIQUES

MAGAZINE (le) ▬▬▬▬▬▬▬▬▬ = publication en général illustrée paraissant régulièrement
→ le directeur de magazine

PRESSE (la) ▬▬▬▬▬▬▬▬▬▬ = ensemble des journaux et magazines

PUBLICITÉ (la) ▬▬▬▬▬▬▬▬▬▬ familier : la pub
→ le **publicitaire**

PUBLIER ▬▬▬▬▬▬▬▬▬▬
quelque chose → la **publication** (= action de publier et texte publié)

QUOTIDIEN (le) ▬▬▬▬▬▬▬▬▬ = journal paraissant chaque jour

RADIO (la) ▬▬▬▬▬▬▬▬▬ abréviation de : **radiophonie**
→ **radiophonique** (la retransmission radiophonique d'une manifestation)

RÉDIGER ▬▬▬▬▬▬▬▬▬▬ **SYN** : écrire
un texte
→ le **rédacteur(-trice)**
→ la **rédaction** 1. L'action de rédiger
2. les gens qui rédigent un journal
Le rédacteur en chef a réuni toute la rédaction

REPORTER (le) ▬▬▬▬▬▬▬▬▬ prononcer : reportère
→ le **reportage**, faire un reportage sur quelque chose

TRANSMETTRE ▬▬▬▬▬▬▬▬▬
quelque chose → la **transmission**
(une information) → **retransmettre** (un match, une manifestation) (Spéc : radio, télévision)
à quelqu'un → la **retransmission** (assurer une retransmission radiophonique, télévisée)

TÉLÉVISION (la), **TÉLÉ** (la) ▬▬▬▬▬▬▬▬▬ abréviation : TV
→ **téléviser** un événement (= filmer pour la télévision)
→ le journal **télévisé**
→ le **téléspectateur** / la **téléspectatrice**

A8-A9	**EXERCICES**

23 ◆

Rangez ensemble les termes correspondant au même moyen de communication à distance (certains termes peuvent convenir pour deux moyens de communication différents) et formez avec ces termes une phrase pour chaque moyen de communication

l'adresse
la poste
l'expéditeur
l'envoi recommandé
la lettre
le télégramme
le téléphone
le code postal
le timbre
le combiné
le destinataire
la cabine
le répondeur

téléphoner

affranchir

écrire une lettre

passer un coup de fil *(familier)*

poster

envoyer

télégraphier

24 ◆

Remplacez le groupe en italique par un groupe de même sens formé autour d'un nom d'agent :

Modèle : L'auteur d'un manuscrit doit souvent s'adresser à plusieurs *personnes qui éditent les livres*
→ *à plusieurs éditeurs de livres*

1. La maison d'édition transmet le manuscrit au *responsable de l'impression*

→ ....

2. Les agences de presse reçoivent les nouvelles de leurs correspondants ou de *personnes qui leur fournissent des informations*.

→ ....

3. Un journal ne peut pas vivre sans faire appel aux *personnes qui lui fournissent de la publicité*.

→ ....

4. Le Premier ministre a convié à sa conférence de presse tous *ceux qui écrivent dans un journal*.

→ ....

5. *Le responsable du reportage* est un jeune homme à peine sorti de l'école de journalisme.

→ ....

6. *Celui qui dirige un magazine* a des responsabilités administratives tandis que *celui qui est à la tête de la rédaction du magazine* a des responsabilités journalistiques.

A8-A9   EXERCICES

25 ◆

Complétez le texte suivant à l'aide des mots ci-dessous :

nouvelles - communiquer - reportage - radio - correspondance - quotidien - hebdomadaire - téléphone - télévisé - téléspectateur

À l'heure actuelle les sources d'information sont multiples : c'est souvent à la . . . . . qu'on apprend les . . . . . d'une actualité brûlante. Si un événement d'une importance exceptionnelle s'est produit, on attend avec impatience le journal . . . . . de 20 h car l'événement ne sera sans doute pas encore relaté dans les . . . . . du soir. De plus les . . . . . sur le vif de la télévision transmettent des images qui touchent plus nos contemporains qu'un article de journal détaillé. Cependant beaucoup de . . . . . souhaitent lire en fin de semaine un commentaire plus détaillé dans un . . . . . politique ou de grande information. Dans le domaine des informations pratiques de la vie courante, le minitel représente depuis quelques années un moyen d'obtenir immédiatement chez soi par l'intermédiaire du . . . . . des informations sur le temps, la circulation automobile, les horaires des trains et des avions ou de commander des articles d'habillement ou de mobilier par exemple à une entreprise de vente par . . . . Ainsi les Français . . . . . de plus en plus, mais ils sortent de moins en moins de chez eux !

26 ◆

Regroupez les deux moitiés de phrases qui se correspondent logiquement :

A. Pierre est entré dans une cabine téléphonique
B. Jeanine a acheté un carnet de timbres
C. Le romancier s'est entendu avec son éditeur
D. La 2e chaîne de télévision est en pourparlers avec la fédération de rugby
E. Le reporter a apporté son magnétophone
F. Le porte-parole du gouvernement a rassemblé les journalistes
G. L'ingénieur américain en visite dans l'usine a besoin d'un interprète
H. L'éditeur s'adresse toujours au même imprimeur

1. pour affranchir son courrier
2. pour s'entretenir avec ses collègues français
3. pour leur communiquer les résolutions du Conseil des ministres
4. pour passer un coup de fil à sa fiancée
5. pour imprimer ses nouvelles publications
6. pour retransmettre le match France-Pays de Galles
7. pour publier son nouveau roman
8. pour interviewer les rescapés du naufrage.

MODULE A   EXERCICES DE SYNTHÈSE

27 ◆ ◆

Les noms d'action dérivés : la plupart des noms d'action dérivés de verbes de ce chapitre sont formés à l'aide

- **du suffixe *-tion* (*-ation* pour les noms dérivés d'un verbe du 1er groupe**
  Ex. interroger / interrogation) → noms féminins

- **du suffixe *-ment* (*-issement* pour les noms dérivés d'un verbe du 2e groupe**
  Ex. gémir / gémissement) → noms masculins

- **ou à l'aide du radical du verbe sans suffixe**
  Ex. débattre / débat → noms masculins ou féminins.

Indiquez sur le tableau ci-dessous le genre (M ou F) du nom d'action dérivé de chaque verbe et portez une croix dans la colonne qui convient

VERBE	GENRE	*-tion*	*-ment*	RADICAL
affirmer				
articuler				
avertir				
bégayer				
chuchoter				
commander				
conseiller				
convaincre				
converser				
crier				
déclarer				
demander				
se disputer				
s'entretenir				
hocher (la tête)				
hurler				
informer				
interdire				
murmurer				

28 ◆ ◆ ◆

Certains noms d'action sont formés à partir d'un verbe avec de petites variations qu'il est important de noter. Recherchez le verbe dont sont dérivés les noms d'action suivants et indiquez quelle variation d'orthographe s'est produite.

NOM d'ACTION	VERBE	VARIATION
la contradiction		
la démonstration		
l'émotion		
l'explication		
l'injure		
l'interruption		
la preuve		
la prononciation		

MODULE A — GLOSSAIRES ALPHABÉTIQUES

LISTE DES MOTS ESSENTIELS

l'adresse	la déclaration	le journal
applaudir	demander	la lettre
avertir	diffuser	l'ordre
l'avis	dire	parler
commander	discuter	prévenir
la communication	se disputer	prier
communiquer	écrire	la publicité
contacter	l'édition	publier
convaincre	enseigner	la radio
la conversation	imprimer	recommander
crier	l'information	redire
le débat	interroger	téléphoner

GLOSSAIRE COMPLET

A

accueil, nm	A1
accueillir, v	A1
adresse, nf	A8
adresser, v	A8
affirmer, v	A3
affirmation, nf	A3
affranchir, v	A8
affranchissement, nm	A8
ajouter, v	A3
amusement, nm	A5
amuser, s'~, v	A5
amuseur, nm	A5
apeurer, v	A5
applaudir, v	A6
applaudissement, nm	A6
apprendre, v	A3
apprenti, nm	A3
apprentissage, nm	A3
articulation, nf	A4
articuler, v	A4
attrister, s'~, v	A5
avertir, v	A3
avertissement, nm	A3
avis, nm	A9
aviser, v	A9

B

balbutier, v	A4
bavard, adj/n	A2
bavardage, nm	A2
bavarder, v	A2
bégaiement, nm	A4
bégayer, v	A4
billet, nm	A8
bouleverser, v	A5
bredouiller, v	A4

C

cacheter, v	A8
chuchotement, nm	A4
chuchoter, v	A4
commandement, nm	A7
commander, v	A7
communication, nf	A9
communiqué, nm	A9
communiquer, v	A9
conseil, nm	A7
conseiller, v	A7
conseiller, nm	A7
contact, nm	A1
contacter, v	A1

contradicteur, nm	A2
contradiction, nf	A2
contredire, v	A2
convaincant, adj	A7
convaincre, v	A7
conversation, nf	A2
converser, v	A2
conviction, nf	A7
correspondance, nf	A8
correspondant, nm	A8
correspondre, v	A8
coup de fil, locm	A8
courrier, nm	A8
cri, nm	A4
crier, v	A4

D

débat, nm	A2
débattre, v	A2
déclaration, nf	A3
déclarer, v	A3
déconseiller, v	A7
décourager, v	A7
défendre, v	A7
défense, nf	A7
demande, nf	A3

demander, v	A3
demandeur, nm	A3
démonstration, nf	A3
démontrer, v	A3
destinataire, nm/f	A8
détourner (se), v	A6
diction, nf	A4
diffuser, v	A9
diffusion, nf	A9
dire, v	A2
discussion, nf	A2
discuter, v	A2
dispute, nf	A2
disputer (se), v	A2

E

écouter, v	A2
écrire, v	A8
écriture, nf	A8
éditer, v	A9
éditeur, nm	A9
édition, nf	A9
effrayer, s'~, v	A5
égayer, v	A5
élocution, nf	A4
émoi, nm	A5

MODULE A   GLOSSAIRES ALPHABÉTIQUES

émotion, nf	A5
émouvant, adj	A5
émouvoir, v	A5
encouragement, nm	A7
encourager, v	A7
engager, v	A7
enjoindre, v	A7
enseignant, nm	A3
enseigner, v	A3
enseignement, nm	A3
enthousiasmant, adj	A5
enthousiasme, nm	A5
enthousiasmer, s'~, v	A5
enthousiaste, adj	A5
entretenir, s'~, v	A2
entretien, nm	A2
enveloppe, nf	A8
envoi, nm	A8
envoyer, v	A8
envoyeur, nm	A8
épeler, v	A4
étonnement, nm	A5
étonner, v	A5
être au courant, locv	A3
exigence, nf	A7
exiger, v	A7
expédier, v	A8
expéditeur, nm	A8
explicable, adj	A3
explication, nf	A2 A3
expliquer, v	A3

F - G

face-à-face, nm	A2
faire savoir, v	A3
gémir, v	A4
gémissement, nm	A4

H

haussement (d'épaules), nm	A6
hausser (les épaules), locv	A6
hebdomadaire, adj	A9
hochement (de tête), nm	A6
hocher (la tête), locv	A6
huées, nfpl	A6
huer, v	A6
hurlement, nm	A4
hurler, v	A4

I

impression, nf	A9
imprimé, nm	A9
imprimer, v	A9
imprimeur, nm	A9
incitation, nf	A7
inciter, v	A7
inculquer, v	A3

inexplicable, adj	A3
informateur, nm	A9
information, nf	A9
informer, v	A9
injonction, nf	A7
injure, nf	A2
injurier, v	A2
inquiéter, s'~, v	A5
inquiétude, nf	A5
insistance, nf	A3
insister, v	A3
interdiction, nf	A7
interdire, v	A7
interlocuteur, nm	A7
interlocutrice, nf	A7
interprétariat, nm	A9
interprète, nm	A9
interpréter, v	A9
interrogateur, nm	A3
interrogation, nf	A3
interroger, v	A3
interrompre, v	A7
interruption, nf	A7
intervenant, nm	A7
intervenir, v	A7
intervention, nf	A7
interview, nf	A9
interviewer, v	A9
interviewer, nm	A9
intriguer, v	A5
invitation, nf	A7
invite, nf	A7
inviter, v	A7
irritation, nf	A5
irriter, s'~, v	A5

J

journal, nm	A9
journalisme, nm	A9
journaliste, nm/f	A9

L

lettre, nf	A8
liaison, nf	A8
libraire, nm	A9
librairie, nf	A9
livre, nm	A9

M

magazine, nm	A9
message, nm	A8
messager, nm	A8
mettre au courant, locv	A3
minitel, nm	A8
montrer (le poing), locv	A6
murmure, nm	A4
murmurer, v	A4

O

obéir, v	A7
obéissance, nf	A7
obéissant, adj	A7
ordonner, v	A7
ordre, nm	A7

P

parler, v	A2
parleur (beau), locnm	A2
parloir, nm	A2
parlote, nf	A2
parole (couper la), locv	A7
persuader, v	A7
persuasif, adj	A7
persuasion, nf	A7
poste, nf	A8
poster, v	A8
pousser, v	A7
présentations (faire les), locv	A1
présenter, v	A1
presse, nf	A9
prévenir, v	A3
preuve, nf	A3
prier, v	A7
prière, nf	A7
prononcer, v	A4
prononciation, nf	A4
prosterner (se), v	A6
protagoniste, nm	A7
prouver, v	A3
publication, nf	A9
publicitaire, nm	A9
publicité, nf	A9
publier, v	A9

Q - R

quotidien, nm	A9
radio, nf	A9
radiophonique, adj	A9
recommandation, nf	A7
recommander, v	A7
rédacteur, nm	A9
rédaction, nf	A9
redire, v	A3
redite, nf	A3
réjouir (se), v	A5
réjouissance, nf	A5
réjouissant, adj	A5
relation, nf	A1
répondre, v	A2
réponse, nf	A2
répéter, v	A3
répétiteur, nm	A3

répétition, nf	A3
reportage, nm	A9
reporter, nm	A9
retransmettre, v	A9
retransmission, nf	A9

S

scène, nf	A2
siffler, v	A6
sifflets, nmpl	A6
sommation, nf	A7
sommer, v	A7
supplication, nf	A7
supplier, v	A7

T

télécarte, nf	A8
télécopie, nf	A9
télécopier, v	A9
télécopieur, nm	A9
télégramme, nm	A8
télégraphe, nm	A8
télégraphier, v	A8
télégraphiste, nm	A8
téléphone, nm	A8
téléphoner, v	A8
téléphonique, adj	A8
téléspectateur, nm	A9
téléviser, v	A9
télévision, nf	A9
tranquillisant, adj/nm	A5
tranquilliser (se), v	A5
transmettre, v	A9
transmission, nf	A9
trépigner, v	A6

MODULE B

PERCEVOIR, RÉFLÉCHIR

B1-B3 TEXTES ET CONTEXTES

B1-B2

En sortant dans la rue, j'**ai senti** une odeur de gaz. Je la **percevais** très bien. Elle était **distincte** des odeurs des voitures. Mais j'ai pas réussi à **déceler** son origine. Quand je me suis éloigné de la maison, elle est devenue presque **insensible**. Quand je suis revenu vers la maison, elle est devenue plus **sensible**. Alors j'ai pensé qu'il fallait mieux prévenir les pompiers.

• • •

L'été, quand on va sous terre, on **éprouve** une **impression** de froid. L'hiver, au contraire, on **ressent** une **sensation** de chaleur. Mais la température du sous-sol reste stable. C'est l'écart de cette température avec celle de l'air qui est **perceptible**. Nos **sens** peuvent donc nous tromper et nous avons besoin d'un thermomètre ! Il mesure mieux les températures que notre **sensibilité**.

• • •

Chacun se sert de sa mémoire comme il préfère. Les uns ont une mémoire **visuelle**. Il suffit que leur **œil voit** un texte pour qu'ils le retiennent par cœur. D'autres ont plutôt une mémoire **auditive**. Il ne suffit pas qu'ils **perçoivent** un texte par les **yeux**, il faut qu'ils l'**entendent**. Leur **ouïe** s'ajoute à leur **vue**. Ils lisent le texte à haute voix et ils le retiennent dans leur mémoire. D'autres, enfin, ont une sorte de mémoire **tactile**. À la **vision** d'un texte et à son **audition**, ils ajoutent le fait de l'écrire. On dirait presque qu'ils apprennent par le **toucher**, par la peau, autant que par l'**œil** et l'**oreille**. Pour ce qui concerne les mémoires du **goût** et de l'**odorat**, elles sont beaucoup plus rares. Mais de grands artistes comme Proust ou Colette ont écrit que, pour eux, ces mémoires **gustative** et **olfactive** étaient les plus fidèles. Ils ne se contentent pas de **voir** le monde, de l'**entendre** ou de le **toucher**. Ils le **sentent** avec leur **nez**, ils le **goûtent** avec leur **langue**.

• • •

Le tableau de Claude Monet intitulé *Impression Soleil levant* vient d'être retrouvé par la police. Il avait été volé il y a plusieurs années. C'est un magnifique tableau où Monet a représenté non pas le soleil levant sur le port du Havre mais les **impressions visuelles** que ce spectacle lui donnait. Il a essayé de saisir la **sensation** de lumière elle-même et il a réussi parfaitement. Les critiques de l'époque se sont moqués de ce tableau. L'un d'eux a parlé de peinture **impressionniste**. Pour lui, c'était une critique. Le mot s'est retourné contre son auteur et aujourd'hui, il est connu dans le monde entier.

• • •

« Il la **voyait** par derrière, dans la glace, entre deux flambeaux. Ses **yeux** noirs semblaient plus noirs. Ses cheveux, doucement bombés vers les **oreilles**, luisaient d'un éclat bleu. » (Flaubert, *Madame Bovary*)

• • •

B1-B3 | TEXTES ET CONTEXTES

« … le brouillard retenu par son poids baignait d'abord mes jambes, puis mon petit torse bien fait, atteignait mes lèvres, mes **oreilles** et mes **narines** plus **sensibles** que tout le reste de mon corps. » (Colette, *Sido*)

• • •

« Son **ouïe**, qu'elle garda fine, l'informait aussi, et elle **captait** des avertissements éoliens (= apportés par les vents). » (*Idem*)

B3

Je suis allé voir le médecin parce que je **suis souffrant**. Il m'a demandé où j'**avais mal**. Je lui ai expliqué que je ne **souffrais** pas d'un endroit particulier, que je ne ressentais pas une **douleur** quelque part : « C'est plutôt une sorte de **malaise** général. Je ne me **sens** pas **bien**, j'éprouve une **angoisse** vague ».

• • •

Les Michel sont des gens très accueillants. Dès que vous arrivez chez eux, vous éprouvez une **sensation** de **bien-être**. Ils ont une maison agréable, une conversation intéressante, Mme Michel fait une excellente cuisine et M. Michel sert de très bons vins. On **sent** qu'ils aiment **faire plaisir** à leurs amis, qu'ils font tout pour que leurs invités **se sentent bien**. Si vous êtes un peu **angoissé** ou **mal fichu**, ils savent vous rendre presque **euphorique**.

• • •

Quand je suis sortie, il faisait froid mais beau. Et puis il a plu, une pluie glacée. J'avais tellement froid que mes mains en devenaient **indolores**. Quand je suis rentrée à la maison, j'ai bu un chocolat bien chaud avec *une vraie jouissance* et j'ai **voluptueusement** glissé dans un bon bain parfumé.

• • •

« **Jouis** et fais **jouir** sans faire de **mal** ni à toi, ni à personne… Voilà, je crois, toute la morale. » (Chamfort, *Maximes*)

B1-B3 GLOSSAIRES THÉMATIQUES

B1 - PERCEVOIR

CAPTER ▬▬▬▬▬▬▬▬▬▬▬▬ = recevoir un message, un appel envoyé par radio
quelque chose   *Il y a trop de parasites, je n'arrive pas à capter France-Musique.*

DÉCELER ▬▬▬▬▬▬▬▬▬▬ = percevoir quelque chose grâce à différents détails
quelque chose   *Les policiers ont décelé des traces de doigts sur la porte.*

DISCERNER ▬▬▬▬▬▬▬▬▬▬▬▬ = percevoir en faisant très attention
→ **discernable / indiscernable** (Syn : sensible / insensible)
*On discerne à peine les différences entre les vrais billets et les faux.
Elles sont indiscernables.*

DISTINGUER ▬▬▬▬▬▬▬▬▬▬ **SYN** courant de : percevoir
quelqu'un /   *Avec ces jumelles, on distingue très bien les montagnes de la lune.*
quelque chose
→ **distinguer** quelque chose de quelque chose / quelque chose et
quelque chose
→ **faire la distinction** entre quelque chose et quelque chose
*Je suis daltonien. Je ne distingue pas le rouge du / et le vert.
Je ne fais pas de distinction entre ces deux couleurs.*
→ **distinct(e) / indistinct(e)**

ÉPROUVER ▬▬▬▬▬▬▬▬▬▬▬▬▬ **SYN** : ressentir
une sensation /   **Attention :** voir aussi B3
une impression

IMPRESSION (l') ▬▬▬▬▬▬ **1.** (sens courant) = sensation imprécise, encore indistincte
→ avoir l'impression que / une impression de
J'ai l'impression que ce bleu est plus clair, j'ai une impression de lumière.

2. (Spéc : psychologie) = premier effet produit sur un organe des sens
L'impression est à l'origine de la sensation et de la perception.

3. (Spéc : arts) = reproduction par l'art de l'effet produit sur un organe des sens
→ **impressionniste** (= qui cherche à évoquer des impressions)
une peinture / une musique / un écrivain impressionniste
→ un **impressionniste**, l'**impressionnisme**

PERCEVOIR ▬▬▬▬ **1. SYN** : distinguer / **2.** (Spéc : psychologie) = composer des images ou des idées,
quelque chose   du monde, des êtres, des objets à partir des informations que donnent les sens
Attention : percevoir est rarement employé. **Distinguer** est le terme fréquent.
→ la **perception** (Spéc : psychologie) = acte par lequel l'esprit se représente le monde
et résultat de cet acte
La perception de l'espace, des couleurs, des sons…

46

B1-B3 — GLOSSAIRES THÉMATIQUES

Attention : **impression**, **perception** et **sensation** ont des sens très précis dans le vocabulaire de la psychologie. Dans l'usage courant, **perception** et **sensation** sont souvent synonymes. Nous avons cru utile de vous donner aussi les sens spécialisés parce qu'il est intéressant de les connaître.

→ **perceptible** (Syn : sensible)

→ **imperceptible**

un son / un bruit à peine perceptible / presque imperceptible

SENS (le / un) ▬▬▬▬▬▬▬▬▬▬▬▬ = fonction par laquelle les êtres animés reçoivent une impression des objets extérieurs.

Les cinq sens sont la vue, l'ouïe, le goût, le toucher et l'odorat.

Attention : voir aussi B3.

→ **sentir** quelque chose / que (indicatif) / quelque chose (infinitif) (voir B2)

→ **ressentir** une impression / une sensation (= avoir en soi, dans son corps ou son esprit, une impression / Syn : éprouver)

Je ressentais une impression de chaleur.

→ la **sensation**

   1. (Spéc : psychologie) = fait de conscience élémentaire provoqué par une impression

une sensation visuelle / auditive…

   2. (Sens courant et emploi fréquent / = impression et perception, c'est-à-dire fait physique et fait psychique provoqué par un objet du monde)

une sensation de froid / de couleur / de salé…

Il ne fait pas froid mais avec la pluie on a une sensation de froid.

   3. voir B3

→ **sensible** (= qui peut être perçu par les sens)

La différence entre les deux vins est très sensible. On la sent bien.

→ la **sensibilité**

Certaines maladies affaiblissent la sensibilité de l'oreille.

→ **insensible** (= qui peut à peine être senti, perçu)

La différence entre les deux couleurs est insensible. On la voit à peine.

→ l'**insensibilité**

B2 - ORGANES ET ACTIVITÉS DES SENS

les organes	l'action		la propriété
la langue le palais	goûter / sentir	le goût	gustatif
le nez les narines	sentir	l'odorat	olfactif
la peau	sentir / toucher	le toucher	tactile
l'œil les yeux	voir	la vue la vision	visuel
l'oreille	entendre	l'ouïe l'audition	auditif acoustique

B1-B3 | GLOSSAIRES THÉMATIQUES

*La langue et le palais sont les deux principaux organes du goût.
Nous goûtons les mets avec nos organes gustatifs. Le nez est l'organe
de l'odorat. Nous sentons les odeurs avec notre organe olfactif.*

*Notre contact tactile avec le monde passe par la peau. La peau perçoit
la température et les autres caractéristiques tactiles que nous sentons par
le toucher.*

*Les yeux sont les organes de la vision / de la vue. La taille, l'éloignement,
la couleur sont des propriétés visuelles de chaque objet que nous voyons.*

*Les bruits que nous entendons sont transmis sous forme de sensations
auditives par les oreilles, qui sont les organes de l'ouïe / de l'audition.*

B3 - SENSATIONS ET SENSUALITÉ

SENS (les) = ensemble des fonctions de la vie organique qui procurent du plaisir

Attention : voir C1 (**le sens**)

→ **sensuel** (= qui aime et qui recherche ou qui offre les plaisirs de la vie,
particulièrement le plaisir sexuel)

→ la **sensualité** (= recherche du plaisir)

SENSATION (la) 1. et 2. = voir B1 / 3. État physique et / ou psychologique général

→ une sensation de bien-être / d'angoisse

Je suis trop timide : en public, j'ai toujours la sensation qu'on me regarde.

LES PRINCIPAUX TYPES DE SENSATIONS

ANGOISSE (l') = peur imprécise, malaise moral et physique

→ **être angoissé**

→ **angoissant / -ante** (un film ~)

*J'éprouve toujours de l'angoisse quand tu es en retard.
L'attente est angoissante.*

ÊTRE / SE SENTIR BIEN = être heureux dans un milieu agréable

→ le **bien-être**

*Après le repas, tout le monde éprouvait un sentiment de bien-être, tous
se sentaient bien.*

DOULEUR (la) = mal physique et / ou moral

*Les douleurs que cause un mal de dents sont souvent insupportables.
Il a eu la douleur de perdre sa mère.*

→ **douloureux** (= qui provoque de la douleur)

Sa blessure est très douloureuse. Il ressent de violentes douleurs dans le bras.

→ **indolore** (CONTR : douloureux)

B1-B3   GLOSSAIRES THÉMATIQUES

EUPHORIE (l') ▬▬▬▬▬▬▬▬▬▬▬▬▬▬ = un grand bien-être, une joie complète

→ **euphorique**

Jean est euphorique : il vient de réussir tous ses examens.

→ **un euphorisant** (= médicament ou drogue qui rend euphorique)

L'amour et l'amitié sont les meilleurs euphorisants.

JOUIR ▬▬▬▬▬▬▬▬▬▬▬▬▬ **1.** éprouver un très grand plaisir (Spéc : sexuel)

2. de quelque chose = tirer profit de quelque chose

Quand j'écoute un opéra de Verdi j'exulte, je jouis…
Je jouis du privilège d'être admis dans un club très fermé.

→ la **jouissance** / (**Attention :** Spéc : aboutissement du plaisir sexuel)

AVOIR MAL ▬▬▬▬▬▬▬▬▬▬▬▬▬▬▬▬▬ = souffrir

→ **se sentir mal** (= ressentir un malaise, perdre connaissance)

→ le **malaise** (= douleur vague, imprécise)

→ **être mal à l'aise** (Syn : être mal fichu / Contr : se sentir bien)

PLAISIR (le) ▬▬▬▬▬▬▬▬▬▬▬▬▬▬▬▬ = voir C1

→ faire **plaisir**

→ **plaire**

→ **plaisant**

Vous passez vos vacances dans une station bien plaisante. Je crois que je m'y plairais bien. Vous me feriez plaisir si vous veniez y passer quelques jours en ma compagnie.

SOUFFRIR ▬▬▬▬▬▬▬▬▬▬▬▬ = éprouver une douleur physique et / ou morale

→ être **souffrant** (Syn : être malade)

Pierre n'a pas pu venir travailler. Il est souffrant. Sans doute une grippe.

→ la **souffrance** (Syn : douleur)

VOLUPTÉ (la) ▬▬▬▬▬▬▬▬▬▬▬▬▬▬ = plaisir intense

→ **voluptueux / euse** (= qui aime ou qui propose le plaisir)

→ **voluptueusement**

Attention : quand la **volupté** concerne le plaisir sexuel le synonyme est **jouissance**. Dans les autres cas, les synonymes peuvent être **joie, bonheur, plaisir**.

Il faisait si chaud que j'ai bu cette eau fraîche avec volupté / un grand plaisir.

| B1-B3 | EXERCICES |

1 ◆

Complétez les articles de presse suivants en utilisant les termes donnés. Il y a parfois deux solutions possibles.

imperceptiblement - déceler - sensation - éprouver - insensibilité - ressentir - impression - insensible - distinguer.

Une étrange affaire. En revenant chez elle, Mlle Dubois a . . . . . une . . . . . bizarre. Toutes ses affaires étaient à leurs places mais quelques objets avaient été . . . . . déplacés. Elle a prévenu la police qui a examiné l'appartement sans pouvoir . . . . . de traces d'un cambriolage.

Le retour de l'hiver. L'hiver revient. Prenez vos précautions. N'oubliez pas que le brouillard empêche de . . . . . clairement la route et de . . . . . les obstacles à l'avance. Roulez donc lentement. Si le froid est vif, vos mains risquent de devenir . . . . . et cette . . . . . peut vous rendre maladroit. Portez donc des gants bien chauds.

2 ◆ ◆

L'adverbe *bien* entre dans la construction de plusieurs expressions courantes. En réunissant les phrases partagées en deux, vous trouverez ces expressions. Cherchez ensuite leur contraire dans la liste donnée.

1. Paul donne de son temps de loisir pour s'occuper d'enfants handicapés, ...
2. J'ai corrigé les devoirs de Jean, ...
3. Philippe a l'air parfaitement heureux, ...
4. M. Lesage est sorti de l'hôpital hier, ...
5. J'aime m'asseoir dans ce fauteuil, ...
6. Le patron apprécie beaucoup le travail de Mlle Jeanne, ...
7. Comme j'avais mal aux dents, j'ai mis une compresse froide sur ma joue, ...
8. Depuis quelques semaines, il n'arrête pas de se regarder dans toutes les glaces ou miroirs qu'il croise, ...

A. ... il n'arrête pas d'en **dire du bien**.
B. ... il **fait bien** son travail.
C. ... il aime **faire le bien** autour de lui.
D. ... ça m'a **fait du bien**.
E. ... on y **est bien**.
F. ... il **est bien dans sa peau**.
G. ... il **se trouve bien**.
H. ... maintenant il **va bien**.

a. Faire mal quelque chose.
b. Être mal à l'aise, angoissé.
c. Faire (du) mal à quelqu'un.
d. Dire du mal de quelqu'un
e. Aller mal.
f. Faire le mal.
g. Être mal quelque part.
h. Se trouver laid.

B4-B5 TEXTES ET CONTEXTES

B4

Les phares des voitures sont faits pour **éclairer** la route. Ils doivent donner au conducteur une bonne **visibilité**. Ils doivent donc avoir une bonne **luminosité**. Si l'**éclairage** est trop faible, si la **clarté** est insuffisante, le conducteur **découvre** trop tard les obstacles et il risque un accident. Mais si la **lumière** des phares est trop forte et si elle est dirigée vers le haut, elle devient **aveuglante** et elle est dangereuse pour les automobilistes qui viennent en face. Ils se trouvent soudain devant un mur **lumineux** qui les **éblouit**. Ils sont **aveuglés** et, surtout s'ils ont une mauvaise **vue**, ils peuvent perdre le contrôle de leur voiture.

• • •

Quand j'ai acheté mon appartement, les murs étaient peints avec des **couleurs** trop **foncées**. Il semblait **sombre** même au milieu de la journée. J'ai décidé de le repeindre avec des **coloris** plus **clairs**, plus **pâles**. Ce simple changement de **teintes** a presque fait reculer les murs ! Évidemment, la **surface** de l'appartement est restée la même, mais comme il est devenu plus **lumineux**, on dirait qu'il a plus de **volume**.

• • •

Depuis l'année dernière, j'ai des cheveux blancs. Mon coiffeur m'a dit que si je les faisais **teindre** j'aurais l'air plus jeune. J'ai dit oui. Il m'a dit qu'il allait me faire une **coloration** noire. Mais le **colorant** ne convenait pas à mes cheveux et au lieu de devenir noirs, ils ont été **décolorés** comme si je m'étais renversé de la **teinture** jaune sur la tête ! Le coiffeur m'a dit qu'il allait **foncer** cette **couleur**. Mes cheveux se sont alors **colorés** en rouge **sombre !** Quand **j'ai vu** le résultat, j'ai acheté un chapeau et j'ai décidé de garder mes cheveux blancs quand ils auraient repoussé.

• • •

Si vous **regardez** par la fenêtre d'un train qui roule, le paysage semble se déplacer très lentement à l'**arrière-plan**. Mais si votre vue se fixe sur ce qui est tout près, ce qui est au **premier plan**, alors tout change. La vitesse **déforme** les **lignes** et les **volumes**. Les **couleurs** se mélangent. On dirait les **coloriages** d'un enfant maladroit. On a à peine le temps d'**entrevoir** les arbres ou les maisons…, c'est déjà passé.

• • •

« Ensuite, elle **examinait** l'appartement, elle ouvrait les tiroirs des meubles, elle se peignait avec son peigne et **se regardait** dans le miroir à barbe. » (Flaubert, *Madame Bovary*)

• • •

« Quand elle s'en revenait de chez lui, elle jetait tout alentour des **regards** inquiets, **épiant** chaque **forme** qui passait à l'horizon et chaque lucarne du village d'où l'on pouvait l'**apercevoir**. » (*Idem*)

• • •

« (La façade du moulin) venait justement d'être blanchie, et elle **éblouissait** le village, lorsque le soleil l'**allumait**, au milieu du jour. » (Zola, *L'Attaque du moulin*)

• • •

B4-B5 | TEXTES ET CONTEXTES

« **Allume**, dans l'âtre, le dernier feu de l'année ! Le soleil et
la flamme **illumineront** ensemble ton visage… **Regarde !** Il n'est pas
possible que le soleil favorise, autant que le nôtre, les autres jardins !
… Oh ! les lilas surtout, **vois** comme ils grandissent ! »
(Colette, *Les Vrilles de la vigne*)

B5

Hier, je suis allé à l'**Auditorium** de Radio-France pour **écouter**
un concert de musique moderne. C'est une salle de concert que
j'aime bien parce qu'elle a une très bonne **acoustique**. L'**auditoire**
n'était pas très nombreux. Beaucoup de gens n'aiment pas
la musique moderne. Certains disent que ce n'est pas de la musique
mais du **bruit**, des **vibrations assourdissantes**. Moi, je trouve que
c'est une très belle musique. Elle produit souvent des **résonances** ou
des **échos** que j'aime beaucoup. Et je ne risque pas de la confondre
avec du **bruit** parce que, le **bruit**, je sais ce que c'est. J'habite à côté
d'une autoroute et je ne connais rien de plus **bruyant**.
Heureusement que maintenant il y a un mur **antibruit !**

• • •

Le **bruiteur** est un artiste très important pour la bande-**son** d'un film
ou d'une émission de télé. Vous voulez un orage ? Il remue
une feuille de métal qui **vibre** et **résonne** longtemps, comme
un tonnerre **assourdissant**. Voulez-vous une petite voiture à cheval
parcourant la campagne ? Il fait **tinter** une **sonnette** au rythme
d'un galop, secoue des cailloux dans une boîte sur laquelle il imite
le **bruit** des sabots du cheval. Ces **bruitages** ont l'air d'être de vrais
bruits et même ceux qui ont **l'oreille fine** le croient. J'ai même
connu un **bruiteur** qui imitait les **ultra-sons**… mais, évidemment,
on ne les **entendait** pas !

• • •

« Un soir que la fenêtre était ouverte, elle **entendit** tout à coup
sonner l'*Angelus*… Au loin, des bestiaux marchaient ; on n'**entendait**
ni leurs pas, ni leurs mugissements ; et la cloche, **sonnant** toujours,
continuait dans les airs sa lamentation pacifique. À ce **tintement**
répété, la pensée de la jeune femme s'égarait dans ses vieux
souvenirs de jeunesse et de pension. » (Flaubert, *Madame Bovary*)

• • •

« Pendant plus d'une heure, le moulin fut criblé de balles…
Lorsqu'elles frappaient sur la pierre, on les **entendait** s'écraser
et retomber à l'eau. Dans le bois, elles s'enfonçaient avec un **bruit
sourd**… Une balle arriva dans l'armoire, dont les flancs rendirent
un **son grave**. » (Zola, *L'Attaque du moulin*)

• • •

« – **Écoute** sur Moutiers ! me disait-elle… Tu **entends** ? Rentre
le fauteuil, ton livre, ton chapeau : il pleut sur Moutiers. Il pleuvra
ici dans deux ou trois minutes seulement. Je **tendais mes oreilles**
"sur Moutiers" ; de l'horizon venait un **bruit** égal de perles versées
dans l'eau… » (Colette, *Sido*)

B4-B5   GLOSSAIRES THÉMATIQUES

B4 - LA VUE

MANIÈRES DE VOIR

APERCEVOIR = voir rapidement / de loin / dans l'ombre…

À cause du brouillard, on apercevait à peine les phares des voitures.

→ **entr'apercevoir** (= rencontrer très rapidement)

J'ai entr'aperçu Paul à la réunion, mais nous n'avons pas eu le temps de parler.

AVEUGLE = qui ne voit plus

Si cette maladie est mal soignée, elle rend le malade aveugle.

→ un / une **aveugle**, un **chien d'aveugle**

→ **aveugler** quelqu'un   **1.** = rendre aveugle

                       2. (courant) = faire perdre un moment la vue à cause d'une lumière trop vive. / Syn : éblouir

Le conducteur a été aveuglé par les phares d'une autre voiture.

→ **aveuglant / ante** : *une lumière aveuglante*

→ l'**aveuglement**

→ aller / avancer à l'**aveuglette** (= comme un aveugle, dans le noir)

Je ne me souvenais plus où était l'interrupteur de l'électricité. Je l'ai cherché à l'aveuglette.

Attention : voir aussi B9

BORGNE = qui a perdu l'usage d'un œil

→ **éborgner** (= rendre borgne)

COULEUR (la)

L'indigo, le bleu, le vert, le jaune, l'orangé et le rouge sont les couleurs de l'arc-en-ciel.

→ un **film en couleurs** (Contr : en noir et blanc)

→ **colorer** (= donner de la couleur)

Colorer en bleu / de bleu / avec du bleu

La colère colorait son visage en rouge.

→ le **colorant** (= produit qui colore)

→ la **coloration** (= type de couleur)

Ce colorant donne une coloration rouge aux tissus.

→ le **coloris** (= aspect, nuance de la couleur)

J'aime les coloris doux, clairs, pastel. Je n'aime pas les coloris foncés, vifs.

→ **décolorer** (= retirer de la couleur)

→ la **décoloration**

→ **colorier** (appliquer = de la couleur sur un dessin, un objet)

colorier de bleu / en bleu / avec du bleu

→ le **coloriage** (Spéc : mot enfantin)

    un **album de coloriage**

→ le / la **coloriste** (= artiste qui applique la couleur)

→ **incolore** (= sans couleur)

L'eau pure est incolore

B4-B5   GLOSSAIRES THÉMATIQUES

ÉBLOUIR ▬▬▬▬▬▬▬▬▬▬▬▬▬▬▬▬▬▬▬ **SYN** : aveugler
→ **éblouissant / -ante**
→ l'**éblouissement**

ÉPIER ▬▬▬▬▬▬▬▬▬▬▬▬▬▬▬▬ **1.** regarder en se cachant
Les gendarmes se sont cachés derrière les arbres pour épier les voleurs.
2. SYN : guetter / regarder attentivement
Elle épiait la route en attendant son retour.

EXAMINER ▬▬▬▬▬▬▬▬▬▬▬▬▬▬ = regarder attentivement
Si vous examinez bien ce tableau, vous verrez que c'est une copie.
→ l'**examen**
L'examen des empreintes des doigts a révélé que X était bien le coupable.

GUETTER ▬▬▬▬▬▬▬▬ = regarder attentivement parce qu'on attend quelqu'un ou quelque chose
Paul va revenir. Peux-tu guetter son arrivée ? Je dois lui parler tout de suite.
→ le **guetteur**
→ **faire le guet**
Pendant que le voleur cambriolait la maison, son complice faisait le guet dans la rue.

REGARDER ▬▬▬▬▬▬▬▬▬▬▬▬ = voir vraiment, prendre le temps de voir
quelqu'un / quelque chose
Bien sûr qu'il m'a vu, mais il ne m'a pas regardé !
regarder faire quelque chose / travailler quelqu'un
→ **se regarder** l'un l'autre / dans une glace
→ le **regard** (= l'action et la manière de regarder)
avoir / jeter / lancer un (des) regard(s) attentifs(s) / craintif(s) / affolé(s)
un regard tendre / aimant / mauvais / méchant / noir

SCRUTER ▬▬▬▬▬▬▬▬▬▬▬▬▬▬▬▬ = regarder très attentivement
Les astronomes scrutent le ciel avec leurs télescopes.

VOIR ▬▬▬▬▬▬▬▬▬▬▬▬▬▬▬▬▬▬ = percevoir par les yeux
→ **au vu de tout le monde** (= tout le monde le voyant)
→ le **malvoyant**, le **non-voyant** (SYN : l'aveugle)
→ la **vue** (= le sens de la vision)
À la vue de ce spectacle = en voyant ce spectacle.
→ **entrevoir** (= voir un bref moment)
Quand la voiture est passée, j'ai entrevu Paul assis à l'arrière.
→ l'**entrevue** (= la rencontre avec quelqu'un)
accorder / demander une **entrevue** à quelqu'un
J'ai eu une entrevue avec lui. Nous avons parlé pendant deux heures.
→ la **vision** (= la perception par les yeux)
→ **visible** (= qui peut être vu)
→ la **visibilité** (= la possibilité de voir)
Ce matin la visibilité est nulle : il y a trop de brouillard.
→ **invisible**
→ l'**invisibilité** (= l'impossibilité de voir)

B4-B5 GLOSSAIRES THÉMATIQUES

CE QU'ON VOIT

CLAIR ▬▬▬▬▬▬▬▬▬▬▬▬ **1.** qui émet ou qui reçoit une lumière vive / CONTR : sombre
une flamme claire, un appartement très clair
→ la **clarté** (= la lumière, la luminosité)
Comme l'électricité était coupée, j'ai dû écrire à la clarté d'une bougie.
→ **éclairer** (SYN : allumer, illuminer)
→ l'**éclairage** électrique / au gaz
Dans une salle de classe, il faut un bon éclairage.
Attention : voir aussi B9.

2. d'une couleur qui est mêlée de blanc / CONTR : foncé, sombre
Pour faire du bleu clair, on mélange du bleu et du blanc.
→ **éclaircir** (= rendre plus clair)

FONCÉ ▬▬▬▬▬▬▬▬▬▬▬ = une couleur qui est mêlée de noir / CONTR : clair
Pour faire du bleu foncé, on mélange du bleu et du noir.
→ **foncer**

FORME (la) ▬▬▬▬▬▬▬ = le dessin ou le volume géométrique de quelque chose
une forme ronde, carrée, allongée
→ **déformer** (= changer la forme)
Après l'accident, l'avant de la voiture était tout déformé.

LIGNE (la) ▬▬▬▬▬▬▬▬▬▬▬▬▬▬▬▬▬▬▬▬
une ligne droite, courbe, brisée
écrire sur la ligne, entre les lignes
la ligne d'horizon

LUMIÈRE (la) ▬▬▬▬▬▬▬▬▬▬▬▬▬▬▬▬▬
la lumière du soleil, la lumière d'une bougie, la lumière électrique
un spectacle son et lumière
Attention : voir aussi B9
→ **allumer** (= faire paraître la lumière)
allumer un feu, l'électricité, une lampe
→ **lumineux** (= qui émet de la lumière)
Les étoiles sont des points lumineux sur le ciel de la nuit.
→ la **luminosité** (= la force, l'intensité de la lumière)
La luminosité du soleil est beaucoup plus grande en été dans l'hémisphère Nord.
→ **illuminer** quelque chose (= envoyer de la lumière sur quelque chose)
→ l'**illumination** d'un monument

PÂLE ▬▬▬▬▬▬▬▬▬▬▬▬▬▬▬▬ SYN : clair / CONTR : foncé
*un bleu **pâle** = un bleu clair*
→ être **pâle**, avoir le teint **pâle** (= avoir la peau presque blanche [sous l'effet de la maladie, la colère ou la peur])
→ **pâlir** (de colère)

B4-B5 | GLOSSAIRES THÉMATIQUES

PERSPECTIVE (la) ▬▬▬▬▬▬▬▬▬▬ = l'art de donner l'illusion de la profondeur

mettre / la mise en **perspective** (= mettre au premier plan)

PLAN (le) ▬▬▬▬▬▬▬▬▬▬▬▬▬▬▬

le **premier plan**, l'**arrière-plan** (= sur un tableau, une photo, ce qui est en avant / en arrière)

PROFIL (le) ▬▬▬▬▬▬▬▬▬▬ = la vue de côté / Contr : la face, le dos

RELIEF (le) ▬▬▬▬▬ Spéc : surface d'un territoire / = surface avec des creux et des bosses

Le relief de la Suisse est plus accidenté que celui de la Hollande.

SILHOUETTE (la) ▬▬▬ = dessin représentant une personne qui ne comporte que la ligne du profil

SOMBRE ▬▬▬▬▬▬▬▬▬▬▬▬▬▬ Contr : clair

→ **assombrir** (Contr : éclairer, éclaircir)

SURFACE (la) ▬▬▬▬▬▬▬▬▬▬▬ = partie extérieure d'un volume

la **surface** de la Terre, de la Lune, de la peau…
Les oiseaux se posaient sur la surface du lac.

TEINTE (la) ▬▬▬▬▬▬▬▬▬▬ Syn : le coloris / = type de couleur

Elle porte toujours des robes de teintes claires.
→ **teinter** (Syn : colorer)
→ la **teinture** (Syn : le colorant)

UNI ▬▬▬▬▬▬▬▬▬▬▬▬ = d'une seule couleur

un tissu uni

VOLUME (le) ▬▬▬▬▬▬▬▬▬▬ **1.** objet à trois dimensions

Le cube est un volume, le carré est une figure géométrique plane.

2. étendue dans l'espace d'un volume

Ce bloc de pierre a un volume de $1m^3$ (mètre cube).

B5 - L'OUÏE

ACOUSTIQUE ▬▬▬▬▬▬▬▬▬▬ = qui a un rapport avec l'audition

un phénomène **acoustique**, par exemple le tonnerre
→ l'**acoustique** (= la manière dont les sons s'entendent dans une pièce, une salle)

AIGU / UË ▬▬▬▬▬▬▬▬▬▬▬▬ Contr : grave

un son aigu : un son élevé dans la gamme des notes

B4-B5   GLOSSAIRES THÉMATIQUES

AUDITION (l') ▬▬▬▬▬▬▬▬▬▬▬▬▬▬▬▬ = la perception des sons par les oreilles

→ **auditif / ive** (= qui appartient à l'audition)
le nerf auditif

→ **audible** (= qui peut être entendu)

→ **inaudible** (Contr : audible)

→ l'**auditoire** (= ensemble des personnes qui écoutent un conférencier, un artiste)

→ l'**auditorium** (= salle de spectacle destinée au théâtre, à la musique, à des conférences

BRUIT (le) ▬▬▬▬▬▬▬▬▬▬▬▬▬▬▬ = son sans qualité musicale

un **bruit** de moteur, un bruit de machine
faire du **bruit**, se plaindre du **bruit**

La lutte contre le bruit est un point important de la défense de l'environnement.

→ **bruyant / -ante**, des voisins bruyants

→ le **bruitage**

→ le **bruiteur**

Au cinéma, au théâtre, à la radio, les bruits sont souvent imités par un technicien, le bruiteur. C'est lui qui assure le bruitage des enregistrements.

→ **antibruit**, un mur antibruit, la lutte antibruit.

ÉCHO (l') ▬▬▬▬▬▬▬▬▬▬▬▬▬ = renvoi du son par une surface

J'ai crié « Au revoir ! » et l'écho a répondu « ... oir »

ÉCOUTER ▬▬▬▬▬▬▬▬▬▬ = entendre vraiment, prendre le temps d'entendre

quelqu'un / quelque
chose, quelqu'un faire
quelque chose

Bien sûr qu'il m'a entendu parler, mais je ne suis pas sûr qu'il m'ait écouté !

→ l'**écouteur** (= partie d'un appareil téléphonique où l'on écoute)

→ les **écouteurs** (= casque léger pour écouter de la musique enregistrée, un conférencier, etc.)

→ l'**écoute** (= action et manière d'écouter)

Restez à l'écoute ! Je reviens dans un instant.

ENTENDRE ▬▬▬▬▬▬▬▬▬▬▬▬ = percevoir par l'oreille

Je n'ai pas entendu ce qu'il m'a dit, il était trop loin et il y avait trop de bruit.

→ le **mal-entendant** (Syn : le sourd)

GRAVE ▬▬▬▬▬▬▬▬▬▬▬▬▬▬ Contr : aigu

un son grave : un son bas dans la gamme des notes

OUÏR ▬▬▬▬▬▬▬▬▬▬▬▬ Style : archaïque / = entendre

→ savoir quelque chose **par ouï-dire** (= avoir entendu parler de quelque chose, mais ne pas avoir de certitudes)

B4-B5 | GLOSSAIRES THÉMATIQUES

OUÏE (l') ▬▬▬▬▬▬▬▬▬▬▬▬▬▬▬▬▬▬▬▬ = le sens de l'audition
→ **avoir l'ouïe fine** (= avoir une bonne audition)

OREILLE (l') ▬▬▬▬▬▬▬▬▬▬▬▬▬▬▬▬▬▬▬▬▬▬
→ avoir l'**oreille** fine / dure, tendre l'oreille
→ avoir une bonne **oreille**, l'**oreille** musicale

SON (le) ▬▬▬▬▬▬▬▬▬▬▬▬▬ **1.** phénomène physique perçu par l'audition
2. son (1) agréable à entendre, musical, harmonieux

Attention : tous les phénomènes sonores sont des **sons** (1). De ce point de vue, même les **bruits** sont des **sons**. Mais au sens (2) de **son**, les **bruits** ne sont pas des **sons**.
Comparez : *Le bruit de ce moteur provoque des sons insupportables* (= son 1) ≠ *J'aime entendre le son de sa voix / du violon, etc.* (= son 2)
→ **sonner** (= faire entendre le son d'une cloche, d'une clochette, d'une sonnerie)
→ la **sonnerie** (= petite clochette ou mécanisme électrique)
→ la **sonnette** (= petite clochette, Syn : clochette)
→ le **sonneur** (= celui qui sonne les cloches)

RÉSONNER ▬▬▬▬▬▬▬▬▬ = produire une sorte d'écho rapproché qui amplifie le son, qui le prolonge
→ la **résonance**
Sous les voûtes de l'église, la voix d'un chanteur résonne longtemps parce que la hauteur produit un effet de résonnance.
→ l'**ultra-son** (= vibration sonore que ne perçoit pas l'oreille humaine)
→ le **son et lumière** (voir lumière)

SOURD ▬▬▬▬▬▬▬▬▬▬▬▬▬▬▬ **1.** qui n'entend pas ou mal / Syn familier : dur d'oreille
Parlez fort : il est sourd de l'oreille droite.
→ **assourdir**
→ **assourdissant**
Ce bruit est assourdissant. Il m'assourdit.

2. qui semble lointain, imprécis, qu'on entend à peine.
Un son sourd, un bruit sourd
L'orage faisait un bruit sourd dans le lointain.

TINTER ▬▬▬▬▬▬▬▬▬▬▬▬▬▬▬▬▬ = produire des sons brefs
→ le **tintement**

VIBRER ▬▬▬▬▬▬▬▬▬▬▬▬▬▬ = produire des sons qui ressemblent à un tremblement
→ la **vibration**

B4-B5	**EXERCICES**

3 ◆

Les noms de couleur peuvent être qualifiés par des adjectifs comme *clair* ou *foncé* : *bleu clair, vert foncé*. Mais on utilise aussi souvent d'autres noms qui désignent des matières dont la couleur se rapproche de la couleur déterminée. Retrouvez les associations possibles.

bleu   . . . . . cerise
                                              . . . . . paille
                                              . . . . . tourterelle
vert   . . . . . pomme
                                              . . . . . émeraude
jaune   . . . . . rubis
                                              . . . . . nuit
                                              . . . . . ciel
rouge   . . . . . sang
                                              . . . . . bouteille
                                              . . . . . acier
gris   . . . . . citron

4 ◆

Il peut y avoir une, deux, trois couleurs ou plus. Mais il n'y a pas que les couleurs qui s'associent ainsi. Pour le comprendre, terminez chaque phrase en composant un mot avec l'une des unités A et l'une des unités B.

A : *mono - uni - bi - tri - quadri - poly*
B : *lingue - coque - culture - réacteur - plan - colore - moteur - glotte*

1. Son pull est tout vert. Il est *unicolore*. - 2. Sa chemise est blanche et bleue. Elle est . . . . . - 3. Le drapeau français est . . . . . - 4. Cet avion n'a qu'un moteur. C'est un . . . . . - 5. Cet Airbus a deux réacteurs. C'est un . . . . . - 6. Ce modèle a quatre réacteurs. C'est un . . . . . - 7. Ce vieil avion a deux ailes superposées. C'est un . . . . . - 8. Il parle le français et l'espagnol. Il est . . . . . - 9. Sa secrétaire parle le français, l'anglais et l'allemand. Elle est . . . . . - 10. Il parle six ou sept langues. Il est . . . . . - 11. Dans les courses sur les océans on voit de moins en moins de bateaux avec une coque unique, c'est-à-dire des . . . . . - 12. Dans certaines régions de France, on ne cultive qu'une espèce principale de produit. Ce sont des régions de . . . . . - 13. Dans d'autres régions, les agriculteurs cultivent plusieurs produits. Ce sont des régions de . . . . . .

5 ◆ ◆

Complétez ces phrases en utilisant les verbes proposés. Il y a parfois deux ou trois solutions possibles.

voir - regarder - apercevoir - entrevoir - examiner - épier - scruter - guetter - découvrir

1. . . . . . devant toi ! Fais attention à la marche !

2. Hier, j'ai . . . . . Paul. Nous avons parlé pendant une bonne heure. Il y avait longtemps que je ne l'avais pas . . . . . .

3. Hier, j'ai . . . . . Pierre sur le quai de la gare. Je n'ai pas eu le temps de lui parler. Son train partait.

4. Il y avait trop de monde au musée. On passait trop vite devant les tableaux. On les . . . . . mais on n'avait pas le temps de les . . . . . vraiment.

B4-B5 EXERCICES

5. Quand la route sort de la forêt, on ..... une grande plaine. À l'horizon, on ..... le clocher d'un village.

6. Le chat ..... un oiseau. Il espère l'attraper.

7. Le collectionneur ..... le timbre qu'il veut acheter pour vérifier s'il n'a pas de défauts.

8. Le policier a ..... le volant de la voiture pour y ..... des empreintes.

9. Dans une petite ville, on a l'impression que les gens passent leur temps à ..... leurs voisins. Dans une grande ville, on est plus libre de ses mouvements, mais on a l'impression que personne ne vous ..... .

6 ◆

Complétez ce texte en utilisant pour chaque blanc l'un des mots proposés.

auditoire - écho - acoustique - bruit - entendre - son et lumière - résonner - antibruit

Le nouveau ..... du château de Compiègne a été inauguré hier. Les spectateurs peuvent maintenant ..... et voir le spectacle dans de bonnes conditions. L' ..... est placé en arc de cercle devant la façade du château. Il y a une bonne ..... et une paroi ..... protège des ..... de la route voisine. La mise en scène comporte une superbe musique qui ..... en mille ..... dans la forêt voisine.

7 ◆

Complétez les phrases suivantes selon le modèle :

Le portrait n'était pas assez *beau*. L'artiste *l'a embelli*.

Remarque : certains des adjectifs sont empruntés au glossaire thématique B1-B3.

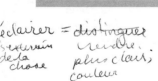

éclairer = distinguer
devenir
de la
chose
rendre
plus clair;
couleur

éclaircir – devenir
clair (couleur)
– mettre de la
lumière dessous
→ interne
de la chose

1. Les deux parties de son discours n'étaient pas clairement *distinctes*. L'orateur .....

2. Avant de tomber amoureux de Brigitte, André n'était pas *aveugle*. L'amour .....

3. La salle de classe n'était pas assez *claire*. Le professeur .....

4. Avant son duel le chevalier n'était pas *borgne*. C'est son adversaire qui .....

5. Ici, la sonorité de la trompette n'était pas assez *sourde*. Le trompettiste ..... → assourdissement ↳ sourdité

6. Le fond de la scène n'était pas assez *lumineux*. Le metteur en scène .....

7. Avant de lire ces mauvaises nouvelles, Suzanne n'était pas aussi *sombre*. Ces nouvelles ..... assombrissement

8. Ce matin le ciel n'était pas aussi *clair*. Cet après-midi, le ciel .....

B4-B5	**EXERCICES**

8 ◆ ◆

1) Formez à partir de chacun des verbes mentionnés dans la colonne de gauche un nom d'action et classez ces noms selon le suffixe à l'aide duquel ils sont formés. Portez pour cela dans la case correspondante la lettre M si le nom est masculin ou F s'il est féminin.

Remarque : certains des verbes sont empruntés au glossaire thématique B1-B3.

	Ø	-e	-(a)tion	-(iss)ance	-(isse)ment	-âge	-ure	Irré-gulier
distinguer								
jouir				2				
souffrir								
regarder		4						
percevoir	5?							5
plaire								6
éblouir					7			
éclairer					8	8		
illuminer			9					
écouter	10							
vibrer				11				
aveugler					12			
examiner								13
guetter					14			
teinter	15							
tinter								

Note : annotations manuscrites dans le tableau

2) Indiquez les deux formations irrégulières : ....., ...

3) Deux de ces noms d'action sont formés avec un radical légèrement modifié, lesquels ? ....., ...

4) Pourquoi les noms d'action dérivés de **jouir** et **éblouir** présentent-ils la syllabe **-iss(e)** entre le radical verbal et le suffixe ?

9 ◆ ◆ ◆

On peut faire beaucoup de choses avec le mot *oreille*. En recomposant les phrases coupées en deux, vous découvrirez plusieurs expressions courantes où ce mot est employé.

1. J'ai **dressé (tendu) l'oreille** en entendant parler de ce projet de construction d'un nouveau modèle...

2. Je lui ai **parlé à l'oreille**...

3. Il est reparti **l'oreille basse**...

4. Je lui ai **tiré (frotté) les oreilles**...

5. Il **s'est fait tirer l'oreille** pour accepter notre proposition de contrat...

6. Ne vous inquiétez pas : j'**ai l'oreille** du président...

7. Après une heure de discussion, il a enfin **montré le bout de l'oreille**...

8. Il m'a **prêté une oreille attentive**...

B4-B5 EXERCICES

A ... parce qu'il n'a pas réussi à nous tromper avec ses fausses promesses et ses mensonges.

B. ... quand il a avoué que, dans l'affaire, l'argent l'intéressait plus que le plaisir de voyager avec nous.

C. ... parce qu'il m'intéresse beaucoup.

D. ... depuis qu'il a compris que mes avis étaient souvent bons à suivre.

E. ... pour que les autres n'entendent pas ce que je voulais lui dire.

F. ... parce qu'il n'avait pas appris ses leçons.

G. ... et il m'a écouté lui exposer tous les détails de mon idée parce qu'il la trouve bonne.

H. ... parce qu'il espérait pouvoir obtenir beaucoup plus d'argent du premier coup.

10 ◆ ◆ **À l'aide de l'article *voir* du glossaire thématique B4-B5 complétez les phrases suivantes et reportez les mots dérivés sur l'arbre ci-dessous (les numéros des phrases correspondent aux numéros des caissons sur l'arbre).**

1. Les ..... peuvent présenter leur candidature à ce poste.

2. À la ..... de ce spectacle grotesque, j'ai éclaté de rire.

3. Je n'ai pas eu le temps de parler au directeur de notre projet. Je l'ai à peine ..... entre deux avions.

4. J'ai eu une ..... décevante avec notre nouveau patron.

5. La perception de l'environnement repose essentiellement sur ..... et l'audition.

6. Il n'arrive plus à parler correctement, il titube : il est ..... qu'il est ivre.

7. Conduire dans le brouillard sans ..... est épuisant à la longue.

8. Les rayons ultraviolets sont ..... pour l'œil humain.

9. L' ..... des rayons ultraviolets rend leur usage d'autant plus dangereux pour la santé de la peau.

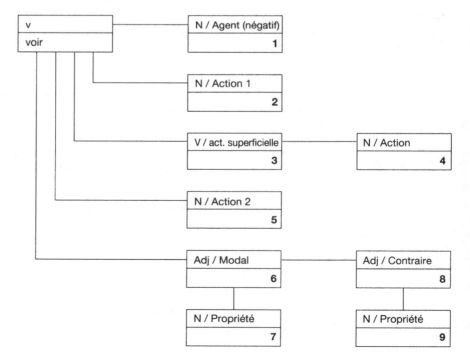

B4-B5   EXERCICES

11 ◆ ◆

Complétez les trois textes suivants à l'aide de l'article *couleur* du glossaire thématique. Reportez ensuite les termes sur l'arbre à l'aide des numéros entre parenthèses.

1) Les femmes ne sont pas toujours satisfaires du c. . . . . (9) de leurs cheveux. Il faut bien que les coiffeurs vivent ! Au lieu de c. . . . . (1) les cheveux de leur cliente dans la teinte souhaitée, c'est-à-dire de procéder à la c. . . . . (5) des cheveux à l'aide d'un c. . . . . (4), le coiffeur peut aussi d. . . . . (7) les cheveux, par exemple en effectuant la d. . . . . (8) de petites mèches (= petites quantités de cheveux). Pour terminer, il fixe la coiffure à l'aide d'une laque c. . . . . (2) ou le plus souvent i. . . . . (3).

2) Les peintres qui, comme Vermeer de Delft, attachent plus d'importance à la couleur qu'à la ligne sont des c. . . . . (6), ceux qui, comme Albrecht Dürer, attachent plus d'importance aux lignes sont des graphistes.

3) Avant de partir peut-être un jour de véritables artistes, les enfants s'entraînent à c. . . . . (10) des scènes préalablement dessinées dans leur album de c. . . . . (11).

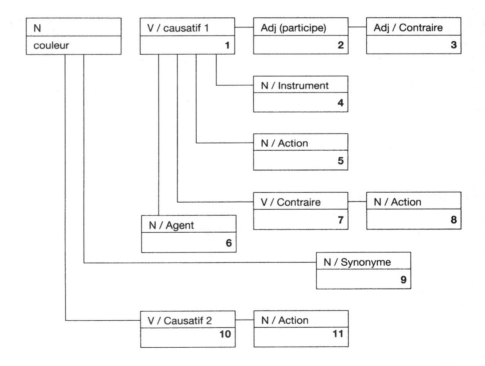

B4-B5	**EXERCICES**

12 ◆ ◆

Complétez les deux textes ci-dessous à l'aide de l'article *son* du glossaire thématique et reportez les termes sur l'arbre à partir des numéros entre parenthèses.

1) J'ai assisté l'an dernier, à un spectacle de s..... (2) au château de Cheverny, célèbre pour ses chasses à courre (= chasse au gros gibier à cheval avec une meute de chiens). Le spectacle s'achevait sur une s..... (4) de cors de chasse. Les airs de chasse r..... (7) magnifiquement sur la place du château.

2) Aux grandes fêtes religieuses le s..... (6) de la cathédrale s..... (3) toutes les cloches. La s..... (4) peut durer un long moment. La r..... (8) d'une cloche tient à la vibration du métal. Elle est très simple pour une s..... (5), mais comporte de multiples fréquences (= hauteurs de vibrations) pour les grosses cloches, et même des u..... (1).

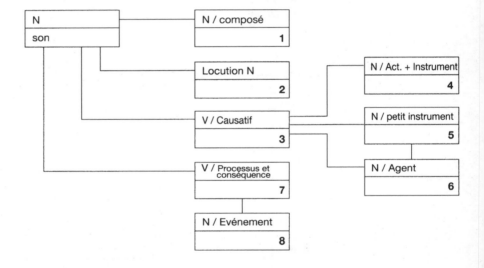

B6-B8 TEXTES ET CONTEXTES

B6

Certains alpinistes ont un sens du **toucher** extraordinaire.
Ils **caressent** presque la montagne. Leurs doigts **effleurent**
les rochers, **palpent** doucement les parties **lisses**. On dirait qu'ils
ont peur de **se brûler** les mains. Quand ils **frôlent** une « prise »,
un point d'appui, ils **frottent** un peu le rocher, le **grattent** pour ôter
la terre et trouver une partie plus **dure**, plus **rugueuse**. Puis, c'est
l'instant d'une ultime **caresse** pour vérifier que la « prise » est
bonne et les doigts **serrent** soudain l'appui. L'alpiniste peut monter
un peu plus haut...

• • •

L'autre jour, en courant dans la forêt, j'ai **heurté** une pierre et je me
suis tordu la cheville. J'avais très mal sous le pied. Le docteur
a d'abord **palpé** mon pied. Puis il m'a mis une crème dessus et
a commencé de l'étaler en **frottant** doucement. Mais comme je suis
très **chatouilleux**, je me suis mis à rire. Alors il m'a dit que le mieux,
c'était que je mette la crème moi-même.

• • •

Pour se défendre, l'homme **frappe** sur son adversaire, il lui **cogne**
dessus avec n'importe quoi, de préférence quelque chose de **dur**.
Le hérisson, lui, a le ventre mou, mais son dos est très **piquant** !

B7

Anne a inventé une nouvelle recette de cuisine. Elle a voulu que
nous **goûtions** sa découverte. Elle nous avait dit : « Vous allez
vous **régaler**. C'est un plat **délicieux**, **savoureux**, **succulent**. Vous qui
êtes des **fines gueules**, de vrais **gourmets**, je vous invite à manger. »
Nous espérions **déguster** un plat vraiment **exquis**. Mais nous étions
quand même un peu méfiants parce que d'habitude, sa cuisine est
trop **sucrée** ou complètement **fade**. Cette fois, elle avait mis trop
d'**épices** ! Et aussi au moins un kilo de **poivre** et de **sel** ! Au lieu
d'être un **régal**, le plat était devenu **acide**, **âpre**, avec un **arrière-goût
aigrelet**. Elle a essayé de nous faire croire qu'il était simplement
un peu trop **relevé**. Puis elle a ajouté : « Je vois que vous n'aimez
pas la cuisine **épicée**. Vous me dites toujours que ma cuisine n'a pas
de **goût**, qu'elle est **insipide**. Eh bien ! cette fois, vous ne pourrez
pas le dire. »

• • •

Le métier de **goûteur** était un métier dangereux. Quand il prenait
une bouchée de chaque plat présenté au prince, il devait se
demander si le **sel**, le **poivre** ou les **épices** n'étaient pas du poison.
La moindre **acidité**, la plus petite **amertume** devait lui ôter
l'**appétit**.. On imagine qu'il ne mangeait pas **goulûment**, c'était un
métier interdit aux **goinfres** !

• • •

Il y a des **gourmands** de toutes sortes. Les uns aiment les **sucreries**,
d'autres trouvent ces **douceurs dégoûtantes** et préfèrent des plats
bien **assaisonnés**. Mais tous sont d'accord sur un point : ce qu'ils
aiment, ils en mangent beaucoup.

• • •

B6-B8 | TEXTES ET CONTEXTES

« Vous l'avez **goûtée** ? – Non, j'attends qu'elle soit propre. Alors le docteur Latonne plongea son verre dans la source et but avec cet air profond que prennent les experts pour **déguster** les vins. Puis il déclara : Excellente ! … Voulez-vous ? … – Merci ! Cela suffit bien que l'avez appréciée. Je connais leur **goût**. »
(Maupassant, *Mont-Oriol*)

• • •

« La première (source) avait **goût** de feuille de chêne, la seconde de fer et de tige de jacinthe… Rien qu'à parler d'elles je souhaite que leur **saveur** m'emplisse la bouche au moment de tout finir, et que j'emporte, avec moi, cette gorgée imaginaire… »
(Colette, *Sido*)

B8

Les fumées de certaines usines **dégagent** des **odeurs** qui **empestent** les environs. L'été, quand il fait très chaud et qu'il n'y a pas de vent, la **puanteur** devient insupportable. Les **émanations** des produits chimiques ou de certains produits naturels envahissent les maisons et les gens osent à peine **aspirer** l'air où ils doivent vivre. La loi devrait imposer à ces usines de **désodoriser** leurs fumées. Il ne s'agit pas de les transformer en fumées **aromatiques** ou en **parfums enivrants**, il s'agit simplement d'**émettre** des fumées **inodores**.

• • •

Le chien est un animal qui a du **flair**. Certains chiens sont même capables de **sentir** la présence d'une personne enfouie sous la neige d'une avalanche. L'homme n'a pas un **odorat** aussi développé. Mais il suffit de voir un **parfumeur humer** les **effluves** d'un **parfum** ou un amateur de bon vin **sentir** le **bouquet** qu'**exhale** un grand cru pour comprendre que les hommes aussi peuvent avoir du « nez ».

• • •

« Emma se sentit, en entrant, enveloppée par un air chaud, mélange du **parfum** des fleurs et du beau linge, du **fumet** des viandes et de l'**odeur** des truffes. » (Flaubert, *Madame Bovary*)

• • •

« Un halo de **parfum** le nimbe. Il **embaume**… C'est un **parfum** compliqué qui surprend, qu'on **respire** attentivement, avec le souci d'y démêler l'âme blonde de ton tabac favori, l'**arôme** plus blond de ta peau si claire, et ce santal brûlé qui **s'exhale** de moi… »
(Colette, *Les Vrilles de la vigne*)

B6-B8 GLOSSAIRES THÉMATIQUES

B6 - LE TOUCHER

TACT (le) = le sens du toucher / STYLE soutenu

Le tact permet de distinguer des surfaces lisses et des surfaces rugueuses, des contacts à peine appuyés et des pressions plus fortes.

→ **tactile**, une sensation / une impression tactile

Remarque : dans le domaine des sentiments, **le tact** est synonyme de **la délicatesse**.

Je me demande comment lui faire comprendre avec suffisamment de tact (= de délicatesse) qu'il n'est pas doué pour cette formation universitaire.

TOUCHER = mettre le corps en contact (= contre) avec un autre corps ou un objet.
généralement : toucher avec les doigts / la main

Il avança la main et toucha doucement, du bout des doigts, les cheveux de la jeune femme.

→ le **toucher** (= la perception par le contact de la peau)

→ **tangible** 1. STYLE : soutenu = qui peut être touché
2. STYLE : courant = qui est réel, évident

Je ne vois là que des soupçons, mais aucune preuve tangible.

→ **intangible** 1. STYLE : soutenu = qui ne peut pas être touché
2. STYLE : courant = qui ne peut pas être changé, modifié

Ce règlement est intangible.

MANIÈRES DE TOUCHER QUELQUE CHOSE OU QUELQU'UN

ATTOUCHEMENT (l') = action de toucher légèrement et brièvement

SE BRÛLER
avec quelque chose
= entrer en contact avec quelque chose de très chaud ou avec une flamme et avoir la peau détruite par ce contact

→ **brûlant**
→ la **brûlure**

Il a posé sa main sur un tuyau brûlant. Il s'est brûlé deux doigts. La brûlure est très profonde et très grave.

CARESSER

1. caresser quelqu'un (= toucher doucement et lentement pour exprimer sa tendresse, son amour)

Il l'embrassait, il lui caressait les cheveux, il lui murmurait : « Je t'aime ».

2. caresser quelque chose (= toucher doucement et lentement, pour sentir une surface, une forme)

Ce meuble ancien est très beau, on avait envie de le caresser pour mieux entrer en contact avec le bois.

→ la **caresse**, faire des caresses

→ **caressant** (= qui aime caresser ou être caressé)

C'est un enfant très caressant.

CHATOUILLER
quelqu'un
= toucher légèrement du bout des doigts pour provoquer le rire
→ chatouilleux / -euse

B6-B8 | GLOSSAIRES THÉMATIQUES

COGNER ▬▬▬▬▬▬▬▬▬▬▬▬▬ = donner un coup ou des coups / **SYN** : frapper
cogner à une porte / sur / contre la porte
→ **se cogner** (= se heurter contre quelque chose / quelqu'un)
Je me suis cogné la tête contre la fenêtre. Je me suis fait mal.

DUR ▬▬▬▬▬▬▬ = qualité d'un solide dans lequel le doigt ne peut pas s'enfoncer / CONTR : mou
La surface d'une pierre est dure.

EFFLEURER ▬▬▬▬▬▬ SYN : caresser / = toucher légèrement la surface de quelque chose
Elle se pencha sur le bébé endormi et effleura des lèvres son front pour ne pas le réveiller.

FRAPPER ▬▬▬▬▬▬▬▬▬▬▬▬▬▬▬ = donner un ou des coups
frapper à la porte et entrer
Quand il était en colère, il frappait des doigts sur la table.

FRÔLER ▬▬▬▬▬▬▬▬▬▬▬▬ 1. SYN : effleurer / toucher légèrement
→ le **frôlement**
Nous avancions dans la forêt, les feuilles frôlaient nos visages d'un frôlement léger, agréable.
2. toucher presque, passer très près de quelqu'un / de quelque chose
La voiture a frôlé le cycliste, mais il n'est pas tombé, heureusement.

FROTTER ▬▬▬▬▬▬▬▬▬ = passer quelque chose contre quelque chose
quelque chose /
quelque chose contre
quelque chose
Quand il est content, il frotte ses mains l'une contre l'autre.
→ le **frottement**
Le frottement de mes chaussures neuves m'a fait mal aux pieds.

GRATTER ▬▬▬▬▬▬ = frotter avec les ongles ou un outil pour ôter quelque chose sur une surface
Avant de repeindre quelque chose, il faut gratter la peinture précédente.
→ **se gratter** (= se frotter la peau avec les ongles)
Il ne faut pas se gratter sur une brûlure

HEURTER ▬▬▬▬▬▬▬▬▬▬▬▬▬ SYN : frapper, cogner / STYLE : soutenu
→ le **heurt**, un heurt violent

LISSE ▬▬▬▬▬▬▬▬▬▬▬▬▬ = complètement plat / CONTR : rugueux
La surface d'un miroir est lisse.

MOELLEUX / -EUSE ▬▬▬▬▬▬▬▬▬▬▬▬▬▬ = mou et agréable
un tapis **moelleux**, une couverture **moelleuse**

MOU / MOLLE ▬▬▬▬▬▬ = qualité d'un solide dans lequel le doigt peut s'enfoncer / CONTR : dur
La surface du caoutchouc est molle.

PALPER ▬▬▬▬▬▬▬▬▬▬▬▬▬▬ = toucher légèrement du bout des doigts
Le docteur palpait le ventre du malade en lui demandant s'il avait mal.

B6-B8	GLOSSAIRES THÉMATIQUES

PIQUANT = qui pique (comme une pointe d'aiguille)
Les roses ont des épines très piquantes.

RUGUEUX Contr : lisse

SERRER = fermer la main sur quelque chose / quelqu'un
quelque chose / quelqu'un *En France, on se serre la main pour dire bonjour et au revoir.*

TÂTER = toucher pour examiner
Il tâtait le mur de la main pour trouver le bouton électrique
→ **tâtonner** (= chercher en tâtant, chercher à tâtons)
Il tâtonnait dans l'herbe pour retrouver son couteau.

B7 - LE GOÛT

L'APPÉTIT = le désir de manger
mettre en **appétit**, avoir de l'**appétit**, manquer d'**appétit**,
s'ouvrir l'**appétit**, couper l'**appétit**, perdre l'**appétit**
« *Bon appétit* »
→ **appétissant / -ante** (= qui donne de l'appétit, que l'on a envie de manger
Contr : dégoûtant / Syn : mettre l'eau à la bouche)

DÉLICIEUX SYN : savoureux, succulent, exquis
→ un **délice** (Syn : un régal)
Ce plat est un délice ! (Il est très bon)

DÉGUSTER SYN : savourer / = manger, boire en prenant le temps de sentir
quelque chose et d'apprécier les saveurs
→ la **dégustation**, une dégustation de vins, de fromages
→ le **dégustateur / -trice** (= personne chargée de juger la qualité d'un aliment,
d'une boisson)

EXQUIS SYN : délicieux, savoureux, succulent / = très bon au goût
Votre café est exquis. Il y a longtemps que je n'avais pas bu un café aussi bon.

FINE GUEULE (une) SYN : un gourmet / Style : familier

GOINFRE (le / la) = personne qui mange beaucoup et sans goûter ce qu'elle mange
→ **se goinfrer** (= manger salement, vite, sans goûter / Syn (argot) : bâfrer, s'empiffrer)
Il se goinfrait de gâteaux à longueur de journée.
→ la **goinfrerie**

GOULU / -UE = qui mange vite, sans goûter
→ **goulûment**, manger goulûment (Syn : se goinfrer)

GOURMAND / -ANDE 1. SYN : gourmet / qui aime manger ou boire de bonnes choses
2. (courant) : qui mange trop
*Il voudrait maigrir, mais il est si gourmand qu'il ne peut pas suivre
un régime amaigrissant.*
→ la **gourmandise**, succomber à la gourmandise

B6-B8 | GLOSSAIRES THÉMATIQUES

GOURMET = qui apprécie les plats et les vins de grande qualité
Il dit qu'il est gourmet mais en fait il est surtout gourmand.

GOÛTER
→ le **goût**
    1. sens par lequel on perçoit les saveurs
avoir le goût fin / délicat / raffiné
    2. sensation produite sur les organes du goût
Le gâteau a un goût d'amandes
→ le **goûteur** (= celui qui goûtait les plats du prince, pour être sûr qu'ils n'étaient pas empoisonnés)
→ **gustatif / -ive** (= qui a rapport avec le goût)
→ les **papilles gustatives** (organes de la langue qui goûtent)
→ un **arrière-goût** (= un goût que l'on devine mêlé à d'autres goûts plus nets)
Il y a dans ce vin un arrière-goût de fraise.
→ **dégoûter** (un aliment, une boisson dégoûte quelqu'un) (= ôter l'envie de manger, de boire ; donner envie de vomir)
→ **dégoûtant** (= qui dégoûte / Contr : appétissant, savoureux)
→ le **dégoût**

SE RÉGALER = manger et boire avec plaisir
→ un **régal**

SAVEUR (la) = qualité perçue par les organes du goût
→ **savourer** (Syn : déguster)
→ **savoureux / -euse**, un plat savoureux (Syn : exquis, délicieux, succulent)

SUCCULENT SYN : exquis, délicieux, savoureux

SENSATIONS GUSTATIVES PARTICULIÈRES

ACIDE = d'une saveur qui pique la langue plus ou moins agréablement
Les fruits qui ne sont pas encore mûrs ont un goût acide.
→ l'**acidité**
→ **acidulé** (= légèrement acide)

AIGRE = d'une saveur qui pique la langue désagréablement
Le vinaigre est du vin devenu aigre.
→ **aigrelet** (= un peu aigre – saveur qui peut parfois être agréable)
→ l'**aigreur**

AMER / -ÈRE **1.** désagréable au goût / **2.** Contr = sucré, peu sucré, mais agréable au goût
du chocolat **amer**, une boisson **amère**, des oranges **amères**
Cette bière a un goût amer.
→ l'**amertume**

ÂPRE = qui semble écorcher la langue, la gratter / Contr : doux
Ce vin est âpre, mais il n'est pas désagréable à boire.
→ l'**âpreté**

B6-B8 GLOSSAIRES THÉMATIQUES

DOUX / ce = agréable au goût, généralement parce que légèrement sucré

Contr : acide, aigre, amer, âpre

→ **douceâtre** (= trop doux, désagréablement doux)
→ des **douceurs** (= des sucreries, des gâteaux)

FADE = sans goût

→ la **fadeur**
→ **fadasse** (Style : familier : fade)

INSIPIDE SYN : fade / Style : soutenu

ASSAISONNER = mettre du sel, du poivre, des épices dans un plat

→ **assaisonné**
→ l'**assaisonnement**
Ce plat n'est pas assez assaisonné. Il faut relever l'assaisonnement.

ÉPICER = mettre des épices

→ **épicé** (= très relevé)
→ l'**épice** (= plante servant à parfumer ou à relever le goût d'un aliment)
La cuisine de certains pays est très épicée. Elle brûle presque la langue.

POIVRER = mettre du poivre

→ **poivré**
→ le **poivre**
Cette viande est trop poivrée. Vous avez mis trop de poivre.

RELEVER = ajouter des épices pour donner un goût plus fort
un plat
→ **relevé**, un plat très relevé (= très épicé)

SALER = mettre du sel

→ **salé**
L'eau de mer est salée.
→ le **sel**
→ la **salaison** (= la conservation d'un produit alimentaire dans le sel.)

SUCRER = mettre du sucre

→ **sucré**, une orange bien sucrée
→ le **sucre**, le sucre de canne / de betterave
le sucre blanc / roux, le sucre en morceaux / en poudre
→ les **sucreries** (= les bonbons, le chocolat)

B8 - L'ODORAT

ASPIRER = faire entrer de l'air dans ses poumons / Contr : expirer, souffler

DÉGAGER SYN : émettre, exhaler / = produire une odeur
une senteur

B6-B8　　GLOSSAIRES THÉMATIQUES

EFFLUVE (l' / un) ▬▬▬▬▬▬▬▬▬ Sᴛʏʟᴇ : soutenu / littéraire : émanation d'une odeur agréable ou non

ÉMANER ▬▬▬▬▬▬▬▬▬▬ une odeur émane de quelque chose = est produite par
de quelque chose　*Une odeur insupportable émanait du tas d'ordures.*

→ l'**émanation**

Les habitants ont été alertés par les émanations de gaz.

ÉMETTRE ▬▬▬▬▬▬▬▬▬▬▬▬▬▬▬▬▬ SYN : dégager, exhaler
une odeur

EXHALER ▬▬▬▬▬▬▬▬▬▬▬ SYN commun : dégager, émettre / Sᴛʏʟᴇ : soutenu
une senteur　　　→ l'**exhalaison**

*Le jardin exhalait des odeurs agréables. Ces exhalaisons attiraient
les promeneurs.*

FLAIRER ▬▬▬▬▬▬▬▬▬▬▬▬ = pour un animal : sentir une odeur
quelque chose　*Le chien a flairé mes jambes mais il est retourné se coucher.*

→ le **flair** (= l'odorat d'un animal)

HUMER ▬▬▬▬▬▬▬▬▬▬ = aspirer, respirer (avec plaisir) une odeur
quelque chose　*Debout sur le pont du bateau, il humait l'air de l'océan.*

ODEUR (l') ▬▬▬▬▬▬▬▬▬▬▬▬ = ce qui est perceptible par l'odorat
L'usine de produits chimiques dégage des odeurs insupportables.

→ **odorant** (= parfumé)

→ **inodore** (= sans odeur)

L'eau pure doit être incolore, inodore et sans saveur.

→ **désodoriser** (= ôter une odeur)

*Les gaz de l'usine de produits chimiques sont maintenant désodorisés par
des filtres.*

→ le **déodorant** (= produit de toilette qui empêche la transpiration et l'odeur de
la sueur)

→ le **désodorisant** (= produit de ménage qui enlève les odeurs désagréables
d'une pièce)

RENIFLER ▬▬▬▬▬ 1. aspirer violemment de l'air par le nez / 2. (Sᴛʏʟᴇ très familier : sentir une odeur)

RESPIRER ▬▬▬▬▬▬▬▬▬ 1. aspirer et expirer de l'air par le nez
Il respirait très vite parce qu'il avait couru.

2. aspirer une odeur

→ respirer un parfum / l'air de la forêt

Tu as respiré l'odeur de cette eau de toilette. Comment la trouves-tu ?

SENTIR ▬▬▬▬▬▬▬▬▬▬▬▬ = percevoir une odeur
Il approcha la fleur de son nez pour la sentir.

B6-B8	GLOSSAIRES THÉMATIQUES

ODEUR AGRÉABLE

ARÔME (l' / un) ▰▰▰▰▰▰▰▰▰▰ = odeur d'une plante, d'un vin, d'un aliment
L'arôme de ce thé est délicieux.
→ un **aromate** (= plante servant à assaisonner un plat, épice, plante dégageant un parfum)
→ **aromatique**, plante aromatique
→ **aromatiser** (= parfumer avec un aromate)
→ du thé **aromatisé** au citron

BOUQUET (le) ▰▰▰▰▰▰▰▰▰▰ = arôme exhalé par un vin de bonne qualité

CAPITEUX / -EUSE ▰▰▰▰▰ = qui provoque un trouble agréable pouvant aller jusqu'à l'ivresse

ENIVRER ▰▰▰▰▰ = rendre ivre avec un parfum un peu comme on rend ivre avec de l'alcool
→ **enivrant**, un parfum enivrant

ENTÊTER ▰▰▰▰▰ = donner mal à la tête avec un parfum trop fort
→ **entêtant**, un parfum entêtant

PARFUM (le) ▰▰▰▰▰ **1.** odeur agréable (d'une fleur, d'un parfum,...)
J'aime le parfum de la forêt après un orage.
2. produit fabriqué pour parfumer le corps
C'est en France qu'on crée les plus grands parfums.
→ **parfumer** (Syn : embaumer / Contr : puer)
Les fleurs fraîchement coupées parfumaient la chambre.
→ **se parfumer** (= mettre sur sa peau un parfum (2))
→ le **parfumeur** (= fabricant ou marchand de parfums (2))
→ la **parfumerie** (= boutique où l'on vend des parfums (2))

FUMET (le) ▰▰▰▰▰ = arôme exhalé par une viande cuite

SENTEUR (la) ▰▰▰▰▰ Style littéraire : l'odeur

EMBAUMER ▰▰▰▰▰ SYN : parfumer / Contr : puer
L'odeur des orangers embaumait toute la région.

ODEUR DÉSAGRÉABLE

EMPESTER ▰▰▰▰▰ SYN : puer / Style soutenu
→ la **pestilence** (Style littéraire : odeur insupportable / Syn : la puanteur)

PUER ▰▰▰▰▰ = dégager une mauvaise odeur / Contr : parfumer, embaumer
→ la **puanteur** (= odeur insuportable)

RELENT (le) ▰▰▰▰▰ = mauvaise odeur ancienne mais qui ne disparaît pas
Depuis l'incendie, il y a dans la ville un relent d'essence brûlée qui ne disparaît pas.

B6-B8 | EXERCICES

13 ◆

Si vous aimez bricoler (= travailler chez soi à toutes sortes de travaux manuels pendant ses loisirs), cet exercice devrait vous sembler facile. Complétez le texte en employant l'un des mots proposés.

toucher - caresser - rugueux - se brûler - effleurer - frotter - gratter - lisse - heurter

Pour repeindre une fenêtre, vous devez d'abord . . . . . la précédente peinture pour l'enlever. Vous pouvez travailler en vous aidant d'un petit brûleur qui chauffera la peinture : elle se décollera plus facilement. Mais attention à ne pas . . . . . vous-même ! Ensuite vous . . . . . avec soin toute la surface du bois avec un papier de verre pour obtenir une surface bien . . . . Ne vous contentez pas de regarder pour vérifier si votre travail est bon, ... le bois avec vos doigts : vous sentirez s'il est toujours . . . . Pour peindre, n'appuyez pas trop fort sur votre pinceau. Il doit juste . . . . . la surface du bois pour que la peinture s'étale bien. Tant que la peinture n'est pas sèche, évitez de la . . . . . , même légèrement : la trace serait tout de suite visible. Au bout de 24 heures, la peinture est complètement sèche et vous pouvez la . . . . . sans qu'elle reste sur vos doigts.

14 ◆

« L'appétit vient en mangeant » dit un proverbe. Plusieurs expressions très courantes emploient le nom *appétit*. Apprenez à les utiliser en recomposant toutes les phrases qui ont été partagées en trois parties.

1. Il ne mange plus depuis deux jours : . . . . .
2. Il mange comme quatre : . . . . .

    A. depuis que ses ennuis sont terminés, ...

    B. avec tous ses ennuis, ...

    C. votre apéritif est très bon, ...

        a. il a de l'appétit.

        b. il n'a pas d'appétit.

        c. il manque d'appétit.

        d. il met en appétit.

        e. il a perdu l'appétit.

        f. il ouvre l'appétit.

        g. il a retrouvé son / l'appétit.

15 ◆

Complétez les phrases suivantes à l'aide d'un adjectif relationnel.

Modèle : Ce pâté me met en *appétit*. Voici un pâté *bien appétissant*.

1. De ce tableau émane une étonnante *lumière*. Voici . . . . .
2. Cette plante dégage un *arôme*. C'est . . . . .
3. Cette pièce pour flûte de Mozart est un vrai *délice*. C'est . . . . .
4. Je me sens dans un état d'*euphorie*. Je . . . . .
5. *La Mer* de Claude Debussy évoque des *impressions* marines. Cette composition symphonique . . . . .
6. Cette mousse au chocolat a une *saveur* remarquable. Elle . . . . .
7. Se plonger dans un bain bouillonnant donne une sensation de *volupté*. Cette sensation . . . . .

B6-B8 | EXERCICES

16 ◆ ◆

**Complétez les phrases qui suivent en employant l'un des mots proposés.
Vous découvrirez quelques-uns des sens figurés de *goût*, *goûter* et
dégoûter. Pour compliquer un peu l'exercice, nous avons introduit des
phrases où vous devrez employer *goutte*, *goutter* et *dégoutter*.**

*goût - arrière-goût - avant-goût - goûter - dégoûter - goutte - goutter -
dégoutter*

1. Ce plat a nettement le . . . . . de champignon, mais on devine aussi
un petit . . . . . de moutarde.

2. Je ne sais pas si ce chocolat est bon. Je n'ai pas encore pu le . . . .

3. Une grosse . . . . . de pluie m'est tombée sur le nez.

4. Il aurait pu être plus poli. Je n'ai pas . . . . . la manière dont il nous a parlé.
C'est un type insupportable.

5. Cette soupe est immangeable. Son odeur acide me . . . .

6. Paul me . . . . . . Je ne peux pas lui pardonner de m'avoir menti si longtemps.

7. Sa lettre est pleine de remarques agressives. Il ne me pardonne pas d'avoir
refusé de travailler avec lui. Il y a dans ce qu'il m'écrit comme un . . . . . de
rancune, de vengeance.

8. Fais attention ! Tu laisses . . . . . de l'huile sur ta robe !

9. Le patron n'a pas l'air aimable ce matin. Il m'a à peine dit bonjour.
C'est un . . . . . de la réunion de tout à l'heure !

10. Il ne travaille pas assez vite à mon . . . .

11. La neige a commencé à fondre. Elle . . . . . du toit.

17 ◆ ◆

**Plusieurs termes renvoyant à un goût s'emploient aussi de manière figurée.
Pour comprendre leurs sens, récrivez les phrases qui ont été partagées en
deux.**

1. Il m'a répondu d'un ton acide, ...

2. Il m'a répondu d'un ton aigre, ...

3. Il m'a répondu d'un ton amer, ...

4. Il m'a répondu d'un ton sucré, ...

5. On ne sait rien de certain, mais tout le monde devine que dans cette affaire,
Jean s'est sucré comme il faut, ...

6. Après le repas, il a fallu payer l'addition. J'ai trouvé qu'elle était trop salée...

7. Paul nous a raconté une histoire salée...

A. ... j'ai senti qu'il éprouvait beaucoup de regrets, qu'il était vraiment déçu de
ne pas avoir obtenu ce travail.

B. ... j'ai failli demander une diminution et puis je n'ai pas voulu faire de
scandale. Mais je ne reviendrai pas !

C. ... trop gentil pour être honnête. Je me suis tout de suite méfié de son
comportement. Ce type n'est pas franc.

D. ... pas pour des oreilles d'enfants !

E. ... il n'a été aimable du tout.

F. ... il a dû se donner à lui-même au moins trois millions, peut-être même plus !

B6-B8   EXERCICES

18 ◆ ◆

Voici quelques expressions ou proverbes qui parlent d'odeurs. Vous en découvrirez le sens en recomposant les phrases données.

1. Ça *ne sent pas la rose* ici, …
2. À mon avis, c'est une affaire qui *sent mauvais*, …
3. J'ai tout de suite *flairé* une bonne affaire, …
4. L'argent *n'a pas d'odeur*, …
5. Paul *est en odeur de sainteté* auprès du patron, …
6. Vous savez, je *ne suis pas au parfum*, …
7. Venez, je vais vous *mettre au parfum*, …

A. … il faut que vous m'expliquiez les détails de cette histoire (style argotique).
B. … et mon intuition était bonne : tout s'est très bien passé, nous avons gagné beaucoup d'argent.
C. … si je n'étais pas poli, je dirais même que ça pue. Il faudrait nettoyer la maison.
D. … il lui fait complètement confiance, il trouve que son travail est excellent.
E. … mais ne répétez pas ce que je vais vous apprendre, en principe, c'est secret.
F. … vous feriez mieux de ne pas y participer, il doit y avoir des accords secrets, des combines louches.
G. … qu'importe d'où il vient, comment on le gagne.

19 ◆ ◆

Remplir les blancs du texte à l'aide des entrées de l'article *goûter* du glossaire thématique (les numéros entre parenthèses vous permettront de reporter les termes sur l'arbre).

L'empereur craignait que des mets empoisonnés lui soient présentés et avait désigné l'un de ses esclaves comme . . . . . (3). Lorsque celui-ci décelait dans un plat un . . . . . (4), il redoutait d'y perdre la vie, mais jusqu'alors, la qualité . . . . . (2) des plats qu'il devait contrôler témoignait du . . . . . (1) exquis de la cuisine impériale. Cela le changeait de la nourriture . . . . . (6) qui était habituellement offerte aux esclaves. Il éprouvait du . . . . . (7) et même la nausée devant les viandes avariées (= pourries) qu'ils devaient consommer, même s'ils en étaient . . . . . (5).

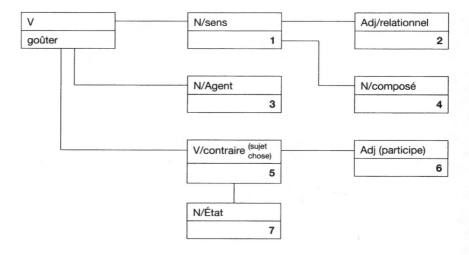

B6-B8   EXERCICES

20 ◆ ◆

Les sens figurés de _toucher_ sont nombreux. Les phrases qui suivent vous aideront à les découvrir et à les apprendre. Indiquez à quel sens correspond chaque phrase.

1. Pour attirer son attention, je lui ai touché l'épaule.

2. Je vous remercie pour les fleurs que vous avez envoyées à l'occasion du décès de mon mari. C'est un geste qui m'a beaucoup touchée.

3. Pour faire ce travail, j'ai touché 10 000 francs.

4. Il parlait d'un ton touchant.

5. Je lui toucherai un mot de votre projet. Faites-moi confiance.

6. La victime de l'agression a été touchée par deux balles de revolver. Elle est dans un état grave.

7. Pour toucher votre chèque, il faut que vous alliez au guichet qui se trouve au fond de la banque. C'est indiqué : Caisse.

8. Paul m'a touché deux mots de votre idée. Elle est bonne. Faites-moi un rapport plus complet.

9. Lors des combats des derniers jours, les obus de l'artillerie ont touché plusieurs fois l'hôpital de la ville.

A. toucher quelqu'un / quelque chose = poser sa main ou une autre partie du corps sur quelqu'un / quelque chose.

....

B. toucher quelqu'un = attendrir, émouvoir quelqu'un.

....

C. toucher de l'argent = recevoir, percevoir de l'argent.

....

D. toucher quelqu'un / quelque chose = atteindre avec une arme, blesser, tuer, détruire.

....

E. toucher un (deux) mots à quelqu'un de quelque chose = parler brièvement de quelque chose à quelqu'un pour l'avertir, le mettre au courant.

....

B9-B10 TEXTES ET CONTEXTES

B9

Alain et Françoise ont fini par **s'entendre** sur leurs projets de vacances. Il **croyait** qu'elle voulait visiter toute l'Amérique du Sud en un seul été. Ça lui semblait **incroyable** qu'elle puisse dire cela : « Elle doit être **inconsciente** ! » En fait, il avait mal **compris**. Elle parlait de plusieurs voyages. Maintenant le **malentendu** est terminé et ils partent pour l'Argentine l'été prochain.

• • •

Dans certaines villes, il y a trop de panneaux pour diriger la circulation. Trop de **signes** finissent par ne plus rien **signifier**. La personne la plus **intelligente** ne peut pas **saisir** toutes les **significations** en même temps. Cela dépasse l'**entendement** et devient presque **incompréhensible**. On risque de se tromper sur le **sens** d'un panneau et de provoquer un embouteillage ou un accident.

• • •

« (La) foi est dans le cœur, et fait dire non *je sais*, mais *je crois*. » (Pascal, *Pensées*)

B10

Quand les financiers ou les journalistes parlent de l'argent, leurs **analyses** sont souvent **approfondies**. Ils **prennent en considération** tous les événements et ils **examinent** toutes les thèses. Leurs **interprétations** des faits, leurs **raisonnements**, leurs **démonstrations**, leurs **déductions** correspondent toujours à une **réflexion** solide. Et pourtant, tout semble toujours trop abstrait, les lecteurs ne retrouvent pas leurs **vrais** problèmes, leurs problèmes **concrets**.

• • •

Faire des **hypothèses** intéressantes, des **expériences** utiles, **juger**, **conclure**, si possible, en un mot **raisonner**, demande un minimum de **concentration**. Celui qui n'est pas capable de suivre une **idée**, de **réfléchir** sur elle, d'y **penser** pendant de longs moments, ne peut pas réussir. Sans vouloir dire du mal de la télévision, on peut **estimer** qu'elle n'est pas une école aussi efficace que la lecture. En obligeant l'esprit à **se concentrer** sur l'**interprétation** d'un texte, celle-ci apprend presque à **méditer**. Beaucoup de grands savants ont appris à **réfléchir** en faisant du latin et du grec. Au contraire, la vitesse des images et des informations données par la télévision interdit un **examen** attentif. Celui qui lit a souvent un visage **pensif**. Celui qui regarde la télé n'en a pas le temps.

• • •

Il est **déraisonnable** de donner trop vite son **opinion**, son **avis**. On risque de commettre des **erreurs** ou de vouloir **démontrer** des **points de vue invraisemblables**. Un proverbe dit qu'il faut tourner sept fois sa langue dans sa bouche avant de parler. C'est un bon proverbe. Si vos auditeurs savent que vous **pesez le pour et le contre**, ils respecteront vos **jugements**.

• • •

B9-B10   TEXTES ET CONTEXTES

Ayez une bonne mémoire. Vous **oubliez** vos rendez-vous alors que Jean, votre collègue, **se souvient de** tous les numéros de téléphone de ses clients. Vous **pensez** que vous n'y pouvez rien. Ce n'est pas vrai. La **mémoire** est comme les muscles : elle s'entraîne. Avec notre méthode, vous pourrez **mémoriser** des listes entières d'adresses. Vos **souvenirs** seront en ordre et ils vous permettront de mieux **prévoir** ce que vous avez à faire, de mieux organiser vos **projets**. Chassez cette maladie qui s'appelle l'**oubli** ! Et demain, c'est vous qui **rappellerez** à votre collègue le programme de la journée.

• • •

« Le cœur a ses **raisons** que la **raison** ne connaît point. »
(Pascal, *Pensées*)
« Le cœur a son ordre ; l'esprit a le sien, qui est par principes et **démonstration** ; le coeur en a un autre. On ne **prouve** pas qu'on doit être aimé… ce serait ridicule. » *(Idem)*

B9-B10 — GLOSSAIRES THÉMATIQUES

B9 - COMPRENDRE

COMPRENDRE

quelque chose /
que (Indic) / (Subj)

Je vous ai promis, j'ai compris vos explications. Je comprends bien que vous soyez en colère. Avez-vous compris que je passerai demain ?

→ la **compréhension** (= disposition à comprendre)

Efforcez-vous de la comprendre. Faites preuve à son égard d'un peu plus de compréhension.

→ l'**incompréhension** (= incapacité à comprendre)
→ **compréhensible**

Ses arguments sont difficilement compréhensibles. J'ai bien de la peine à les comprendre.

→ **incompréhensible**

CONSCIENT   = qui perçoit la réalité

de quelque chose

Êtes-vous vraiment conscient de votre culpabilité ?

→ **inconscient**

   1. qui a perdu conscience

Elle a été ramassée inconsciente dans la rue.

   2. dont on n'a pas conscience

Vous ne vous en rendez pas compte, mais vous vous adressez des reproches inconscients.

→ la **conscience** (= perception de la réalité)

Il avait encore toute sa conscience quand je l'ai interrogé.

→ l'**inconscience**

   1. état de perte de conscience
   2. perception défaillante de la réalité

CROIRE

quelque chose /
quelqu'un / à quelque
chose / en quelqu'un /
que (Indic) / (Infinitif)

Il me croit, il croit (à) mon histoire.
Elle croit en Dieu, elle croit que Dieu existe.
Crois-tu avoir réussi à le convaincre ?

→ le **credo** (= l'exposé de ce à quoi quelqu'un croit / Syn : la croyance)

→ la **croyance** (en quelqu'un / dans quelque chose) (Syn : la foi)

→ le **croyant**, la **croyante** (= qui croit en Dieu, qui a une foi religieuse)

Bien que la foule des croyants ait diminué au 20ᵉ siècle, la croyance en Dieu reste vive dans certains pays.

Remarque : le **croyant** peut être considéré comme **crédule** par un **incroyant**, mais les deux mots ne sont pas synonymes.

→ l'**incroyant**, l'**incroyante**
→ **croyable** (= qui peut être cru / Spéc : s'applique à un événement)
→ **incroyable**

Cette histoire n'est pas croyable. Elle est même complètement incroyable.

→ **crédible** (= qui peut être cru / Spéc : s'applique à une personne, un récit)

Son rapport n'est pas crédible. Il faut des preuves plus sûres.

→ **crédule** (= qui croit de manière spontanée / Syn : naïf)
→ **incrédule** (Syn : sceptique)

B9-B10 GLOSSAIRES THÉMATIQUES

DÉCOUVRIR ▰▰▰▰▰▰▰▰▰▰▰▰ = commencer de / à comprendre

quelque chose /
que (Indic)

→ la **découverte**

J'ai découvert qu'il m'avait menti. Quand j'ai fait cette découverte,
j'ai été très déçu.

Attention : voir aussi B2.

DISCERNER ▰▰▰▰▰▰▰▰▰▰▰▰ = ne pas confondre, voir les différences

quelque chose /
quelque chose
de quelque chose

→ le **discernement**, avoir, faire preuve de discernement

Un enfant ne discerne pas toujours le bien du mal, mais un adulte doit faire
preuve de plus de discernement.

ENTENDRE ▰▰▰▰▰▰▰▰▰▰▰▰ 1. percevoir par l'oreille, voir B5

quelque chose

2. percevoir par l'intelligence / STYLE : sens archaïque, littéraire

J'entends bien = je comprends bien
Qu'entendez-vous par là ? = que voulez-vous dire avec ce mot ?

→ **s'entendre** sur quelque chose avec quelqu'un (SYN : s'accorder)

→ l'**entendement** (= la faculté de comprendre et de raisonner / SPÉC : terme
philosophique)

→ **bien entendu** (SYN : évidemment)

→ le **malentendu** (SYN : incompréhension)

SE FIGURER ▰▰▰▰▰▰▰▰▰▰▰▰ SYN : se représenter, s'imaginer

quelque chose /
que (Indic)

Vous vous figurez que je vais signer cette déclaration ? Je ne suis pas tombé
sur la tête !

FLAIRER ▰▰▰▰▰▰▰▰▰▰▰▰ SYN : deviner

quelque chose /
que (Indic)

→ **avoir du flair** = avoir de l'intuition, deviner vite

INTELLIGENT ▰▰▰▰▰▰▰▰▰▰▰▰ = doué d'intelligence

→ l'**intelligence** (= capacité individuelle de compréhension)

En le voyant résoudre ce problème en quelques secondes j'ai vu à quel point
il est intelligent. Son intelligence me stupéfie.

→ **intelligible** (SYN : compréhensible)

PIGER ▰▰▰▰▰▰▰▰▰▰▰▰ SYN : comprendre / STYLE : familier

quelque chose /
que (Indic)

Si tu n'as rien pigé au problème, va voir Dédé, c'est un crac en math.

SE REPRÉSENTER ▰▰▰▰▰▰▰▰▰▰▰▰ SYN : s'imaginer

quelque chose

SAISIR ▰▰▰▰▰▰▰▰▰▰▰▰ = comprendre subitement

quelque chose (un phénomène, un raisonnement)

SENS (le) ▰▰▰▰▰▰▰▰▰▰▰▰ 1. SYN : signification

→ Le **sens** d'un mot / d'un geste / d'un silence / d'un événement…
Le **sens** propre et le sens figuré d'un mot

2. = compréhension, connaissance intuitive

→ avoir le **sens** des affaires / de la musique

B9-B10 | GLOSSAIRES THÉMATIQUES

→ le **bon sens** = intelligence pratique qui sait comprendre presque immédiatement une situation sans trop se perdre dans des analyses intellectuelles.

On a écrit beaucoup de livres sur l'art d'élever les enfants mais dans la plupart des cas le bon sens des parents suffit et les livres ne servent à rien. C'est une simple question de bon sens.

Attention : voir aussi B1 et B3

→ le **contresens** (= erreur grave sur le sens d'une expression)

→ le **non-sens** (= expression qui ne présente aucun sens)

SIGNE (le)

1. SYN : indice = ce qui permet de faire une hypothèse
2. SYN : indication = geste indiquant une intention
3. = indication graphique à laquelle un sens est attaché par convention

Le vent se lève, c'est un signe (1) de pluie.
Quand tu passes par Paris, fais-moi signe (2) !
En arrivant tu allumeras deux fois tes feux de route, c'est le signe (2) de reconnaissance.
Je suis désolé d'avoir heurté votre voiture, je n'avais pas vu le signe (3) de priorité.

→ **signifier** quelque chose / que (Indic) (= avoir pour sens [2])

Son absence ne signifie pas nécessairement qu'il soit malade. Il ne faut peut-être pas lui accorder cette signification.

→ la **signification** (SYN : sens [2])

→ **signifiant** (CONTR : négligeable)

→ **insignifiant** (SYN : négligeable)

Le nombre des chômeurs est significatif et malheureusement le nombre des stages de recyclage qui leur sont offerts est insignifiant.

B10 - RÉFLÉCHIR, RAISONNER, JUGER

LA RÉFLEXION

ABSTRAIT   CONTR : concret

→ l'**abstraction**

Quelle que soit votre capacité d'abstraction, évitez de vous exprimer en termes trop abstraits si vous voulez être compris.

ANALYSE (l') = étude d'une question en la décomposant en questions plus simples / CONTR : la synthèse

→ **analytique** (CONTR : synthétique)

→ **analyser** (CONTR : synthétiser)

L'analyse, qui s'appuie sur la pensée analytique, vise à distinguer tous les aspects de la question, la synthèse vise à mettre en accord les divers aspects d'un problème pour déboucher sur une vision globale.
En chimie on ne peut synthétiser que les corps qu'on sait déjà analyser.

B9-B10	GLOSSAIRES THÉMATIQUES

APPROFONDIR ▰▰▰▰▰▰▰▰▰▰▰ = étudier en profondeur
quelque chose (un sujet)
→ l'**approfondissement**
Ce problème mérite d'être approfondi. Je vais procéder à l'approfondissement de ce problème.

AVEUGLER ▰▰▰▰▰▰▰▰▰▰ SYN : crever les yeux / = être évident
→ **aveuglant** (= évident, très visible [comme une lumière très vive])
La solution de ce problème aurait dû m'aveugler ! Et je l'ai cherchée pendant une heure ! Étais-je bête ! C'était pourtant aveuglant !
→ **aveuglément**, faire quelque chose / écouter quelqu'un (= sans réfléchir)
Attention : voir aussi B4.

CIRCONSPECT ▰▰▰▰▰▰▰▰▰▰ = extrêmement prudent dans une réflexion
→ la **circonspection**

CLAIR ▰▰▰▰▰▰▰▰▰▰ SYN : évident, compréhensible, manifeste
→ la **clarté**
→ **clarifier** (= rendre plus clair / compréhensible / SYN : éclaircir)
→ la **clarification** (SYN : éclaircissement)
→ **éclaircir**
→ l'**éclaircissement**
Votre analyse manque de clarté, je n'ai jamais lu un exposé aussi peu clair. Éclaircissez / Clarifiez, je vous prie, votre raisonnement. Vos éclaircissements / clarifications sont indispensables.

COGITER ▰▰▰▰▰▰▰▰▰▰ = réfléchir / STYLE : familier
→ les **cogitations** (STYLE : familier)

SE CONCENTRER ▰▰▰▰▰▰▰▰▰▰
sur quelque chose :
un problème
→ la **concentration**
Avant de répondre à ma question, concentrez-vous. Les calculs demandent une grande concentration.

CONCLURE ▰▰▰▰▰▰▰▰▰▰ = achever un raisonnement
quelque chose
(de quelque chose) /
à quelque chose /
que (Indic)
→ la **conclusion**
Le juge a conclu à l'innocence de l'accusé. Il a conclu des témoignages que l'accusé est innocent.
Nous sommes prêts à conclure un accord important. La conclusion de l'accord demande encore quelques jours de débats.

CONCRET ▰▰▰▰▰▰▰▰▰▰ = accessible aux sens, matériel, tangible / CONTR : abstrait

CONSIDÉRER ▰▰▰▰▰▰▰▰▰▰ = tenir compte de quelque chose
quelque chose
(un problème) /
que (Indic)
→ **prendre en considération**
Il faut considérer que la victime a fait preuve d'insouciance. Nous n'avons pas à considérer / prendre en considération les circonstances du crime.

CREUSER ▰▰▰▰▰▰▰▰▰▰ SYN : approfondir
quelque chose (un problème)
→ **se creuser** la tête (STYLE : familier)
Devoir très superficiel. Aucune des idées fortes n'a été creusée. Vous ne vous êtes vraiment pas creusé la tête.

B9-B10 · GLOSSAIRES THÉMATIQUES

DÉDUIRE ▬▬▬▬▬▬▬▬▬▬▬▬▬▬▬▬▬ = conclure logiquement

quelque chose / que
(Indic) de quelque chose

→ la **déduction**
→ **déductif / -ive**

Les célèbres déductions de Sherlock Holmes sont un modèle de raisonnement déductif.

DÉMONTRER ▬▬▬▬▬▬▬▬▬ SYN : prouver / = montrer clairement que quelque chose est vrai

quelque chose /
que (Indic) / à quelqu'un

→ la **démonstration**

Le résultat de votre problème de mathématiques est juste mais votre démonstration n'est pas claire.

EXAMINER ▬▬▬▬▬▬▬▬▬▬▬▬▬▬ = observer en détail pour évaluer quelque chose, par ex. l'état physique de quelqu'un

quelque chose
(une question) / quelqu'un
(un candidat, un patient)

→ l'**examen**
→ l'**examinateur / trice**

L'examinatrice qui m'a examiné à l'examen d'entrée m'a demandé d'examiner un problème d'économie sous divers aspects.

EXPÉRIMENTER ▬▬▬▬▬▬▬▬▬▬▬▬ = se livrer à une expérience

sur quelque chose /
quelque chose
(une théorie, une machine)

→ **expérimental**
→ l'**expérimentation**
→ l'**expérimentateur / trice**

La théorie est indispensable, mais elle doit se soumettre à l'expérimentation. L'expérimentateur doit expérimenter la théorie de manière à mettre en évidence ses faiblesses éventuelles. C'est le propre des sciences expérimentales.

HYPOTHÈSE (l') ▬▬▬▬▬▬▬▬▬▬ = idée qui est à prouver (par une expérimentation)

faire / formuler une ~

Vous prétendez avoir conçu une théorie révolutionnaire, mais au fond vous n'en êtes qu'au stade des hypothèses. Montrez-nous maintenant des preuves !

IDÉE (l') ▬▬▬▬▬▬▬▬▬▬▬▬▬▬▬▬▬▬▬▬▬

Sans vous je n'aurais jamais eu l'idée d'étudier ce problème. Cela ne me serait pas venu à l'idée.
Il a une idée derrière la tête. Il a de la suite dans les idées = il suit obstinément une idée.
Ce devoir manque d'idées. L'idée de la démocratie est née à Athènes.

→ l'**idée fixe** (SYN : l'obsession)
→ l'**idéal** (= conforme à une idée parfaite)
→ **idéaliser** quelque chose / quelqu'un (= se représenter quelque chose / quelqu'un comme conforme à un idéal)
→ l'**idéaliste**

Ne soyez pas trop idéalistes. La réalité est rarement conforme à l'image idéale que vous vous en faites. Et n'idéalisez pas les professeurs, ils ont aussi leurs faiblesses.

→ l'**idéalisme** (= théorie philosophique selon laquelle les idées constituent la réalité ultime. / CONTR : le matérialisme)

B9-B10 GLOSSAIRES THÉMATIQUES

INTERPRÉTER **1. quelque chose** (un texte, un comportement) / = donner une signification
2. quelque chose d'une langue dans une autre langue / = traduire oralement

→ l'**interprète**

Sabine est interprète de russe en français.
Je me fais l'interprète de la volonté du directeur.

→ l'**interprétariat**

L'interprétariat est une profession qui m'attire car j'aime communiquer dans les langues étrangères.

→ l'**interprétation**

L'interprétation d'un texte aussi poétique demande une culture littéraire exceptionnelle.

METTRE EN LUMIÈRE = expliquer clairement quelque chose
quelque chose

→ la **mise en lumière** de quelque chose
→ travailler à la **lumière** de = à partir des idées des découvertes précédentes
→ le Siècle des lumières : le 18e siècle
→ Ça n'est pas une lumière (= il n'est pas très intelligent)
→ **lumineux** (= très clair. CONTR : embrouillé, vague, imprécis)

Son exposé était lumineux, d'une clarté remarquable.

→ une **illumination** (= une idée, une découverte soudaine)

MÉDITER = réfléchir longuement et avec une grande concentration
quelque chose / sur quelque chose

Je vous engage à méditer (sur) la pensée de Socrate :
« Connais-toi toi-même. »

→ la **méditation**
→ **méditatif /-ive**

Je vous vois bien méditatif. Puis-je vous arracher à vos méditations ?

PENSER **1.** à quelque chose / quelqu'un / **2.** quelque chose de quelqu'un
3. que (Indicatif) / **4.** à (Infinitif)

Je n'arrête pas de penser à elle / à sa fascinante beauté.
Et vous, que pensez-vous de cette adorable créature ?
Je pense qu'elle vous a tourné la tête, mon pauvre ! Enfin, je penserai à l'inviter pour mieux la connaître.

→ **pensif / -ive**
→ la **pensée** (= activité de l'esprit humain)
→ le **penseur** (= celui qui exerce sa pensée par extension : un philosophe)
→ **pensant**

L'homme est un roseau pensant (Pascal)

→ **bien-pensant** (= conforme à l'opinion dominante)

Son indépendance d'esprit choque les bien-pensants.

SE PLONGER = avoir l'esprit entièrement occupé
dans quelque chose (un livre, un problème)

Quand tu te plonges dans la lecture du journal, plus personne ne peut t'adresser la parole.

B9-B10 GLOSSAIRES THÉMATIQUES

PROUVER ▬▬▬▬▬▬▬▬▬▬▬▬▬▬▬▬▬▬▬▬ SYN : démontrer

quelque chose / que
(Indic) (à quelqu'un)

Prouvez-moi que j'ai tort, si vous en êtes capable !
Ce dont on a l'intuition et dont on formule l'hypothèse, il faut le prouver,
sinon ce n'est qu'un château de cartes.

→ la **preuve** (SYN : la démonstration)
→ **probant** (= qui a force de preuve)

Je suis désolé, vous croyez présenter des preuves, mais vos arguments
ne sont pas probants. Au fond vous n'avez rien prouvé du tout.

RAISON (la) ▬▬▬▬▬▬▬▬ **1.** ordre correct de la pensée / CONTR : la folie / **2. SYN :** motif, justification

Il a perdu la raison (1). J'espère qu'il la recouvrera bientôt.
La Révolution française a voulu instaurer l'ère de la Raison.

Vous avez raison. Pour quelle raison ? (2)
Je vous pardonne en raison de votre jeune âge. Mais la prochaine fois
ne buvez pas plus que de raison.

→ **raisonner** sur quelque chose (un sujet, une théorie) (= exercer sur un sujet,
un problème)
→ **déraisonner** (= perdre la raison, devenir fou)
→ le **raisonnement**

Posez clairement les termes du problème. Raisonnez calmenent et assurez-
vous que votre raisonnement ne comporte pas de faille.

→ **raisonnable** (= qui se conforme à la raison)

Un comportement, une décision, un enfant raisonnable.

→ **déraisonnable** (CONTR : raisonnable)
→ **rationnel** (= conforme à la raison [choses, pensée])
→ **irrationnel**

L'inquiétude devant la pollution de l'air et del'eau est rationnelle car
elle s'appuie sur des chiff res indiscutables, mais l'angoisse d'une catastrophe
écologique imminente est irrationnelle.

→ le **rationalisme** (= doctrine philosophique selon laquelle «tout le réel est rationnel»)

SE RECUEILLIR ▬▬▬▬▬▬▬▬▬▬▬▬▬▬▬▬▬▬ = méditer gravement

→ le **recueillement**

Nous commémorons aujourd'hui dans le recueillement la mort de
nos camarades de combat. Recueillons-nous sur leurs tombes.

RÉFLÉCHIR ▬▬▬▬▬▬▬▬▬▬▬▬▬▬▬▬▬▬▬ = penser de manière approfondie

à / sur quelque chose

→ la **réflexion**

J'ai bien réfléchi à votre proposition. Après mûre réflexion je crois bien que
vous m'avez convaincu.

→ **réfléchi** ([personne] = qui agit avec réflexion / [acte] = qui découle d'une réflexion)
→ **irréfléchi** ([personne / acte] CONTR : réfléchi)

Habituellement c'est un enfant réfléchi. Cette décision est mûrement
réfléchie.
Sa sœur en revanche est complètement irréfléchie. Elle ne réfléchit pas
plus loin que le bout de son nez et se livre à des achats irréfléchis.

RESSASSER ▬▬▬▬▬▬▬▬▬▬▬▬▬▬▬▬▬▬ = réfléchir sans cesse à un même problème

quelque chose

B9-B10 | GLOSSAIRES THÉMATIQUES

SYNTHÈSE (la) ▰▰▰▰▰▰▰▰▰▰▰▰▰▰▰▰▰▰▰▰▰▰ cf. analyse

→ **synthétique** (cf. analytique)
→ **synthétiser** (cf. analyser)

L'INTENTION

COMPTER ▰▰▰▰▰▰▰▰▰▰▰▰▰▰▰▰▰▰▰▰▰▰▰▰▰▰▰▰▰▰▰▰▰▰▰

(Infinitif) / que (Indicatif) / *Je compte aller en Hongrie cet été. Je compte qu'il fera beau temps.*
sur quelqu'un / *Puis-je compter sur vous pour m'accompagner ?*
quelque chose

AVOIR L'INTENTION ▰▰▰▰▰▰▰▰▰▰▰▰▰▰▰▰▰▰▰▰▰ **SYN** : vouloir Infinitif

de (Infinitif) → **intentionnel**

Il est vrai qu'elle n'avait pas l'intention de me blesser. L'incident n'était pas intentionnel.

PRÉVOIR ▰▰▰▰▰▰▰▰▰▰▰▰▰▰▰▰▰▰ = se faire une idée de quelque chose à l'avance

quelque chose / *J'ai été le premier à prévoir les événements. J'avais prévu de partir*
que (Indic) / de Infinitif *vendredi soir, mais pas que tout le monde aurait la même idée que moi.*

→ **prévoyant**
→ la **prévoyance**
→ **imprévoyant**

Ne soyez pas imprévoyants. Un minimum de prévoyance est indispensable pour un voyage aussi périlleux.

PROJET (le) ▰▰▰▰▰▰▰▰▰▰▰▰▰▰▰▰▰▰ = action qu'on veut accomplir à l'avenir

→ **projeter** quelque chose / de (Infinitif)

J'avais initialement projeté un voyage en Afrique noire / de partir en voyage en Afrique noire. Ce projet était trop coûteux, mais j'ai un autre voyage en projet.

LA MÉMOIRE

MÉMOIRE (la) ▰▰▰▰▰ = faculté de conserver à l'esprit ou de se remettre à l'esprit des événement passés

Avez-vous encore en mémoire les collègues de l'an passé ? – Oh, j'ai une trop mauvaise mémoire pour vous les citer tous de mémoire.

→ le **trou de mémoire** (= absence de souvenirs)
→ **mémoriser** quelque chose (= mettre consciemment en mémoire)
→ le **mémento** (= petit ouvrage destiné à rappeler des connaissances sur un sujet déterminé)

Un mémento de chimie, d'économie, d'orthographe

→ **commémorer** quelque chose (un événement) (= remettre collectivement et solennellement en mémoire
→ la **commémoration**
→ se **remémorer** quelque chose (= se rappeler volontairement quelque chose)

87

B9-B10 · GLOSSAIRES THÉMATIQUES

RAPPELER

quelque chose à quelqu'un

→ **se rappeler** quelque chose (Syn : se remémorer)

Remarque : se rappeler de quelque chose, bien que fréquemment employé, n'est pas correct

Je n'arrive plus à me rappeler son visage, quel âge elle avait quand nous nous sommes rencontrés et pendant combien de temps nous nous sommes fréquentés.

SE SOUVENIR

de quelque chose / quelqu'un

Remarque : on peut se souvenir involontairement d'un fait passé, tandis qu'on se le rappelle volontairement

→ le **souvenir**

1. ce dont on se souvient
2. objet qui est offert ou conservé pour se souvenir d'un événement, d'un lieu

En souvenir de notre merveilleux voyage en Égypte, j'ai rapporté un souvenir de bon goût : un obélisque en plastique.

LE JUGEMENT

AVIS (l')
SYN : l'opinion, le point de vue

→ être d'**avis** que / de Infinitif (Syn : estimer que, penser que)

Si vous n'y voyez pas d'inconvénient je suis d'avis que nous nous arrêtions pour déjeuner dans le prochain village. Nous sommes de votre avis.

ESTIMER

que (Indic)

→ l'**estimation**

En première estimation, on peut évaluer les dégâts à 10 000 F. Mais j'estime que c'est un chiffre très incertain.

JUGER

que (Indic)

→ le **jugement**

Mon assureur juge que la voiture n'est pas réparable. Mais je ne me fie qu'à mon propre jugement.

OPINION (l')
= idée qu'on défend sur un sujet particulier

Jusqu'à présent je n'ai aucune opinion sur lui, car je ne l'ai jamais rencontré. Il a pour lui l'opinion publique et contre lui la plupart des journaux d'opinion.

PESER le pour et le contre
= évaluer les avantages et les inconvénients

Ne passez pas des heures à peser le pour et le contre. Décidez-vous une bonne fois !

POINT DE VUE (le)
SYN : l'opinion

sur quelque chose / quelqu'un

Chacun doit défendre son point de vue. Du point de vue financier, vous avez raison, mais du point de vue humain je ne peux que vous donner tort.

B9-B10 · GLOSSAIRES THÉMATIQUES

VOIR ▬▬▬▬▬▬▬▬▬▬▬▬▬▬▬▬▬▬▬▬▬▬▬ SYN : comprendre que
que / si (Indic)

→ **visible** (SYN : évident, clair)

→ **visiblement** (SYN : manifestement, à l'évidence)

On voit bien que des progrès ont été faits = Il est visible que des progrès ont été faits = Visiblement des progrès ont été faits.

LA RÉALITÉ

AUTHENTIQUE ▬▬▬▬▬▬▬▬▬▬▬▬▬▬▬▬▬▬▬ = conforme à la réalité

→ l'**authenticité**

Je ne crois pas à l'authenticité de ce tableau : la signature a été imitée, on voit que ce n'est pas la signature authentique.

CERTAIN ▬▬▬▬▬▬▬▬▬▬▬▬▬▬▬▬▬▬▬ SYN : sûr / CONTR : douteux

Être certain de quelque chose / que (Indic)

→ la **certitude** (CONTR : le doute)

Je peux affirmer avec certitude que ce tableau est un faux. J'en suis absolument certain.

EFFECTIF / -IVEMENT ▬▬▬▬▬▬▬▬▬▬▬▬▬▬▬ = conforme aux faits

DOUTER ▬▬▬▬▬▬▬▬▬▬▬▬▬▬▬▬▬ = ne pas être certain, sûr
de quelque chose /
que (Subj)

→ le **doute** (CONTR : la certitude = penser que quelque chose est vrai)

→ **douteux** (= incertain, peu sûr (pour un fait))

→ **dubitatif** (= qui exprime le doute [un air / regard dubitatif])

→ **indubitable** (= tout à fait certain, sûr)

Vos doutes me paraissent justifiés. Moi aussi je doute de l'alibi du suspect. Je doute qu'il soit allé chez sa mère à l'heure du crime. Seule l'heure d'arrivée à l'usine est indubitable car le gardien l'a notée. Tout le reste est douteux. Par ailleurs je reste dubitatif sur le mobile du crime.

OBJECTIF ▬▬▬▬▬▬▬▬▬▬▬▬ SYN : impartial / = conforme aux faits, indépendamment
des points de vue des observateurs

→ l'**objectivité** (SYN : l'impartialité)

VÉRITÉ (la) ▬▬▬▬▬▬▬ = ce qu'on a vu, démontré, expérimenté, ce qui est conforme à la réalité des faits

→ **vrai** (CONTR : douteux)

Jean est venu me voir hier. C'est la vérité, je le jure. C'est vrai.

→ **vraisemblable** (= qu'on peut croire, qui semble possible)

→ **invraisemblable**

Je ne peux pas croire que Paul a dit cette méchanceté. Ce n'est pas vraisemblable : il est trop gentil.

EXERCICES

21 ◆

Le professeur a corrigé votre copie mais en laissant des blancs dans ses remarques. Retrouvez les mots qui manquent en choisissant dans la liste de ceux qui sont proposés.

non-sens - croire - signifier - comprendre - conscience - intelligent - incompréhensible - savoir - inintelligible

Vous êtes un étudiant . . . . . et je . . . . . que vous . . . . . bien les cours. Mais vous ne faites pas assez attention à votre orthographe. Il y a de petites fautes qui ne rendent pas vos phrases . . . . . , mais d'autres fautes, plus graves, sont de vrais . . . . et votre texte devient . . . . . : on ne . . . . . plus ce qu'il . . . . . . Il faut que vous preniez . . . . . de ce problème et que vous fassiez attention.

22 ◆

Complétez les phrases qui suivent en utilisant les verbes proposés. Vous devez chaque fois trouver le nombre de solutions demandées.

déduire quelque chose de quelque chose - conclure quelque chose - conclure quelque chose de quelque chose - penser quelque chose - penser à quelque chose - prévoir quelque chose - démontrer quelque chose - prouver quelque chose - examiner quelque chose - réfléchir à quelque chose

1. Votre raisonnement est incomplet : vous ne pouvez pas en . . . . . / . . . . .
(2 solutions) que l'angle A fait 60°.
2. Votre raisonnement est incomplet : vous ne pouvez pas . . . . . / . . . . . / . . . . .
que l'angle A fait 60°.
3. En faisant le tour du globe, Magellan et ses compagnons ont . . . . . / . . . . .
que la terre est une sphère.
4. Son discours est trop long. Je . . . . . / . . . . . que les auditeurs vont s'endormir !
5. La terre de cette montagne est rouge. Cela . . . . . / . . . . . qu'il y a du fer dans le sous-sol.
6. Le vent vient de l'ouest, je . . . . . / . . . . . qu'il pleuvra demain.
7. Le vent vient de l'ouest, j'en . . . . . / . . . . . qu'il pleuvra demain.
8. J'ai . . . . . votre travail. Il ne vous permet pas de . . . . . / . . . . . / . . . . que votre idée est juste.
9. J'ai . . . . . / . . . . . à votre travail. Vous ne pouvez pas en . . . . . / . . . . que votre idée est juste.

23 ◆

Transformez chacune des phrases de la colonne de gauche selon le modèle :

L'eau de la source est *pure* → La *pureté* de l'eau de la source

Puis disposez le nom dans la colonne convenable en fonction du suffixe à l'aide duquel il est formé.

	-tion	-ance / -ence	-té	-itude
1. Le calcul est *abstrait*				
2. Le meuble est *authentique*				
3. L'expérimentateur est *certain* de réussir				
4. Le chirurgien est *circonspect*				
5. L'enfant est *intelligent*				
6. Le malade est *inconscient*				
7. La comparaison est *objective*				
8. L'écureuil est *prévoyant*.				

B9-B10 EXERCICES

24 ◆ ◆

1. Écrivez dans la colonne convenable le nom d'action dérivé du verbe. Précisez le genre.

	∅	-(isse) ment	-(a)tion	irrégu- larité	réduction du radical
analyser					
approfondir					
cogiter					
comprendre					
déduire					
estimer					
expérimenter					
prouver					
se concentrer					
se recueilliur					
se souvenir					
synthétiser					
signifier					

2. Quels sont les trois noms d'action formés à partir d'un radical légèrement modifié ?

. . . .

3. Quel est le nom d'action formé à partir d'un radical réduit ?

. . . . .

25 ◆ ◆

Empruntez aux verbes ci-dessous le radical verbal servant à former les noms d'action dans les phrases suivantes (chaque verbe n'est utilisé qu'une fois) :

commémorer - discerner - considérer - douter - découvrir - interpréter - juger - méditer - conclure - réfléchir

1. Pour acheter la voiture dont on a réellement besoin, il faut faire preuve de . . . . .-*ment*.

2. Christophe Colomb a fait une grande . . . . .-*erte*, mais pas celle qu'il imaginait.

3. Je tâche de prendre tous les aspects du problème en . . . . .-*ation*.

4. Vous me paraissez sûr de votre affaire, mais moi j'exprime des . . . . .-*s* à ce sujet.

5. Le . . . . .-*ment* que vous formulez me semble bien sévère !

6. Pour bien comprendre ce texte hermétique (= difficile à comprendre), il faut se livrer à une . . . . .-*ation* détaillée des nombreux symboles qu'il recèle.

7. Poursuivez votre . . . . .-*xion* en paix, je ne vous dérangerai pas.

8. Le 11 novembre nous procèderons comme chaque année à la . . . . .-*ation* de l'armistice de 1918.

9. Il est temps que je passe à la . . . . .-*sion* de mon exposé !

10. Ne vous perdez pas dans vos . . . . .-*ations*, décidez-vous à agir !

B9-B10   EXERCICES

26 ◆ ◆

Complétez chaque phrase à l'aide d'un adjectif dérivé du verbe mentionné entre parenthèses.

Modèle : (*prouver*) Présentez-moi une démonstration réellement **probante**.

1. (déduire). Appliquez à cette énigme un raisonnement . . . . .
2. (douter). Je vous trouve bien . . . . . (→ racine latine) devant ce problème apparemment insoluble.
3. (expérimenter). Les sciences . . . . . sont les sciences de la nature : la physique, la chimie, la biologie par exemple.
4. (méditer). La beauté grave de ce spectacle a rendu les spectateurs . . . . .
5. (penser). As-tu des soucis ? Je te vois si . . . . . depuis des heures.
6. (prévoir). La fourmi est . . . . . si l'on en croit la fable de La Fontaine, *La cigale et la fourmi*.
7. (réfléchir). Tu agis sans réfléchir. Sois un peu plus . . . . . à l'avenir !
8. (signifier). La différence entre les deux chiffres est . . . . .

27 ◆ ◆

Complétez le texte ci-dessous à l'aide de l'article *croire* du glossaire thématique. Les numéros entre parenthèses vous permettront de porter les termes sur l'arbre qui suit.

Les c . . . . . (3) et les i . . . . . (4) s'opposent sur la question de la foi. Les uns affirment leur c . . . . . (1) en Dieu, tandis que les autres rejettent tout c . . . . . (2). Refusant de croire à ce qui leur paraît i . . . . . (8), ceux-ci considèrent les adeptes de toute religion comme c . . . . . (5). Il est vrai que pour l'homme du 20e siècle, le texte de la Bible est souvent difficilement c . . . . . (7) et laisse beaucoup de gens i . . . . . (6). Mais si l'athéisme se répand, l'institution religieuse restera-t-elle longtemps c . . . . . (9) ?

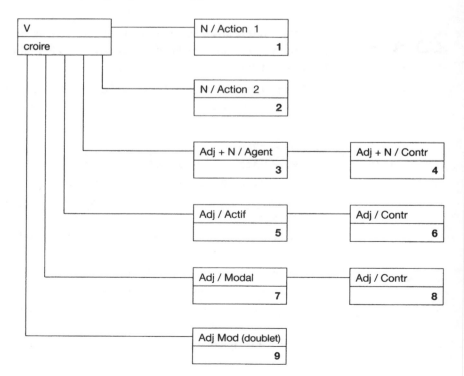

B9-B10 EXERCICES

28 ◆ ◆

Complétez le texte ci-dessous à l'aide de l'article *raison* du glossaire thématique, puis reportez les termes sur l'arbre à partir des numéros entre parenthèses.

Le 18e siècle est appelé le Siècle des Lumières, car les philosophes et quelques hommes d'État ont voulu fonder le savoir et la politique sur la Raison. L'homme est capable de r . . . . . (1). C'est un « animal r . . . . . (4) », même s'il lui arrive de d . . . . . (3). Mais l'homme n'est d . . . . . (5) que lorsqu'il se laisse guider par ses passions. Si le r . . . . . (2) permet une action efficace, c'est parce que le monde physique est r . . . . . (6), c'est-à-dire accessible à la raison. Au 19e siècle, le r . . . . . (8) s'est développé comme la théorie selon laquelle « tout le réel est r . . . . . (6) » (Hegel). Toutefois le comportement des hommes reste trop souvent guidé par des peurs ou des enthousiasmes i . . . . . (7).

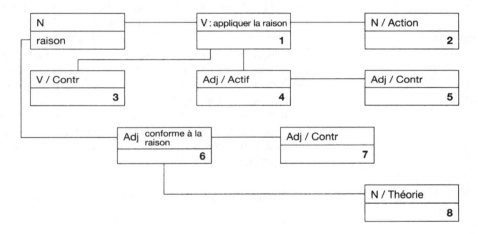

29 ◆ ◆

Plusieurs verbes concrets (mouvements, gestes, etc.) ont également un sens figuré psychologique. Associez chaque verbe avec ses suites possibles et indiquez le sens.

1. approfondir
2. creuser
3. se plonger
4. peser
5. avoir un point de vue sur
6. survoler
7. effleurer

un mur
une région
dans un bain
une marchandise
un trou
dans une idée
le pour et le contre d'une idée

A. mesurer un poids
B. s'enfoncer dans la terre
C. être en avion au-dessus de
D. voir de haut, dominer
E. entrer dedans
F. toucher du bout des doigts
G. réfléchir avec soin sur elle
H. avoir une opinion sur elle
I. l'examiner complètement
J. l'examiner rapidement
K. comparer ses avantages et ses inconvénients

B11-B12 TEXTES ET CONTEXTES

B11-B12

Tous les écrivains craignent le manque d'**inspiration**. Jadis, ils demandaient à leur « muse » de les **inspirer**. Aujourd'hui, les muses sont rares et les écrivains les plus **lucides** disent que la meilleure muse, c'est une avance sur les droits d'auteur.

• • •

Quand je vais voir un film policier avec ma femme, elle **devine** toujours qui est l'assassin avant moi. En fait, je suis plus **lucide** qu'elle. J'examine les circonstances. Elle, elle se laisse guider par une sorte de **pressentiment**, d'instinct. La fameuse **intuition** féminine. Quand je lui dis ça, elle me répond que c'est de la blague et que si elle trouve avant moi, c'est simplement qu'elle est plus **perspicace**. Elle va bientôt me dire qu'elle est plus intelligente ! Non. C'est uniquement une question d'**intuition** ! D'ailleurs, tous les hommes sont de mon avis.

• • •

La **création** commence souvent par un **rêve**. Mais pas n'importe quel **rêve**. La simple **rêverie** endort l'esprit qui **songe** à toutes sortes de **fantaisies**, se laisse entraîner par l'**illusion** ? Le **créateur** qui rêve laisse aller son **imagination** mais en gardant présent à l'esprit qu'il doit **inventer**, **concevoir** quelque chose. Il reste donc attentif au réel, à la banale réalité. Par exemple aux matériaux qu'il utilisera, au travail que va demander sa **création**. On voit que la **créativité** n'est pas un abandon de l'esprit, au contraire.

• • •

« L'**imagination** grossit les petits objets jusqu'à en remplir votre âme, par une estimation **fantastique**. » (Pascal, *Pensées*)

• • •

« Il y a des hommes à qui les **illusions** sur les choses qui les intéressent sont aussi nécessaires que la vie. » (Chamfort, *Maximes*)

B11-B12 GLOSSAIRES THÉMATIQUES

B11 - L'INTUITION

CLAIRVOYANT SYN : perspicace, lucide

→ la **clairvoyance**

Vos prévisions se sont bien confirmées. Vous avez été plus clairvoyant que nous. Nous vous félicitons d'une telle clairvoyance.

DEVINER = découvrir par l'intuition

quelque chose / que (Indic) / si, etc. (Indic)

Aviez-vous deviné l'issue du roman ? Je n'aurais jamais deviné qui était le meurtrier et qu'il serait arrêté à la fin.

→ la **devinette**

Je ne trouve pas la solution de ta devinette, je donne ma langue au chat.

INSPIRER = faire naître un sentiment, une idée chez quelqu'un

Ce discours électoral m'inspire du dégoût. Il est inadmissible de jouer ainsi sur les sentiments les plus bas des électeurs.

→ **être inspiré** (= avoir des idées)

→ l'**inspiration**

Donne-moi une idée pour mon article, n'importe quoi, je n'ai aucune inspiration aujourd'hui. Je ne suis vraiment pas inspiré.

INSTINCT (l') = comportement inné et non acquis par l'expérience / CONTR : la réflexion

de quelque chose / de (Infinitif)

→ **instinctif** (SYN : irréfléchi, spontané)

L'instinct de conservation / de défendre sa vie contre ses adversaires est commun à toutes les espèces animales. C'est un comportement instinctif.

INTUITION (l') = mode de connaissance qui ne se fonde pas sur la raison, mais sur un sentiment immédiat de la vérité

→ **intuitif**

Vous avez trouvé la solution du problème par intuition.
Vous vous êtes douté du raisonnement et vous avez procédé de manière intuitive. Mais je vous demande maintenant un raisonnement rationnel.

LUCIDE = pleinement conscient

→ la **lucidité**

Bien qu'il ait été gravement blessé dans l'incendie, il a gardé sa lucidité.
Il était parfaitement lucide quand il a répondu à mes questions.

PERSPICACE = qui a de l'intuition, qui sait bien réfléchir

→ la **perspicacité**

Tu t'es adressé à moi pour connaître la solution. Bravo pour ta perspicacité, car j'ai effectivement eu à résoudre le même problème le mois dernier.

PRÉMONITION (la) SYN : le pressentiment / = intuition d'un événement à venir

→ **prémonitoire**

J'ai fait cette nuit un rêve effrayant. J'espère que ne sera pas un rêve prémonitoire, car il m'arrive fréquemment d'avoir des prémnitions qui finissent par se réaliser.

B11-B12 | GLOSSAIRES THÉMATIQUES

PRESSENTIR ▬▬▬▬▬▬▬▬▬▬▬▬▬▬▬▬▬▬▬▬▬▬▬ = avoir l'intuition

quelque chose (un danger, un malheur) / que (Indic)

→ le **pressentiment**

Cette convocation m'inquiète. J'ai le vague pressentiment qu'on va m'imposer une tâche impossible. Je pressens que je vais au devant de graves ennuis.

B12 - L'IMAGINATION

S'IMAGINER ▬▬▬▬▬▬▬▬▬▬▬▬▬▬▬▬▬▬ = se représenter quelque chose par l'esprit

quelque chose / que (Indic)

→ **imaginable**
→ **inimaginable**

Imaginez que vous avez gagné le gros lot à la loterie ! Vous avez de la peine à vous l'imaginer ? Xela vous paraît difficilement imaginable, voire franchement inimaginable ? Et pourtant, Madame, vous avez bien gagné ce gros lot, je vous en félicite.

→ **imaginaire** (= produit par l'imagination)
→ l'**imagination** (fertile, féconde, débordante, vagabonde) (= capacité de l'esprit à imaginer quelque chose)

Mon cher, vous laissez vagabonder une imagination débridée ! Toutes vos craintes sur l'avenir de notre monde moderne sont imaginaires.

L'ACTIVITÉ IMAGINATIVE

CAUCHEMAR (le) ▬▬▬▬▬▬▬▬▬▬▬▬▬▬▬▬▬▬▬▬ = rêve effrayant

→ **cauchemardesque**

Je sors d'une exposition de Jérôme Bosch. Quel univers cauchemardesque. On a l'impression qu'il n'a cherché à peindre qu'un cauchemar à la mesure de l'univers.

CONCEVOIR ▬▬▬▬▬▬▬▬▬▬▬▬▬▬▬▬▬▬▬▬▬▬▬▬▬ = créer

quelque chose

Concevoir que (Subj) = comprendre, admettre

Thomas Edison a conçu une multitude de machines. Je conçois qu'il ait été très admiré de ses contemporains.

→ **concevable**
→ **inconcevable**
→ la **conception** (= représentation, en particulier d'un objet abstrait)

La conception de l'univers qu'a proposée Albert Einstein n'est accessible qu'à de rares esprits. La « courbure de l'espace-temps » est difficilement concevable, voire inconcevable pour le commun des mortels. (= les gens qui n'ont pas une formation spéciale)

Attention : voir aussi D2.

CRÉER ▬▬▬▬▬▬▬▬▬▬▬▬▬▬▬▬▬▬▬▬ = produire de toutes pièces, faire exister

quelque chose

→ la **création**
→ le **créateur**

Et Dieu créa la terre et le ciel… Connaissez-vous la Création, le célèbre oratorio de Haydn ? Le musicien a commencé son œuvre par un extraordinaire accord de tout l'orchestre qui évoque le chaos originel et l'acte du créateur.

B11-B12 GLOSSAIRES THÉMATIQUES

→ **créatif** (SYN : inventif)
→ la **créativité**

Les auteurs de jeux s'orientent de plus en plus vers les jeux créatifs.
On attend de plus en plus des enfants qu'ils s'ouvrent ainsi l'esprit
en développant leur créativité.
Attention : voir aussi E2.

FANTAISIE (la) = imagination en liberté

→ **fantaisiste**

Devoir trop fantaisiste. On vous demande des faits, pas des rêves échevelés.
La prochaine fois, sachez maîtriser votre fantaisie.

INVENTER = imaginer et réaliser

quelque chose (une
machine, un procédé)

→ l'**invention**
→ l'**inventeur**
→ **inventif**

En inventant le char d'assaut, le cric et une multitude d'autres inventions,
Léonard de Vinci a fait preuve d'un esprit exceptionnellement inventif.
Attention : voir aussi E2.

RÊVER = faire des rêves (1 et 2)

de quelque chose -
de quelqu'un /
à quelque chose -
à quelqu'un /
de (Infinitif) / que (Indic)

→ le **rêve** **1.** histoire imaginée par l'esprit pendant le sommeil
     2. espoir qui a peu de chances de se réaliser

Cette nuit, j'ai rêvé que je pilotais un Airbus. Quel drôle de rêve (1) !
J'ai toujours rêvé de voyages lointains. Je rêve encore de faire le tour
du monde. C'est un rêve (2) irréalisable, mais je rêve quand même qu'il se
réalisera.

→ la **rêverie** (= produit de l'imagination, pendant un état de distraction, demi-sommeil)

→ le **rêveur**

« Les Rêveries du promeneur solitaire » est un ouvrage célèbre de Jean-
Jacques Rousseau. C'était sans doute un grand rêveur, mais son rêve (2)
de justice sociale est bien devenu réalité en 1789.

SONGER SYN : penser, voir l'intention de

à quelque chose-
quelqu'un / à (Infinitif)

→ le **songe** (SYN : le rêve)

Je me suis vu en songe à la tête d'une armée. Pourtant je n'ai jamais songé à
la carrière militaire / àembrasser une carrière militaire.

→ **songeur** (SYN : pensif, rêveur)

Je vous voirs bien songeur, mon ami ! Ne sortirez-vous donc jamais de votre
triste songerie et vous apercevrez-vous enfin que je suis là ?

ILLUSION (l') **1.** erreur de la perception / **2.** produit de l'esprit en contradiction avec la réalité

→ **illusoire** (= qui ne se réalisera pas)

Le mirage est une illusion d'optique.
Cessez de vous faire des illusions : tous vos espoirs de retrouver vos bijoux
volés sont illusoires.

B11-B12 | EXERCICES

30 ◆

Composez des adjectifs en imitant le modèle (attention certains mots correspondent au paragraphe B10).

Le comptable a commis une erreur par intention → intentionnelle

1. Je vous rendrai un rapport de synthèse → . . . . .
2. Il faut aborder ce problème avec une méthode d'analyse → . . . . .
3. Devant les vipères, on éprouve souvent une peur d'instinct → . . . . .
4. Vous avez résolu ce problème par un raisonnement fondé sur l'intuition → . . . . .
5. J'ai vu hier un film à donner des cauchemars → . . . . .
6. J'ai fait la nuit dernière un rêve ressemblant à une prémonition → . . . . .
7. Vous m'avez rendu un devoir montrant de la fantaisie → . . . . .
8. Vos projets sont construits sur les illusions → . . . . .

MODULE B   EXERCICES DE SYNTHÈSE

 31 ◆ ◆ ◆

Complétez les textes A, B et C en vous reportant respectivement aux trois articles sens dans les glossaires alphabétiques B1, B3 et B9. Puis vous reporterez les termes dans l'une des trois parties A (cf. B1), B (cf. B3) ou C (cf. B9) de l'arbre morphosémantique qui suit.

A) J'ai éprouvé une s . . . . . (1) de froid en entrant dans la grotte. Je s . . . . . (2) les moindres différences de température. Je suis s . . . . . (3) aussi à l'humidité, j'ai une s . . . . . (4) excessive et j'envie les personnes que la chaleur et le froid, la sécheresse et l'humidité laissent i . . . . . (5), j'envie leur i . . . . . (6), car je r . . . . . (7) tout excès dans un sens ou un autre comme une souffrance.

B) En revanche après deux heures passées à patauger dans la grotte, j'ai eu une s . . . . . (10) de bonheur en revoyant l'éclat du soleil, une impression presque s . . . . . (8). Pourtant je ne suis pas porté à la s . . . . . (9).

C) Les fautes de traduction ne sont pas toutes de même importance : une inexactitude qui n'entraîne pas le lecteur dans une mauvaise voie (un « faux sens » dans les deux sens du mot « sens » !) est pardonnable. Un c . . . . . (12) est une confusion grave et un n . . . . . (11) est la preuve que le traducteur ne manie correctement ni la « langue-source » (à partir de laquelle il traduit) ni la « langue-cible » (dans laquelle il traduit).

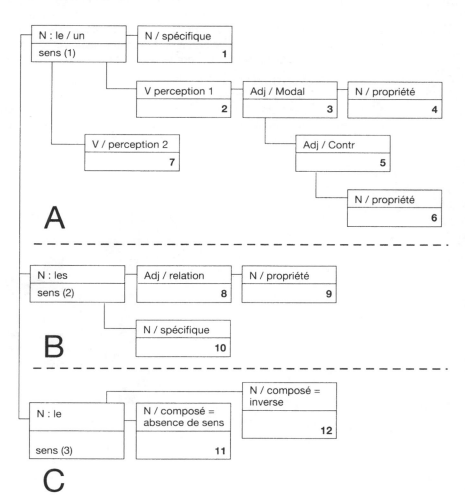

MODULE B — EXERCICES DE SYNTHÈSE

32 ◆ ◆

Des adjectifs comme *doux*, *aigu* ou *moelleux* s'appliquent à plusieurs types de sensation. Trouvez un ou plusieurs adjectifs de même sens et un ou plusieurs adjectifs de sens contraire pour remplacer *doux*, *aigu* ou *moelleux* dans chaque groupe de mots.

1. une lumière douce	A. pointu(e)	a. dur(e)
2. une voix douce	B. sucré(e)	b. grave
3. un tissu doux	C. faible	c. rugueux(se)
4. une saveur douce	D. lisse	d. arrondi(e)
5. un son aigu	E. élevé(e)	e. fort(e)
6. une pointe aiguë	F. mou (molle)	f. aveuglant(e)
7. une viande moelleuse	G. tendre	g. amer(ère)
8. un fauteuil moelleux		h. piquant (e)
		i. violent(e)

33 ◆ ◆

mots croisés

HORIZONTALEMENT. 1. Elles sont transmises par les sens. 2. D'une seule couleur. Ajouta un assaisonnement. 3. Lettres de *côte*. Un assaisonnement très courant. Une plante aromatique que les Français emploient souvent. 4. Milieu. 5. Avant deux. Démonstratif à l'envers. Dont les couleurs se sont atténuées. 6. Lettres de *laid*. On peut rêver de vivre au milieu. 7. Fin de verbe. Commence *éviter*. 8. Capte les odeurs. À l'envers : jeu d'Asie. 9. C'est presque une teinture. 10. Conjonction de coordination. Capte les sons.

VERTICALEMENT. A. Délicieuse. B. Ouïr. C. Conjonction de coordination. Lettres de *zut*. D. On y court. Lettres de *vélo*. E. Voir à peine. F. Plaque de métal. Elle peut être droite ou courbe. G. Voyelle double. 3,14. Le commencement d'un tintement. H. Lettres de *voilà*. C'est presque acidulé. I. Lettres de *rien*. Article. Lettres de *réel*. Conservation dans le sel.

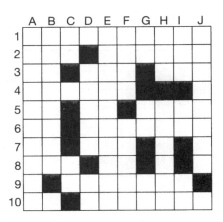

MODULE B — GLOSSAIRES ALPHABÉTIQUES

LISTE DES MOTS ESSENTIELS

L'appétit
le bruit
conscient
deviner
entendre
le goût
intelligent
la lumière
l'opinion
le plaisir
le rêve
le signe
toucher

aveugle
clair
la couleur
la douleur
éprouver
l'imagination
l'intuition
la mémoire
le parfum
la raison
le/les sens
signifier
voir

l'avis
comprendre
croire
écouter
la forme
l'impression
le jugement
l'odeur
penser
regarder
la sensation
souffrir

GLOSSAIRE COMPLET

A

abstraction, nf	B10
abstrait, adj	B10
acide, adj/nm	B7
acidité, nf	B7
acidulé, adj	B7
acoustique, adj/nf	B2/B5
aigre, adj	B7
aigrelet, adj	B7
aigreur, nf	B7
aigu, adj	B5
allumer, v	B4
amer, adj	B7
amertume, nf	B7
analyse, nf	B10
analyser, v	B10
analytique, adj	B10
angoissant, adj	B3
angoisse, nf	B3
angoissé, adj	B3
antibruit, adj	B5
apercevoir, v	B4
appétissant, adj	B7
appétit, nm	B7
approfondir, v	B10
approfondissement, nm	B10

âpre, adj	B7
âpreté, nf	B7
aromate, nm	B8
aromatique, adj	B8
aromatiser, v	B8
arôme, nm	B8
arrière-goût, nm	B7
arrière-plan, nm	B4
aspirer, v	B8
assaisonné, adj	B7
assaisonnement, nm	B7
assaisonner, v	B7
assombrir, v	B4
assourdir, v	B5
assourdissant, adj	B5
attouchement, nm	B6
audible, adj	B5
auditif, adj	B2/B5
audition, nf	B2/B5
auditoire, nm	B5
auditorium, nm	B5
authenticité, nf	B10
authentique, adj	B10
aveuglant, adj	B4/B5
aveugle, adj/n	B4
aveuglement, nm	B4/B10
aveuglément, adv	B10

aveugler, v	B4/B10
aveuglette (à l'), locadv	B4
avis, nm	B10

B

bien (être), locv	B3
bien-être, nm	B3
bien-pensant, adj	B10
bien entendu, locadv	B9
borgne, adj	B4
bouquet, nm	B8
bruit, nm	B5
bruitage, nm	B5
bruiteur, nm	B5
brûlant, adj	B6
brûler (se), v	B6
brûlure, nf	B6
bruyant, adj	B5

C

capiteux, adj	B8
capter, v	B1
caressant, adj	B6
caresse, nf	B6
caresser, v	B6
cauchemar, nm	B12

cauchemardesque, adj	B12
cerner, v	B1
certain, adj	B10
certitude, nf	B10
chatouiller, v	B6
chatouilleux, adj	B6
circonspect, adj	B10
circonspection, nf	B10
clair, adj	B4/B10
clairvoyance, nf	B11
clairvoyant, adj	B11
clarification, nf	B10
clarifier, v	B10
clarté, nf	B4
cogitations, nfpl	B10
cogiter, v	B10
cogner (se), v	B6
colorant, nm	B4
coloration, nf	B4
colorer, v	B4
coloriage, nm	B4
colorier, v	B4
coloris, nm	B4
coloriste, nm	B4
commémoration, nf	B10
commémorer, v	B10
compréhensible, adj	B9

MODULE B — GLOSSAIRES ALPHABÉTIQUES

compréhension, nf	B9
comprendre, v	B9
compter, v	B10
concentration, nf	B10
concentrer (se), v	B10
conception, nf	B12
concevable, adj	B12
concevoir, v	B12
conclure, v	B10
conclusion, nf	B10
concret, adj	B10
conscience, nf	B9
conscient, adj	B9
considération, nf	B10
considérer, v	B10
contresens, nm	B9
couleur, nf	B4
créateur, nm	B12
créatif, adj	B12
création, nf	B12
créativité, nf	B12
crédible, adj	B9
credo, nm	B9
crédule, adj	B9
créer, v	B12
creuser, v	B10
croire, v	B9
croyable, adj	B9
croyance, nf	B9
croyant, nm	B9

D

déceler, v	B1
décoloration, nf	B4
décolorer, v	B4
découverte, nf	B9
découvrir, v	B9
déductif, adj	B10
déduction, nf	B10
déduire, v	B10
dégager, v	B8
dégoût, nm	B7
dégoûtant, adj	B7
dégoûter, v	B7
dégustateur/-trice, n	B7
dégustation, nf	B7
déguster, v	B7
délice, nm	B7
délicieux, adj	B7
démonstration, nf	B10
démontrer, v	B10
déodorant, adj	B8
déraisonnable, adj	B10
déraisonner, v	B10
désodorisant, adj/nm	B8
désodoriser, v	B8
deviner, v	B11
devinette, nf	B11
discernable, adj	B1

discernement, nm	B9
discerner, v	B1/B9
distinct, adj	B1
distinction, nf	B1
distinguer, v	B1
douceâtre, adj	B7
douceurs, nfpl	B7
douleur, nf	B3
douloureux, adj	B3
doute, nm	B10
douter, v	B10
douteux, adj	B10
doux, adj	B7
dubitatif, adj	B10
dur, adj	B6

E

éblouir, v	B4
éblouissant, adj	B4
éblouissement, nm	B4
éborgner, v	B4
écho, nm	B5
éclairage, nm	B4
éclaircir, v	B4/B10
éclaircissement, nm	B10
éclairer, v	B4
écoute, nf	B5
écouter, v	B5
écouteur(s), nm/nmpl	B5
effectif, adj	B10
effectivement, adv	B10
effleurer, v	B6
effluve, nm	B8
émanation, nf	B8
émaner, v	B8
embaumer, v	B8
émettre, v	B8
empester, v	B8
endolorir, v	B3
enivrant, adj	B8
enivrer, v	B8
entendement, nm	B9
entendre, s'_, v	B9
entendre, v	B2/B5
entêtant, adj	B8
entêter, v	B8
entr'apercevoir, v	B4
entrevoir, v	B4
entrevue, nf	B4
épice, nf	B7
épicé, adj	B7
épier, v	B4
éprouver, v	B1
estimation, nf	B10
estimer, v	B10
euphorie, nf	B3
euphorique, adj	B3
euphorisant, adj	B3
examen, nm	B4/B10

examinateur, nm	B10
examiner, v	B4/B10
exhalaison, nf	B8
exhaler, v	B8
expérimental, adj	B10
expérimentateur, nm	B10
expérimentation, nf	B10
expérimenter, v	B10
expirer, v	B8
exquis, adj	B7

F

fadasse, adj	B7
fade, adj	B7
fadeur, nf	B7
fantaisie, nf	B12
fantaisiste, adj	B12
figurer (se), v	B9
fine-gueule, nf	B7
flair, nm	B8/B9
flairer, v	B8/B9
foncé, adj	B4
foncer, v	B4
forme, nf	B4
frapper, v	B6
frôlement, nm	B6
frôler, v	B6
frottement, nm	B6
frotter, v	B6
fumet, nm	B8

G

goinfre, adj/n	B7
goinfrer (se), v	B7
goinfrerie, nf	B7
goulu, adj	B7
goulûment, adv	B7
gourmandise, nf	B7
gourmand, adj	B7
gourmet, nm	B7
goût, nm	B2/B7
goûter, v	B2/B7
goûteur, nm	B7
gratter (se), v	B6
grave, adj	B5
guet (faire le), locv	B4
guetter, v	B4
guetteur, nm	B4
gustatif, adj	B2/B7

H

heurt, nm	B6
heurter, v	B6
humer, v	B8
hypothèse, nf	B10

I

idéal, adj/nm	B10
idéaliser, v	B10
idéalisme, nm	B10
idéaliste, adj/nm/nf	B10
idée, nf	B10
illumination, nf	B4/B10
illuminer, v	B4
illusion, nf	B12
illusoire, adj	B12
imaginable, adj	B12
imaginaire, adj	B12
imagination, nf	B12
imaginer, s'_, v	B12
imperceptible, adj	B1
impression, nf	B1
impressionnisme, nm	B1
impressionniste, adj/nm	B1
imprévoyant, adj	B10
inaudible, adj	B5
incolore, adj	B4
incompréhensible, adj	B9
incompréhension, nf	B9
inconcevable, adj	B12
inconscience, nf	B9
inconscient, adj	B9
incrédule, adj	B9
incroyable, adj	B9
incroyant, adj	B9
indiscernable, adj	B1
indistinct, adj	B1
indolore, adj	B3
indubitable, adj	B10
inimaginable, adj	B12
inodore, adj	B8
insensibilité, nf	B1
insensible, adj	B1
insignifiant, adj	B9
insipide, adj	B7
inspiration, nf	B11
inspirer, v	B11
instinct, nm	B11
instinctif, adj	B11
intangible, adj	B6
intelligence, nf	B9
intelligent, adj	B9
intelligible, adj	B9
intention (avoir l'), locv	B10
intentionnel, adj	B10
interprétariat, nm	B10
interprétation, nf	B10
interprète, nm/f	B10
interpréter, v	B10
intuitif, adj	B11
intuition, nf	B11
inventer, v	B12
inventeur, nm	B12
inventif, adj	B12

MODULE B — GLOSSAIRES ALPHABÉTIQUES

invention, nf	B12
invisibilité, nf	B4
invisible, adj	B4
invraisemblable, adj	B10
irrationnel, adj	B10
irréfléchi, adj	B10

J

jouir, v	B3
jouissance, nf	B3
jugement, nm	B10
juger, v	B10

L

langue, nf	B2
ligne, nf	B4
lisse, adj	B6
lucide, adj	B11
lucidité, nf	B11
lumière, nf	B4/B10
lumineux, adj	B4/B10
luminosité, nf	B4

M

mal (avoir), locv	B3
mal à l'aise, locadj	B3
mal-entendant, nm	B5
malaise, nm	B3
malentendu, nm	B9
mal fichu (être), locv	B3
malvoyant, nm	B4
méditatif, adj	B10
méditation, nf	B10
méditer, v	B10
mémento, nm	B10
mémoire, nf	B10
mémoriser, v	B10
moelleux, adj	B6
mou, adj	B6

N

narine, nf	B2
nez, nm	B2
non-sens, nm	B9
non-voyant, nm	B4

O

objectif, adj	B10
objectivité, nf	B10
odeur, nf	B8
odorat, nm	B2
œil, nm	B2
olfactif, adj	B2
opinion, nf	B10
oreille, nf	B2/B5

ouï-dire (par), locadv	B5
ouïe, nf	B2/B5
ouïr, v	B5

P

palais, nm	B2
pâle, adj	B4
pâlir, v	B4
palper, v	B6
parfum, nm	B8
parfumer (se), v	B8
parfumerie, nf	B8
parfumeur, nm	B8
peau, nf	B2
pensant, adj	B10
pensée, nf	B10
penser, v	B10
penseur, nm	B10
pensif, adj	B10
perceptible, adj	B1
perception, nf	B1
percevoir, v	B1
perspective, nf	B4
perspicace, adj	B11
perspicacité, nf	B11
peser, v	B10
pestilence, nf	B8
piger, v	B9
piquant, adj	B6
plaire, v	B3
plaisant, adj	B3
plaisir, nm	B3
plan, nm	B4
plonger (se), v	B10
point de vue, locn	B10
poivre, nm	B7
poivré, adj	B7
poivrer, v	B7
prémonition, nf	B11
prémonitoire, adj	B11
pressentiment, nm	B11
pressentir, v	B11
preuve, nf	B10
prévoir, v	B10
prévoyance, nf	B10
prévoyant, adj	B10
probant, adj	B10
profil, nm	B4
projet, nm	B10
projeter, v	B10
prouver, v	B10
puanteur, nf	B8
puer, v	B8

R

raison, nf	B10
raisonnable, adj	B10
raisonnement, nm	B10

raisonner, v	B10
rappeler (se), v	B10
rationalisme, nm	B10
rationnel, adj	B10
recueillement, nm	B10
recueillir (se), v	B10
réfléchi, adj	B10
réfléchir, v	B10
réflexion, nf	B10
régal, nm	B7
régaler (se), v	B7
regard, nm	B4
regarder (se), v	B4
relent, nm	B8
relevé, adj	B7
relever, v	B7
relief, nm	B4
remémorer (se), v	B10
renifler, v	B8
représenter (se), v	B9
résonance, nf	B5
résonner, v	B5
respirer, v	B8
ressasser, v	B10
ressentir, v	B1
rêve, nm	B12
rêver, v	B12
rêverie, nf	B12
rêveur, adj/nm	B12
rugueux, adj	B6

S

saisir, v	B9
salaison, nf	B7
salé, adj	B7
saler, v	B7
saveur, nf	B7
savourer, v	B7
savoureux, adj	B7
scruter, v	B4
sel, nm	B7
sens, nm	B1/B9
sens, nmpl	B3
sensation, nf	B1/B3
sensibilité, nf	B1
sensible, adj	B1
sensualité, nf	B3
sensuel, adj	B3
senteur, nf	B8
sentir, v	B1/B2/B8
serrer, v	B6
signe, nm	B9
significatif, adj	B9
signification, nf	B9
signifier, v	B9
silhouette, nf	B4
sombre, adj	B4
son, nm	B5
son et lumière, locn	B5

songe, nm	B12
songer, v	B12
songeur, adj	B12
sonner, v	B5
sonnerie, nf	B5
sonnette, nf	B5
sonneur, nm	B5
souffrance, nf	B3
souffrant, adj	B3
souffrir, v	B3
sourd, adj	B5
souvenir (se), v	B10
souvenir, nm	B10
succulent, adj	B7
sucre, nm	B7
sucré, adj	B7
sucrer, v	B7
sucreries, nfpl	B7
surface, nf	B4
synthèse, nf	B10
synthétique, adj	B10
synthétiser, v	B10

T

tact, nm	B6
tactile, adj	B2
tangible, adj	B6
tâter, v	B6
tâtonner, v	B6
teinte, nf	B4
teinter, v	B4
teinture, nf	B4
tintement, nm	B5
tinter, v	B5
toucher, nm	B2/B6
toucher, v	B2/B6
trou (de mémoire), locn	B10

U - V

ultra-son, nm	B5
uni, adj	B4
vérité, nf	B1
vibration, nf	B5
vibrer, v	B5
visibilité, nf	B4
visible, adj	B4
visiblement, adv	B10
vision, nf	B2/B4
visuel, adj	B2
voir, v	B2/B4
volume, nm	B4
volupté, nf	B3
voluptueusement, adv	B3
voluptueux, adj	B3
vrai, adj	B10
vraisemblable, adj	B10
vu (au vu de),	B4
vue, nf	B2/B4

MODULE C

AIMER, UNIR, GOUVERNER

C1-C3 TEXTES ET CONTEXTES

C1

Mon cher ami, Je suis **amoureux** de Paule. Au début, elle n'était pour moi qu'une **camarade**. Elle n'a rien fait pour me **séduire**, ne va pas croire qu'elle m'a **fait des avances**. Non. Mais à force de la **fréquenter**, j'ai été peu à peu **attiré** par elle, par son **charme**. Tu la connais, tu sais qu'elle n'est pas d'une beauté **étincelante**, **fascinante**. Mais tu connais aussi ses yeux rieurs et son sourire **charmant**. Notre **amitié** est devenue un **tendre attachement**. J'ai compris que je lui **plaisais** moi aussi. Et maintenant je l'**aime**. Il fallait que j'annonce cette nouvelle. Je sais que tu partageras ma joie. **Amicalement**. Jean.

. . .

Au 17e siècle, les héros du théâtre de Corneille ne séparent jamais l'**amour** de l'**estime**. C'est l'un des aspects de la morale classique : on ne peut pas **aimer** quelqu'un qu'on n'**admire** pas, la **passion** et le **respect** vont ensemble. Dans l'**amour** romantique, l'**amour** est présenté comme quelque chose d'inexplicable. Les **amants** sont **captivés** l'un par l'autre. On peut **adorer** un être même si on ne l'**admire** pas. On est **attiré** par lui, c'est tout. La **passion** domine.

. . .

« Le temps, qui fortifie les **amitiés**, affaiblit l'**amour**. » (La Bruyère, *Les Caractères*)

. . .

« Je te **respecte**, je t'**estime**, je t'**admire**, je t'**aime** comme on **adore**… » (Victor Hugo à Adèle Foucher, sa future femme, 1822)

. . .

« Pauvre petite femme ! Ça bâille après l'**amour** comme une carpe après l'eau sur une table de cuisine. Après trois mots de galanterie, cela vous **adorerait**, j'en suis sûr ! ce serait **tendre** ! **charmant** !… Oui, mais comment s'en débarrasser ensuite ? » (Flaubert, *Madame Bovary*)

C2

Il m'a répondu avec **arrogance** et **dédain**. On aurait dit que j'étais son esclave. Son comportement est **odieux**. Mais je ne me suis pas laissé faire. Je lui ai dit que personne **ne pouvait plus le supporter**, que tout le monde le **détestait** et que, pour moi, je n'éprouvais que du **mépris** pour ses allures de grand seigneur stupide.

. . .

« Les grands **dédaignent** les gens d'esprit qui n'ont que de l'esprit ; les gens d'esprit **méprisent** les grands qui n'ont que de la grandeur. » (La Bruyère, *Les Caractères*)

. . .

« Le vice ne serait pas tout à fait le vice s'il ne **haïssait** pas la vertu. » (Chamfort, *Maximes*)

. . .

C1-C3 — TEXTES ET CONTEXTES

« Il éprouvait pour elle, maintenant, une **haine** apeurée, mêlée de **mépris** et **dégoût**. Toutes les femmes, d'ailleurs, lui apparaissaient à présent comme des monstres... »
(Maupassant, *L'Héritage*)

C3

Pierre est un bon ami mais il est très **coléreux**. Dès que quelque chose ne va pas bien, il **s'énerve** et cherche la **dispute**. On dirait presque un joueur de tennis qui cherche un **partenaire**.
Si quelqu'un essaie de le **calmer**, cela ne fait, au contraire, que l'**exciter** encore plus et il **reproche** à son interlocuteur de se mêler de ce qui ne le regarde pas. Moi je connais bien Pierre.
Quand je sens qu'il est en **colère** et qu'il veut **se disputer** avec moi, je le **félicite**, je lui explique que ce qu'il dit est très **intéressant** et je l'**encourage** à continuer. Alors il comprend que je ne me mettrais pas en **colère** et il va **bouder** dans un coin. Le lendemain, il me tend la main avec un grand sourire et je lui « permets » de me payer l'apéritif. Il me dit : « Je ne suis qu'un **casse-pieds**, un **sans-gêne**, un **emmerdeur** diplômé. » Je lui réponds qu'il a raison mais que je l'aime bien quand même.

• • •

Cher Monsieur, Votre lettre me touche beaucoup. Vous êtes **inquiet** pour ma santé, vous vous **intéressez** à mon travail et vous me faites des **compliments** pour ce que j'ai déjà fait. Tous vos **encouragements** me **remontent le moral**. En effet, j'ai eu bien des **ennuis**, bien des **embêtements**. Mais maintenant je vais mieux. J'ai compris qu'il était inutile de **se faire des soucis** pour ce que disent les **envieux**. Ceux qui font quelque chose **gênent** toujours ce qui ne font rien. Il est inutile de se mettre en **colère**, mieux vaut rester **calme**. Je vous remercie une fois encore de l'**intérêt** que vous portez à mes travaux.

• • •

« L'**envie** et la haine s'unissent toujours... »
(La Bruyère, *Les Caractères*)

C1-C3 | GLOSSAIRES THÉMATIQUES

C1 - L'AMOUR, L'AMITIÉ, L'ATTIRANCE

ADMIRER
quelque chose /
quelqu'un

1. regarder avec plaisir, enthousiasme, satisfaction, avec bonheur
admirer un coucher de soleil / un enfant qui joue…

2. aimer beaucoup, avoir beaucoup de respect pour
admirer un artiste / ses œuvres…

→ l'**admiration**, être / rester en admiration devant quelque chose / quelqu'un
→ un **admirateur/-trice**
→ **admiratif/-ive**

ADORER
quelqu'un

1. SPÉC : sens religieux

« *Tu adoreras Dieu de tout ton cœur.* »

2. aimer beaucoup quelqu'un

Elle adore son fils, elle ferait tout pour lui.

→ l'**adoration**, être / rester en adoration devant quelqu'un
→ **adorable**

Je suis en adoration devant cet enfant. Il est vraiment trop adorable avec son sourire si mignon.

AIMER
quelqu'un

→ aimer d'amour (= aimer vraiment, sincèrement)

Attention : Aimer bien ne signifie pas **aimer** mais être bien avec quelqu'un, avoir plaisir à le rencontrer.

Il lui a dit : Je vous aime bien, Marie, soyons bons amis, très bons amis mais c'est Laure que j'aime, ne m'en veuillez pas !

→ l'**amour**
→ l'**amoureux/-euse**
→ l'**amant/-ante**

Attention : Les **amoureux** « s'aiment d'amour ». Les **amants** sont réunis par une passion violente où le désir sexuel joue un rôle essentiel. (SPÉC : Il est l'amant d'une femme mariée)

AMI, AMIE (l')

→ l'**amitié**, se lier d'amitié avec quelqu'un

une amitié fidèle, intime, étroite

→ **amical / e**
→ **amicalement**

S'ATTACHER
à quelqu'un

= avoir avec quelqu'un un lien d'amitié, d'amour

→ l'**attachement**, éprouver de l'attachement pour quelqu'un
→ **être attaché** à quelqu'un
→ **être attachant**

Je me suis tout de suite attaché à lui. Il avait un caractère très attachant.

ATTIRER
quelqu'un

SYN : plaire à quelqu'un

Cette fille est très sympathique. Elle m'attire beaucoup.

→ l'**attirance**, éprouver de l'attirance pour quelqu'un

C1-C3 GLOSSAIRES THÉMATIQUES

AVANCES (faire des avances à quelqu'un) ▬▬▬▬▬▬▬▬▬▬ = essayer de devenir son ami

Attention : l'expression est ambiguë parce que **faire des avances** a souvent un sens sexuel. Il ne faut donc l'employer que si la situation est claire.

Il m'a fait des avances pour essayer de savoir si le contrat était intéressant.

CAMARADE (le / la) ▬▬▬▬▬▬▬▬▬▬▬▬ = ami d'école, de travail

À l'école, Jean était mon meilleur camarade.

CAPTIVER ▬▬▬▬▬▬▬ SYN : charmer / = plaire beaucoup à quelqu'un
quelqu'un
→ **captivant**

C'est une chanteuse captivante. Elle captive son public.

CHARMER ▬▬▬▬▬▬▬ SYN : séduire / = plaire beaucoup à quelqu'un, le troubler,
quelqu'un le rendre amoureux ou presque amoureux

→ le **charme**
être sous le charme de quelqu'un / succomber au charme de quelqu'un / faire du charme à quelqu'un / tenir quelqu'un sous son charme

Elle n'est pas vraiment belle, mais elle a un charme fou !

→ **charmant**

Votre robe est charmante. Elle vous va très bien.

Attention : le sens de **charmant** est moins fort que celui de **charme** et **charmer**.

CHÉRIR ▬▬▬▬▬▬▬▬▬▬ = aimer avec une grande tendresse

→ **mon chéri / ma chérie**

Attention : **mon chéri** peut se dire à un homme ou à une femme.

COPAIN / COPINE (le / la) ▬▬▬▬▬▬▬▬ STYLE : familier : ami

Paul est mon meilleur copain. On s'est connu à l'armée.

COMPAGNON / COMPAGNE (le / la) ▬▬▬▬▬▬ = ami, camarade

Attention : voir aussi C4.

COURTISER ▬▬▬▬▬▬ = la rencontrer dans le but de s'en faire aimer /
une jeune fille / STYLE : soutenu et vieilli
une femme → **faire la cour** à une jeune fille, une femme

Il lui fait la cour depuis six mois.

DÉSIRER ▬▬▬▬▬▬ = être sexuellement attiré par quelqu'un
quelqu'un
→ le **désir**

DRAGUER ▬▬▬▬▬▬ = chercher un ou une partenaire pour l'amour /
STYLE : familier mais courant

ENSORCELER ▬▬▬▬▬ SYN : charmer (comme par sorcellerie / des pouvoirs magiques)
quelqu'un
Je ne comprends pas ce qu'elle lui trouve. Elle fait tout ce qu'il veut. Il l'a complètement ensorcelée !

C1-C3	GLOSSAIRES THÉMATIQUES

ESTIMER ▬▬▬▬▬▬▬▬▬▬▬ SYN : respecter / = avoir une bonne opinion de quelqu'un
quelqu'un → l'**estime**, mériter l'estime de quelqu'un
Je ne pourrais pas aimer quelqu'un que je n'estimerais pas.

FAIBLE (avoir un faible pour quelqu'un) ▬▬▬▬▬▬ = être attiré par quelqu'un
Je ne sais pas s'il l'aime mais il a un faible pour elle.

FAMILIER ▬▬▬▬▬▬▬▬▬▬ SYN : connu / Contr : inconnu, étranger /
= qui est proche (comme un membre de la famille)
→ un **familier** (= un ami qu'on voit souvent)
Je le connais mais je ne suis pas un de ses familiers.
→ la **familiarité** (= attitude amicale, sans distances)
→ **familièrement**
Je n'aime pas qu'il me parle avec tant de familiarité. Je préférerais qu'il me traite moins familièrement.

FASCINER ▬▬▬▬▬▬▬▬▬▬ SYN : captiver, ensorceler
quelqu'un → la **fascination**, éprouver de la fascination pour quelqu'un

FIDÈLE ▬▬▬▬▬▬▬▬ = qui n'oublie pas ses amis, ceux qu'il aime
un ami fidèle, une amitié fidèle
→ la **fidélité**
→ **fidèlement**

FOU, FOLLE (être fou de quelqu'un) ▬▬▬▬▬ = être très amoureux de quelqu'un
→ un amour fou

FRÉQUENTER ▬▬▬▬▬▬▬▬▬ = voir régulièrement
quelqu'un *Je ne fréquente plus les Dupont : ils sont trop bêtes !*
→ une **fréquentation** (= quelqu'un qu'on fréquente)
avoir de bonnes / de mauvaises fréquentations
Ses mauvaises fréquentations l'ont conduit en prison.

INTIME ▬▬▬▬▬▬▬▬▬ = qui est très proche, qu'on connaît très bien
Je connais Paul depuis dix ans. C'est un ami intime.
→ l'**intimité** (= la vie privée)
Tout le monde a le droit de préserver son intimité.

LIAISON (une) ▬▬▬▬▬▬▬▬ = une relation amoureuse
→ avoir une liaison avec quelqu'un

MENER quelqu'un par le bout du nez ▬▬▬▬▬ = faire de quelqu'un
ce qu'on veut (parce qu'on l'a rendu amoureux fou)

PASSION (la) ▬▬▬▬▬▬▬▬ = un amour sans mesure, violent
→ **passionnel**, un crime passionnel (= commis par amour)

C1-C3 GLOSSAIRES THÉMATIQUES

PLAIRE = être regardé, fréquenté avec joie, avec bonheur
à quelqu'un

À la manière dont il la regarde, on voit qu'elle lui plaît.

→ le **plaisir** (= émotion agréable, sentiment de bonheur)
éprouver du plaisir / faire plaisir à quelqu'un
« Avec plaisir ! » (= avec joie)

Faites-nous le plaisir de venir dîner chez nous demain.
– Avec plaisir ! Merci beaucoup .

(SPÉC : le plaisir = le plaisir sexuel)

RESPECTER = avoir le sentiment que quelqu'un est supérieur à soi par son âge,
quelqu'un son talent, ses travaux, etc., accepter ce sentiment et l'exprimer dans son comportement

→ le **respect**
→ **respectable**
→ **respectueux /-euse** de quelque chose, des goûts / des idées de quelqu'un
→ **respectueusement**

Attention : l'**admiration** est un sentiment de **bonheur** éprouvé devant
quelqu'un ou quelque chose. Le **respect** n'est pas toujours associé au
bonheur : on peut éprouver du respect devant la douleur de quelqu'un.
Le **respect** est une sorte d'admiration morale profonde.
C'est un si grand artiste que le public l'a applaudi avec admiration et respect.

SÉDUIRE SYN : retenir l'attention, charmer, captiver
quelqu'un

Votre projet me séduit. Je suis d'accord pour vous aider.

→ la **séduction**, avoir de la séduction
→ un **séducteur / -trice**

Don Juan est le type du séducteur.

→ **séduisant / -ante**

Je n'avais jamais rencontré une femme aussi séduisante.

TENDRE = doux, caressant, très aimable

Il est très tendre avec elle.

→ la **tendresse**
→ **tendrement**

Il l'embrasse avec tendresse / tendrement.

TÊTE (tourner la tête à quelqu'un) = rendre amoureux

Elle lui a tourné la tête. Il est amoureux fou.

C2 - LA HAINE, LE MÉPRIS, LA RÉPULSION

ARROGANT (être arrogant envers quelqu'un) SYN : hautain, méprisant /
= qui se croit supérieur aux autres

→ l'**arrogance**

*Ce n'est pas parce qu'il est le patron qu'il a le droit de nous parler avec
arrogance.*

AVERSION (éprouver de l'aversion envers quelqu'un) SYN : dégoût

C1-C3 GLOSSAIRES THÉMATIQUES

BLESSER — **1.** faire couler le sang de quelqu'un
quelqu'un
→ une **blessure** superficielle / grave / mortelle
2. blesser moralement quelqu'un, faire souffrir moralement
Son refus de m'aider m'a profondément blessé.
→ une **blessure** morale / psychologique
→ des mots **blessants** (pour quelqu'un) (Syn : insultes)

DÉDAIGNER — = faire comme si l'autre n'avait pas d'importance
quelqu'un
→ le **dédain** (Syn : arrogance, mépris)
éprouver / manifester du dédain à l'égard de quelqu'un
→ **dédaigneux / -euse**
Je n'aime pas le ton dédaigneux qu'il a quand il parle de la musique
« populaire ».

DÉGOÛTER — **1.** donner envie de vomir, lever le cœur
quelqu'un
Cette viande est trop grasse. Elle me dégoûte.
2. dégoûter moralement
Tu n'as rien fait pour l'aider ! Tu me dégoûtes !
→ le **dégoût**
→ **dégoûtant / -ante**
Tu es dégoûtant. Ton attitude n'inspire que le dégoût.

DÉTESTER — = ne pas aimer du tout quelqu'un
quelqu'un
→ **détestable** (Contr : aimable, gentil)
Ce type a un caractère détestable. Je déteste ses manières.

HAÏR — = détester quelqu'un au point de lui vouloir du mal
quelqu'un
→ la **haine** (Contr : l'amitié, l'amour)
→ **haineux /-euse**, parler d'un ton haineux

MÉPRISER — SYN : dédaigner / Contr : estimer, respecter /
quelqu'un
= faire comme si l'autre n'existait pas, comme s'il ne méritait pas d'être écouté
→ le **mépris** (Syn : le dédain)
parler à quelqu'un avec mépris
→ **méprisant / -ante**, un ton méprisant

ODIEUX — = qui est complètement détestable
Cet enfant a un comportement odieux avec ses parents. Il mériterait une
bonne correction. (Contr : adorable)

REPOUSSER — = éloigner de soi, ne plus vouloir voir
quelqu'un
→ la **répulsion**
Depuis que je connais ses mensonges, j'éprouve un sentiment de répulsion
à son égard. Je repousse toutes ses avances.

SUPPORTER (ne pas pouvoir supporter quelqu'un) — = ne plus vouloir voir
→ **insupportable** (Syn : détestable, odieux)
Je ne peux plus supporter ce menteur.

C1-C3 GLOSSAIRES THÉMATIQUES

VOIR (ne plus vouloir / pouvoir voir quelqu'un) ████████████ = ne pas aimer, détester

C'est devenu impossible de travailler avec lui. Je ne veux plus le voir.
Je ne peux plus le voir.

C3 - LES AUTRES RELATIONS

Attention : voir aussi A5, *Les émotions*

BOUDER ███████████████████████ SYN : faire la tête, SYN familier : faire la gueule /
= ne plus parler à quelqu'un, ne plus le regarder

→ la **bouderie**

*Arrête de bouder. Viens me dire ce qui ne va pas, ce que tu me
reproches. Tu ne vas pas continuer ta bouderie, non !*

CALMER ███████████████████████████ = faire oublier la colère, l'énervement

quelqu'un
→ **se calmer**
→ **le calme** (= l'absence de bruit, d'énervement)
→ **un calme** (= **quelqu'un** qui ne s'énerve jamais)
→ **calme**, un endroit calme (SYN : tranquille)

*Calmez-vous : ça ne sert à rien de s'énerver. Il faut mieux réfléchir dans
le calme.*

CASSER LES PIEDS À QUELQU'UN ██████████████ STYLE familier = ennuyer quelqu'un
→ **un casse-pieds**

COLÈRE (la) ████████████████ = grand énervement, grande envie de disputer quelqu'un
→ être / se mettre en colère (contre quelqu'un / quelque chose)
→ **coléreux / -euse**

Ne vous énervez pas : la colère est mauvaise conseillère.

COMPLIMENTER ███████████████ SYN : féliciter / CONTR : disputer, reprocher /
quelqu'un
= dire à quelqu'un qu'on est content de son travail
Le patron m'a complimenté pour mon rapport : il l'a aimé.
→ un **compliment**, faire / présenter des compliments

Je vous présente tous mes compliments pour votre réussite.

DÉRANGER ████████ = venir voir quelqu'un sans le prévenir à un moment où il a autre chose à faire
quelqu'un
Excusez-moi de vous déranger, mais j'ai besoin d'un renseignement. – Entrez.
– Je ne vous dérange pas ? – Si, mais je peux vous écouter quelques instants.
– Merci.

DISPUTER ███████████████ SYN : reprocher, engueuler (vulgaire) / CONTR : féliciter /
quelqu'un
= dire à quelqu'un qu'on n'est pas content de lui, gronder quelqu'un
→ une **dispute** = une querelle

*Il y a du bruit dans le bureau du patron : il dispute Paul parce que celui-ci a
oublié un rendez-vous avec un client.*
Le bruit de la dispute s'entend dans les autres bureaux.

→ **se disputer** avec quelqu'un

C1-C3 **GLOSSAIRES THÉMATIQUES**

EMBÊTER ▬▬▬▬▬▬▬▬▬▬▬▬▬▬▬▬▬▬▬▬ SYN : ennuyer
quelqu'un → un **embêtement**

EMMERDER ▬▬▬▬▬▬▬▬▬▬▬▬▬▬▬ SYN vulgaire (mais courant) de embêter
quelqu'un → un **emmerdeur / -euse**, plus rare : **une emmerderesse**
→ un **emmerdement**

Attention : tous ces mots sont vulgaires et ne doivent pas être utilisés sans précautions mais il faut bien dire que tous les Français les utilisent quotidiennement.

ENCOURAGER ▬▬▬▬▬▬▬▬▬▬▬▬ = donner du courage, de l'espoir à quelqu'un
quelqu'un → un **encouragement**

Ne croyez pas que votre travail est mauvais. Je vous encourage à le continuer.
Il est intéressant.

ÉNERVER ▬▬▬▬▬▬▬▬▬▬▬▬▬▬ = faire perdre son calme à quelqu'un
quelqu'un *Il m'a tellement énervé que j'ai cassé mon crayon en lui disant de partir.*

ENGUEULER ▬▬▬▬▬▬▬▬▬▬ SYN très familier de disputer
quelqu'un → une **engueulade**

J'ai complètement oublié un rendez-vous hier. Je sens que je vais recevoir une engueulade.

ENNUYER ▬▬▬▬▬▬▬ 1. donner à quelqu'un le sentiment que le temps passe trop lentement /
quelqu'un CONTR : captiver, intéresser
→ l'**ennui**
→ **ennuyeux / -euse**

Il était si ennuyeux que les gens s'endormaient.
Je m'ennuyais tellement que je regardais ma montre toutes les cinq minutes.

2. SYN : déranger, embêter, emmerder (vulgaire), casser les pieds (familier) /
demander à quelqu'un de faire quelque chose qu'il n'a pas envie de faire
→ un **ennui** (= une difficulté, un problème)
→ **ennuyeux / -euse**, une affaire ennuyeuse

Je regrette de vous ennuyer mais il faudra que vous veniez travailler samedi matin. Je sais que c'est ennuyeux pour vous, mais ce travail doit absolument être terminé.

ENVIER ▬▬▬▬▬▬▬▬▬▬▬▬▬ = vouloir posséder ce que possède quelqu'un
quelqu'un → l'**envie**, avoir envie de quelque chose

Sa voiture est très belle. J'ai envie d'acheter la même.
→ **envieux / -euse**

EXCITER ▬▬▬▬▬▬▬▬▬▬▬▬▬▬▬ = énerver au plus haut point
quelqu'un *Il est toujours en retard. Il commence à m'exciter. Je n'ai pas de temps à perdre.*

FAIRE LA TÊTE, faire la gueule ▬▬▬▬▬▬▬▬ SYN : bouder / STYLE : familier
Il fait la tête depuis hier. Vous savez ce qu'il a ? Il s'est peut-être fâché avec sa copine ?

C1-C3 GLOSSAIRES THÉMATIQUES

FÉLICITER ▬▬▬▬▬▬▬▬▬▬▬▬▬▬▬▬▬▬▬▬▬▬▬▬▬▬ SYN : complimenter
quelqu'un
→ des **félicitations**
Recevoir des félicitations, présenter des félicitations

GÊNER ▬▬▬▬▬▬▬▬▬▬▬▬▬▬▬▬▬▬ = mettre quelqu'un dans une situation
quelqu'un où il n'est pas à l'aise, qu'il aurait voulu éviter
J'étais en train de dire du mal de Paul quand il est arrivé. Tu imagines que j'étais un peu gêné.
→ un **gêneur / -euse**
→ la **gêne**
Là où il y a de la gêne, il n'y a pas de plaisir (proverbe)
→ le **sans-gêne** (= l'absence de politesse)
Son sans-gêne m'exaspère !

INQUIÉTER ▬▬▬▬▬▬▬▬▬▬▬▬▬▬▬ = avoir un comportement qui donne à quelqu'un
quelqu'un une sorte de peur à propos de notre situation, de notre avenir
→ **s'inquiéter** de / pour quelque chose
→ **inquiet**, être inquiet
→ l'**inquiétude**
Vous avez l'air inquiet ? – Oui, Paul m'inquiète. Il est toujours fatigué.
Je m'inquiète pour sa santé.

INTÉRESSER ▬▬▬▬▬▬▬▬▬ = attirer, retenir l'attention de quelqu'un / CONTR : embêter, ennuyer
quelqu'un
→ l'**intérêt**, avoir / montrer / éprouver de l'intérêt pour
→ **intéressant**
Comme il parle bien, il a intéressé tout le monde. C'était une conférence très intéressante.

PARTENAIRE (le / la) ▬▬▬▬▬▬▬▬▬ = celui, celle avec qui on fait quelque chose de précis
Paul est mon partenaire quand je joue au tennis en double.
Les personnes qui font l'amour avec de nombreux partenaires ont plus de risques d'attraper le sida que ceux qui vivent en couple.

REMONTER LE MORAL ▬▬▬▬▬▬▬▬▬▬▬▬▬▬▬▬▬▬▬▬▬▬ SYN : encourager
de quelqu'un
Votre visite m'a fait plaisir. Vous m'avez remonté le moral.

REPROCHER ▬▬▬▬▬▬▬▬▬▬▬▬▬▬ = disputer quelqu'un à propos de quelque chose
quelque chose
à quelqu'un
→ le **reproche**, faire des reproches
Le patron m'a fait des reproches. Il m'a reproché d'être arrivé en retard hier et ce matin.

SOUCI (le) ▬▬▬▬▬▬▬▬▬▬▬▬▬▬▬▬▬▬▬▬▬▬ SYN : l'inquiétude
→ donner du souci à quelqu'un (SYN : inquiéter)
avoir des soucis, se faire des soucis (SYN : s'inquiéter)
→ **soucieux / -euse**, avoir l'air soucieux
→ **se soucier** de quelqu'un = s'intéresser à quelqu'un, à ses soucis

C1-C3 EXERCICES

1 ◆

Complétez les phrases en utilisant les mots ou expressions proposés. Chaque mot ou expression peut être employé deux fois: au sens propre et au sens figuré.

aimer - s'attacher à - attirer - draguer - estimer - un faible - une liaison - le bout du nez - tendre - tourner la tête

1. Ce bateau assure . . . . . quotidienne entre Saint-Malo et Jersey.
2. J'avoue que je suis très . . . . . par cette grande fille blonde. Elle a beaucoup de charme.
3. Je n'ose pas aller à son rendez-vous parce que j'ai un gros bouton sur . . . . . et je me trouve ridicule.
4. J' . . . . . bien le vin blanc mais je préfère le vin rouge.
5. Paul a . . . . . avec Annie depuis plus d'un an.
6. Pour éviter de tomber dans une crevasse, les alpinistes . . . . . à un rocher.
7. Les experts ont . . . . . que le tableau valait 2 millions.
8. Le port est ensablé depuis la dernière tempête. Il faut le . . . . . pour que les bateaux puissent passer.
9. Le pêcheur a d'abord sorti le poisson de l'eau puis il l'a . . . . . jusqu'à lui avec un crochet.
10. Il n'est pas encore vraiment amoureux mais à la façon dont il la regarde on voit bien qu'il a . . . . . pour elle.
11. Je ne sais pas si je suis amoureux de Paule mais j' . . . . . bien sortir avec elle, aller au cinéma, au théâtre.
12. Cette viande n'est pas . . . . . . Il faut avoir de bonnes dents pour la manger !
13. Elle lui a complètement . . . . . . Il est fou d'elle.
14. Il est amoureux fou d'elle. Il fait tout ce qu'elle veut. Elle le mène vraiment par . . . . . .
15. Tous les samedis, il va . . . . . les filles dans les fêtes foraines de la banlieue.
16. Au début, ils étaient simplement de bons amis. Mais petit à petit, ils . . . . . l'un à l'autre.
17. Il n'arrête pas de lui dire des gentillesses. Il est très . . . . . avec elle.
18. Si vous . . . . . vers la droite, vous verrez la tour Eiffel.
19. Il n'a jamais su lui dire non. C'est . . . . . .
20. C'est un homme honnête et généreux. Je l' . . . . . beaucoup.

2 ◆ ◆

a) Indiquez le nom d'action dérivé de chacun des 7 verbes ci-dessous en commençant par tracer un trait entre le verbe et le suffixe à l'aide duquel le nom d'action est dérivé. À chaque verbe correspond un suffixe différent. Puis vous écrirez le nom dans la dernière colonne en mentionnant le genre (le / la) si nécessaire.

Verbe de départ	suffixe formant le nom	genre du nom	nom d'action dérivé
plaire	-ation	(F)	. . . .
intéresser	-ment	(M)	. . . .
s'attacher	-ance	(F)	. . . .
fasciner	-ure	(F)	. . . .
bouder	-rie	(F)	. . . .
attirer	-Ø	(ici M)	. . . .
blesser	irrégulier	(ici M)	. . . .

C1-C3   EXERCICES

b) Indiquez les noms d'action dérivés des 10 verbes ci-dessous par le suffixe Ø en deux colonnes Masculin et Féminin :

Verbe de départ	Masculin	Féminin
charmer	le charme	
désirer	. . . .	. . . .
estimer	. . . .	. . . .
respecter	. . . .	. . . .
dégoûter	. . . .	. . . .
mépriser	. . . .	. . . .
calmer	. . . .	. . . .
disputer	. . . .	. . . .
gêner	. . . .	. . . .
ennuyer	. . . .	. . . .

3 ◆ ◆

Transformez le verbe entre parenthèses en adjectif dérivé de sens actif.

Modèle : *(persuader)*. Il n'a guère envie de nous aider. Tâche d'être ***persuasif***.

1. *(admirer)*. Le public est . . . . . devant le talent des peintres qui participent à l'exposition.
2. *(captiver)*. La conférence était tellement . . . . . que je n'ai pas vu l'heure passer.
3. *(haïr / haine)*. Le champion de boxe n'avait encore jamais rencontré un adversaire aussi . . . . . .
4. *(respecter)*. Malgré ses conceptions d'avant-garde, elle reste . . . . . des traditions.
5. *(mépriser)*. L'orateur n'eut que des paroles . . . . . pour le programme électoral de son adversaire.
6. *(s'inquiéter)* . . . . . de la progression de la fièvre, la mère demanda au médecin de venir rapidement examiner son enfant.
7. *(envier)*. Elle est . . . . . de mes succès, elle ne cessera jamais de me jalouser.
8. *(blesser)*. Votre nationalisme excessif est particulièrement . . . . . pour nos amis immigrés.
9. *(ennuyer)*. Il est très . . . . . que vous ne puissiez pas venir au meeting.
10. *(séduire)*. Liza est la star la plus . . . . . que j'aie jamais rencontrée.

4 ◆ ◆ ◆

Dans la première partie de cette histoire (qui se poursuit aux exercices 11, 17 et 25), 12 termes ont été remplacés par une définition (en italique). Indiquez à la fin de l'exercice les termes ainsi définis.

Ingrid et Alonso (1re partie)

En septembre, Alonso s'inscrivit aux cours de l'Alliance Française à Paris et fit ainsi la connaissance d'Ingrid. Il commença par *avoir une bonne opinion d'elle* (1) car elle parlait beaucoup mieux français que lui, et il se réjouissait de pouvoir la *voir régulièrement* (2) car ils suivaient les mêmes cours de français et de droit.

Elle avait su tout de suite *retenir son attention* (3). Elle finit par *le rendre amoureux* (4) et fit naître chez lui *un amour sans mesure* (5) pour elle. Pourtant la conversation d'Alonso *lui donnait le sentiment que le temps passait lentement* (6) et quand elle avait l'impression qu'il *ne cherchait* en elle qu'un *partenaire pour l'amour* (7), elle *perdait son calme* (8) ou *ne lui parlait plus* (9).

C1-C3	**EXERCICES**

Mais au bout de l'année, Alonso avait fait tellement de progrès et s'exprimait si bien qu'elle dut *lui adresser des félicitations* (10) et peu à peu elle cessa de *faire comme s'il n'avait pas d'importance* (11) et elle finit par *avoir pour lui un sentiment d'amitié* (12).

1...................................	2...................................
3...................................	4...................................
5...................................	6...................................
7...................................	8...................................
9...................................	10...................................
11...................................	12...................................

5 ◆ ◆

Dans chaque phrase, un mot ou une expression est en italique. Trouvez le synonyme qui lui convient. Vous devez utiliser au moins une fois chacun des 14 synonymes.

1. Sa *blessure* saigne beaucoup.	A brisé
2. Le camion *gêne* la circulation.	B. plaie
3. Pour faire passer l'armoire, il a fallu *repousser* la table.	C. ennuie
4. Votre gentillesse m'a *remonté le moral*.	D. monter
5. Je ne *supporte* plus sa présence.	E. dérange
6. J'ai *cassé* une assiette.	F. empêche
7. Son départ m'a *blessé*.	G. fait du bien
8. Je ne peux pas le *voir*, il est caché par les arbres.	H. porter
9. Il me *casse les pieds* depuis deux jours.	I. regarder
10. Elle a *repoussé* ses avances.	J. rencontrer
11. Cette musique me *gêne* pour travailler.	K. déplacer
12. Il faut *remonter* les valises dans notre chambre.	L. peiné
13. Ce pont peut *supporter* au moins vingt camions.	M. accepte
14. Je ne peux plus le *voir*, il est trop insupportable.	N. refusé

6 ◆ ◆

Dans la lettre ci-dessous vous substituerez aux mots et expressions en italique l'un des adjectifs, noms ou verbes synonymes mentionnés en tête :

Adjectifs : *charmant, détestable, hautain*
Noms : *l'inquiétude, le mépris, le dégoût*
Verbes : *bouder, complimenter, ennuyer, plaire, ensorceler, encourager*

Chère Maman,
J'ai été invitée hier soir à une soirée chez les X. Alors que Madame X est *gentille* (1 : . . . . .) à mon égard, son mari est particulièrement *arrogant* (2 : . . . . .) et leurs invités franchement *insupportables* (3 : . . . . .). J'éprouve une *aversion* (4 : . . . . .) marquée pour des gens qui affichent leur *dédain* (5 : . . . . .).
Je pensais donc m'*embêter* (6 : . . . . .) toute la soirée quand leur fils est finalement arrivé et, ô miracle, je l'ai *attiré* (7 : . . . . .), il m'a *félicitée* (8 : . . . . .) sur ma robe et, apprenant le *souci* (9 : . . . . .) que me donnent mes examens de la semaine prochaine, il m'a *remonté le moral* (10 : . . . . .). Je n'avais vraiment plus envie de *faire la tête* (11 : . . . . .), il m'avait *séduite* (12 : . . . . .).
[à suivre, exercice 19].

TEXTES ET CONTEXTES

C4

Au moment du **mariage**, les **époux** s'engagent à être **fidèles**. Pendant longtemps, les lois n'ont pas traité de la même manière l'**infidélité** de l'**époux** et celle de l'**épouse**. L'homme avait quasiment le droit d'avoir une **maîtresse**. Au contraire, si la femme **trompait** son mari, elle était coupable. Cette inégalité n'existe plus dans les lois françaises actuelles. Une femme peut obtenir le **divorce** si son mari est **infidèle**.

• • •

Ils **se** sont **fiancés** en 1980 et ils **se** sont **mariés** l'année suivante. Leur fils **est né** en 1981. Comme l'**accouchement** avait été très difficile, les médecins ont déconseillé une autre **naissance**. Leur **ménage** a connu une période de disputes, peut-être même d'**infidélité**. Ils ont été sur le point de **rompre**. Ils se sont même **séparés** pendant deux mois. Tout le monde a cru qu'ils allaient **divorcer**. Et puis l'amour l'a emporté. Ils vivent de nouveau ensemble. Ils viennent d'**adopter** une petite fille.

• • •

« Emma eût, au contraire, désiré **se marier** à minuit, aux flambeaux ; mais le père Rouault ne comprit rien à cette idée. Il y eut donc une **noce**, où vinrent quarante-trois personnes… » (Flaubert, *Madame Bovary*)

• • •

« Quand les deux **époux** se trouvaient en tête à tête, Lesable énervé s'écriait : Ta tante devient intolérable… Et elle répliquait : Oui…, mais l'**héritage** est bon, n'est-ce pas ? La tante maintenant les harcelait sans cesse avec l'idée fixe d'un enfant… : Mon neveu, j'entends que vous soyez père avant ma mort. Je veux voir mon **héritier**. » (Maupassant, *L'Héritage*)

• • •

« Je laisse toute ma fortune s'élevant à un million cent vingt mille francs environ, aux enfants qui **naîtront** du **mariage** de ma nièce Céleste-Coralie Cachelin, avec jouissance des revenus aux parents jusqu'à la majorité de l'aîné des descendants. Dans le cas où ma mort arriverait sans que ma nièce eût un **héritier**, toute ma fortune restera entre les mains de mon notaire… » (*Idem*)

• • •

« Cachelin déclara : Si seulement on pouvait **divorcer**. Ça n'est pas agréable d'avoir **épousé** (cet homme). » (*Idem*)

• • •

« Cora **accoucha** d'une fille dans les premiers jours de septembre. » (*Idem*)

TEXTES ET CONTEXTES

C5

L'**Association** des amis des **clubs** sportifs de la ville a **réuni** ses **adhérents** lors de l'**assemblée** du 3 décembre dernier. Monsieur Paul Dupont a été **réélu** président. Plusieurs décisions ont été prises lors de cette **réunion** :

1) La création d'une nouvelle **formation** sportive, un club de judo. Monsieur P. François en a été **nommé conseiller** technique.

2) L'**Association** a décidé d'**adhérer** à la **Fédération** nationale des **associations** des clubs sportifs.

3) Monsieur Dupont a félicité monsieur le maire qui **coopère** avec l'**Association** pour l'entretien des équipements **collectifs** du stade. L'année prochaine, cette **coopération** va permettre de refaire les douches et les tribunes du **public**.

4) Au mois de juin, un grand **meeting** d'athlétisme sera organisé.

5) Plusieurs **membres** de l'**association** ont demandé que des mesures soient prises pour éviter que des **bandes** de « casseurs » viennent déranger les **rassemblements** sportifs.

Un repas pris en **commun** a terminé la **réunion**. Les **adhérents** se sont **séparés** à minuit.

• • •

Plusieurs enquêtes montrent que les Français sont de plus en plus individualistes. Les **syndicats**, les **partis** politiques ou même les **associations** ont du mal à trouver des **membres**. C'est une tendance dangereuse pour la **société**. Le **bien commun** doit être l'affaire de toute la **collectivité**. Il est inutile de vouloir créer des **unions** artificielles mais il faut un maximum de **coopération**.

• • •

C'est le 25 décembre 1920, à Tours, que le **Parti socialiste** français, créé par Jean Jaurès en 1905, s'est divisé en deux : un **Parti socialiste** et un **Parti communiste**.

• • •

Les projets de loi concernant la Corse sont discutés à l'**Assemblée nationale** et au **Sénat**. Certains leur reprochent de rompre l'**unité** de la République, de favoriser la **désunion** entre la Corse et le reste de la France. D'autres disent que ces projets favorisent « les **clans** qui sont au pouvoir ». Les **parlementaires** sont très divisés sur cette question. (Les journaux)

• • •

« Des jeunes gens, par **bandes** inégales de cinq à douze, se promenaient en se donnant le bras et abordaient les **groupes** plus considérables qui stationnaient çà et là. » (Flaubert, *L'Éducation sentimentale*)

• • •

« (Martignon) pensait qu'il fallait "**se rallier** franchement à la République", et il parla de son père laboureur, faisait le paysan, l'homme du **peuple**. On arriva bientôt aux **élections** pour l'**Assemblée nationale**... (Frédéric) était séduit par le costume que les **députés**, disait-on, porteraient. » (*Idem*)

C4-C5 GLOSSAIRES THÉMATIQUES

C4 - LE COUPLE, LA FAMILLE

ACCOUCHER = mettre un enfant au monde, donner naissance à
→ l'**accoucheur**, un médecin accoucheur
→ l'**accouchement**
Paule a accouché hier. Elle a eu une fille. L'accouchement s'est très bien passé.

ADOPTER = devenir les parents d'un enfant né d'autres parents
un enfant → l'**adoption**

AIMER, AMANT, AMOUREUX voir C1

ASCENDANT (l') = celui dont on est le fils, la fille, etc./
SYN : père et mère, grands-parents, ancêtres, aïeux
→ l'**ascendance**
Je suis d'ascendance bretonne
Attention : avoir de l'ascendant sur quelqu'un = avoir de l'influence sur quelqu'un, pouvoir facilement le convaincre.

COCU / -UE (un / une) = qui est trompé par sa femme / son mari
→ faire cocu / être cocu (STYLE : familier)

COMPAGNON / COMPAGNE (un / une) = personne avec qui on vit
sans être marié avec elle
Attention : pour désigner les partenaires d'un couple non marié, l'usage hésite encore entre **compagnon / compagne**, **ami / amie**, ou **partenaire**. Voir aussi D1.

DESCENDRE = être le fils, la fille, etc., de...
de quelqu'un → le **descendant** (exemple = le fils par rapport à son père)
→ la **descendance** (= les fils et les filles, etc.)
Je descends par mon père d'une famille de Normandie et, par ma mère, je suis le descendant de paysans bretons.

DIVORCER = rompre, briser son mariage
→ le **divorce**

ÉPOUSER = se marier avec
quelqu'un → l'**époux**, l'**épouse**, les **époux**

SE FIANCER = s'engager à se marier
→ le **fiancé**, la **fiancée**
→ les **fiançailles**
Jean et Anne se sont fiancés hier. Ils se marieront cet été.

FIDÈLE = qui ne trompe pas son mari ou sa femme
→ la **fidélité** conjugale (= la fidélité entre époux)
→ **infidèle**
→ **infidélité**
L'infidélité est une raison légale de divorce.
Attention : voir aussi D1.

121

C4-C5	**GLOSSAIRES THÉMATIQUES**

HÉRITER = recevoir les biens de ses parents après leur mort
de quelqu'un /
de quelque chose
→ l'**héritier** / **-ère**
→ l'**héritage**
Ses parents avaient de la fortune. Il a fait un bel héritage. Il a hérité de plusieurs maisons.

MAÎTRESSE (la) = l'amante d'un homme marié

MARIER
son fils / sa fille
→ **se marier**
→ le **marié**, la **mariée**
→ le **mariage**
Ils ont marié leur fils hier. C'était un beau mariage. La mariée est très gentille.

MÉNAGE (un) = un couple généralement marié
→ être heureux en ménage (= s'aimer entre mari et femme)
→ être en ménage avec quelqu'un (= vivre comme dans le mariage ; vieilli, on dira plutôt : vivre avec quelqu'un)
Attention : le ménage signifie couramment l'entretien, le nettoyage de la maison (*faire le ménage*). Voir aussi D7.

NAÎTRE = venir au monde
Je suis né en 1970.
→ un **nouveau-né** (SYN : un bébé)
→ la **naissance**
Ma date de naissance est le 12 mai 1970.

NOCE = fête accompagnant un mariage
Les invités de la noce ont applaudi les mariés.
→ les **noces d'or** (= celles des 50 ans du mariage)
Attention : ne pas confondre :
→ faire la noce (= vivre comme dans une fête continuelle, sortir, boire, manger tous les jours)
→ un **noceur** (= celui qui fait la noce)

ROMPRE = quitter la personne avec qui on vivait en couple
→ la **rupture**
Elle a rompu avec André. Leur rupture date d'hier.

SE SÉPARER = pour un couple, ne plus vivre ensemble
Ils sont séparés. Ils divorceront bientôt.
→ la **séparation**
Attention : la **séparation** n'est pas le **divorce**. Si l'homme et la femme étaient mariés, ils le restent même s'ils se séparent. Seul le **divorce** brise le mariage. Voir D5.

TROMPER = être l'amant(e) d'un(e) autre
sa femme / son mari
→ un mari trompé (SYN familier : un cocu)

C4-C5 GLOSSAIRES THÉMATIQUES

C5 - LES GROUPES

ADHÉRER à ━━━━━━━━━━━━━━━━━━━━━ **1.** adhérer à un groupe : entrer dans ce groupe

→ adhérer à un parti politique / à un club de loisirs

→ un **adhérent / -ente**

→ l'**adhésion**

La loi sur les associations précise que pour adhérer à un groupe organisé il faut payer une cotisation. Seul celui qui a payé son droit d'adhésion est un véritable adhérent.

2. adhérer à une idée : être d'accord, l'approuver

Vous avez raison. J'adhère complètement à vos idées.

S'ALLIER ━━━━━━━━━━━━━━━━━━━━━━━━━━━━ = s'unir

(de quelque chose)
avec quelqu'un

→ un **allié / -iée**

→ l'**alliance**, faire alliance, rompre une alliance

Les socialistes et quelques centristes se sont alliés pour voter le projet de loi.

→ **se rallier** à quelqu'un, une idée, un projet

Au début je n'étais pas d'accord avec lui, mais j'ai réfléchi et je me suis rallié à son projet.

S'ASSEMBLER ━━━━━━━━━━━━━━━━━━━━━━━━ = se réunir

Bien avant le commencement du spectacle, les gens se sont assemblés sur la place.

→ l'**assemblée**

1. l'ensemble des gens qui assistent à un spectacle, une cérémonie, qui écoutent un discours… / SYN : le public

Quand la conférence fut terminée, l'assemblée se leva et applaudit le conférencier.

2. une réunion organisée selon la loi

l'assemblée générale d'une Association = réunion de tous les adhérents d'une association qui doit avoir lieu au moins une fois par an

l'Assemblée nationale = la réunion des députés

Attention : Chambre des députés désigne simplement le lieu et la réunion des députés élus par les citoyens. **Assemblée nationale** montre que l'assemblée des députés est celle de la nation elle-même dont ils ne sont que les représentants.

S'ASSOCIER ━━━━━━━━━━━━━━━━━━━━━ = s'unir pour faire quelque chose

à / avec quelqu'un

→ l'**associé /-ée**

→ l'**association**

Le droit d'association est un des droits de l'homme.

→ une **association** (= un groupe constitué selon la loi pour un projet précis)

Association des pêcheurs de X. Association de défense et de mise en valeur de la Montagne de X.

→ **associatif / -ive**, la vie associative

C4-C5 | GLOSSAIRES THÉMATIQUES

S'ATTROUPER ▬▬▬▬▬▬▬▬▬▬▬▬▬ = se réunir en groupe de manière spontanée

→ un **attroupement**

Les gens se sont attroupés pour voir l'incendie. La police a dû disperser l'attroupement parce qu'il gênait les pompiers.

→ une **troupe**

1. un groupe de personnes

Une troupe d'enfants, marcher en troupe

2. groupe militaire formé de soldats

Le général a inspecté les troupes.

3. nom de quelques groupes précis

une troupe de théâtre (= une association d'acteurs), *une troupe scoute*

BANDE (la) ▬▬▬▬▬▬▬▬▬▬▬ = groupe de personnes que réunissent des goûts, des intérêts communs mais sans que ce soit une association officielle

Attention : le sens de bande est souvent péjoratif :

→ une bande de voleurs

mais il peut être moins critique :

→ une bande d'écoliers, une bande de copains
faire bande à part (= ne pas suivre le groupe)

→ **se débander** (SYN : se disperser / STYLE : littéraire)
→ la **débandade**

Quand la pluie est arrivée, chacun est allé se mettre à l'abri. Ça a été une vraie débandade.

CASTE (la) ▬▬▬▬▬▬▬ = (péjoratif) ensemble de personnes que réunissent des intérêts et des privilèges qu'ils ne veulent pas abandonner

→ avoir l'esprit de caste

CLAN (le) ▬▬▬▬▬▬▬▬▬▬ = **SYN** de caste mais souvent associé à ensemble de personnes de la même famille

Elle a eu ce qu'elle voulait. En se mariant avec Paul-Marie elle entre dans le clan des X et rejoint la caste des grands bourgeois de la ville.

CLASSE SOCIALE (la) ▬▬▬▬▬▬ = ensemble de personnes ayant la même condition sociale

→ la classe ouvrière, la lutte des classes

CLIQUE (la) ▬▬▬▬▬▬▬▬▬ = (péjoratif) une bande de gens mal intentionnés

→ une clique d'agitateurs professionnels

CLUB (le) ▬▬▬▬▬▬▬▬▬ = association généralement sportive ou culturelle

→ le Football Club de Lyon, le Racing Club de Paris

COLLECTIF ▬▬▬▬▬▬▬▬▬▬▬ SYN : commun / = qui appartient à l'ensemble des membres d'un groupe donné

→ un billet collectif de chemin de fer (SYN : un billet de groupe)
les parties collectives d'un immeuble (les parties qui appartiennent à tous les propriétaires de l'immeuble, par opposition aux parties privées qui appartiennent à chaque propriétaire)

C4-C5 **GLOSSAIRES THÉMATIQUES**

Pour beaucoup de savants, les soucoupes volantes ou les rencontres avec des Martiens ne sont que des hallucinations (= vision déformée) *collectives.*

→ la **collectivité**

1. l'ensemble des membres d'un groupe donné

règlement intérieur de collectivité (= règlement qui concerne l'usage des parties collectives d'un immeuble), les collectivités locales (= les villes, les villages)

2. l'ensemble des gens qui vous entourent

La vie en collectivité impose des règles. On ne peut pas faire n'importe quoi. Il faut tenir compte des autres.

→ le **collectivisme** (= doctrine qui favorise la propriété collective des biens plutôt que la propriété individuelle)

COMMUN ▬▬▬▬▬▬▬▬▬▬▬▬▬▬▬▬▬▬ = qui appartient à plusieurs personnes
1. à propos de biens matériels, de propriétés concrètes /
SYN : collectif / **CONTR** : particulier, privé

→ le bien commun (= l'intérêt général)

Mon programme politique est de faire passer le bien commun avant les intérêts particuliers (privés)

→ la **communauté** (= le groupe défini par la loi)

être marié sous le régime de la communauté (= les biens du couple appartiennent aux deux époux en commun)

→ le **communisme**, un / une **communiste**

2. à propos de biens moraux, spirituels, culturels…

La paix est une espérance commune de tous les peuples.

→ la **communauté** (= le groupe défini par le cœur et par un engagement pris en commun)

être en parfaite communauté de points de vue avec quelqu'un
une communauté religieuse

Attention : le second sens de **commun** et de **communauté** ajoute au premier quelque chose de spirituel dont **collectif** ne peut pas être synonyme. Parler de « Collectivité européenne », ce serait une simple addition des différentes populations.

Parler de **Communauté** européenne, c'est désigner un groupe que réunit non seulement la loi mais aussi le désir de vivre ensemble, de se comprendre, de s'aider.

Attention : ne pas confondre ces sens de **commun** avec le sens de banal, courant, sans originalité :

Je ne vois rien d'exceptionnel dans cette histoire. Elle est très commune.

CONSEIL (le) ▬▬▬▬▬▬▬▬▬▬▬▬▬▬▬ = groupe réuni selon un règlement
pour aider quelqu'un à diriger, gouverner, décider…

→ le Conseil des ministres, un conseil d'administration
→ le(s) **conseiller(s)** /-**ère(s)**
Voir aussi A7 et D1

125

C4-C5 | GLOSSAIRES THÉMATIQUES

COOPÉRER ▬▬▬▬▬▬▬▬▬▬ = travailler à plusieurs dans un même but

→ la **coopération**, le ministère de la Coopération

Les pays riches doivent coopérer pour lutter contre la faim dans le monde. Cette coopération est urgente.

→ un **coopérant / -ante** (= personne qui part aider les pays en voie de développement)

→ **coopératif / -ve**, une attitude coopérative

→ une **coopérative** (= association de producteurs, de commerçants ou d'acheteurs)

Tous les agriculteurs de la région portent leur récolte de blé à la coopérative agricole.

DÉPUTÉ (le) ▬▬▬▬▬▬▬ = dans une démocratie, celui qui est élu pour représenter ses concitoyens

→ la **Chambre des députés**

DISPERSER ▬▬▬▬▬▬▬▬ = envoyer dans toutes les directions / Contr : rassembler

Les chefs de l'armée ont trop dispersé leurs troupes. Elles ne peuvent plus s'aider les unes les autres.

→ **se disperser** (Contr : se rassembler)

→ **la dispersion**

ÉLIRE ▬▬▬▬▬▬▬ = choisir un représentant ou un dirigeant en participant à un vote

→ l'**élection**

→ l'**électeur / -trice** (= celui qui vote)

→ l'**élu / élue** (= celui qui est élu)

En France, l'élection du président de la République a lieu tous les sept ans. Tous les cinq ans, les électeurs élisent les députés de l'Assemblée nationale.

→ **électoral / -ale**, la campagne électorale

EXCLURE ▬▬▬▬▬▬▬▬ = obliger quelqu'un à quitter un groupe organisé

quelqu'un

→ l'**exclusion**

Cet élève a été exclu du lycée pour mauvaise conduite. Son exclusion durera huit jours.

FÉDÉRER ▬▬▬▬▬▬ = regrouper des collectivités (région, État, syndicat, club, etc.) pour former un groupe plus vaste où chacun conserve une part de ses droits

→ la **fédération**, la **confédération**

La Fédération française de football regroupe tous les clubs de foot du pays. La Confédération helvétique.

→ **fédéral / -le**

Ottawa est le siège du gouvernement fédéral du Canada.

FORMATION (la) ▬▬▬▬▬ = terme général qui peut désigner toutes les sortes de groupes constitués

→ une formation politique, sportive, militaire, etc.

C4-C5 GLOSSAIRES THÉMATIQUES

GROUPER, REGROUPER ▬▬▬▬▬▬▬▬▬▬▬ 1. réunir des gens en un lieu précis

L'accompagnateur regroupe les touristes au moment de monter dans l'autocar.

→ le **groupe**

Des groupes de touristes se promenaient le long de la Seine.

→ le **regroupement**

Le regroupement aura lieu à l'autocar à 18 heures.

2. réunir des gens dans une organisation, une association

Les partis politiques regroupent les citoyens qui ont les mêmes idées politiques.

→ le **groupement**, un groupement d'intérêts

LIGUER ▬▬▬▬▬▬▬▬▬ = réunir un groupe organisé pour lutter pour/ contre

des gens pour / contre → **se liguer** pour / contre

→ la **ligue**, la Ligue française contre le cancer

MEMBRE (le) ▬▬▬▬▬▬▬ SYN : l'adhérent / = celui qui fait partie d'un groupe organisé

→ être / devenir membre d'une association, d'un parti

Je suis membre du club de natation de ma commune.

MEETING ▬▬▬▬▬▬▬▬ = réunion politique ou syndicale (mot d'origine anglaise)

Les syndicats des transports ont tenu un meeting pour protester contre les bas salaires.

NOMMER ▬▬▬▬▬▬▬ = choisir un représentant ou un dirigeant par un acte d'autorité, sans vote

quelqu'un *Comme les élections n'ont pas pu avoir lieu, Pierre a été nommé chef de classe par le directeur.*

PARLEMENT (le) ▬▬▬▬▬▬▬▬ = assemblée chargée du pouvoir législatif

→ un **parlementaire**

En France, le parlement est composé de l'Assemblée nationale et du Sénat. Les députés et les sénateurs sont les parlementaires français.

PARTI (le) ▬▬▬▬▬▬▬▬▬ = association à but politique

→ être membre d'un parti, quitter un parti

→ le Parti socialiste (PS), le Parti communiste (PC), le Parti radical

PELOTON (le) ▬▬▬▬▬▬▬▬▬▬▬▬▬

Le nom ne s'emploie couramment que dans deux cas :

→ le peloton d'exécution (= groupe de soldats chargé d'exécuter une condamnation à mort par fusillade)

→ le peloton des coureurs (= groupe de coureurs dans une course cycliste)

C4-C5	GLOSSAIRES THÉMATIQUES

PEUPLE (le) ▬▬▬▬▬▬▬▬▬▬▬▬▬▬▬ = ensemble des habitants d'un pays

→ **populaire**

Attention : ne pas confondre **populaire** au sens de « qui est lié au peuple » (ex. : *un parti populaire* = qui veut représenter le peuple) et populaire au sens de « très connu, connu de tous » (ex. : *un chanteur populaire*).

→ **peuplé / -ée**, très peuplé, peu peuplé

→ la **population**

→ **dépeuplé / -ée**

→ le **dépeuplement**

Le dépeuplement des zones de montagne est très net.
Certains villages avaient une population de 800 ou 1000 habitants il y a trente ans. Ils n'en ont plus qu'une centaine ou moins. En revanche, la région parisienne est de plus en plus peuplée.

PUBLIC ▬▬▬▬▬▬▬▬▬▬▬▬▬ 1. qui appartient à toute la collectivité

→ *un jardin public, une voie publique* (CONTR : privé)
le bien public (SYN : commun)
Une rumeur publique, un homme public

2. qui est connu de tous

→ **publiquement** (= sans se cacher du public (1))
→ **le public**

1. l'ensemble de la collectivité
un avis au public

2. les gens qui assistent à un spectacle
Le chanteur a été applaudi par son public.

SE RALLIER ▬▬▬▬▬▬▬▬▬▬▬▬▬▬▬▬ = voir s'allier

RASSEMBLER ▬▬▬▬▬▬▬▬▬▬▬ SYN : grouper, regrouper, réunir

Pendant la campagne électorale, les chefs des partis rassemblent ceux qui les soutiennent dans d'importants meetings.

→ **se rassembler**
→ le **rassemblement**, le Rassemblement pour la République (RPR, un parti politique)

RÉUNIR ▬▬▬▬▬▬▬▬▬▬ SYN : grouper, regrouper, rassembler / CONTR : disperser, séparer / = faire venir des gens dans un lieu précis

La maîtresse a réuni les élèves autour d'elle pour leur raconter une histoire.

→ **se réunir**
→ la **réunion**

Tous ceux qui veulent aider à organiser la fête du village se réuniront à l'école demain soir. La réunion sera présidée par Monsieur le Maire.

C4-C5   GLOSSAIRES THÉMATIQUES

SÉNAT (le) ▬▬▬▬▬▬▬▬▬▬▬ = en France, assemblée politique élue qui contrôle
et corrige les actes de l'Assemblée nationale sans pouvoir s'y opposer
→ un **sénateur**

SE SÉPARER ▬▬▬▬▬▬▬▬▬▬▬ = s'éloigner l'un de l'autre
À la fin de la réunion, les députés se sont séparés en silence.

SOCIÉTÉ (la) ▬▬▬▬▬▬▬▬ = l'ensemble des membres d'une collectivité
La société française n'est plus une société rurale (= de la campagne)
mais une société urbaine (= de la ville).
→ **social** (= qui concerne le niveau de vie et la sécurité)
un problème social, les affaires sociales
une politique sociale (= qui a le souci des questions de salaires et des conditions
de vie)
Peut-on faire une bonne politique sociale sans une bonne politique
économique ?
→ le **socialisme**, un / une **socialiste**, **socialiste**
→ **asocial** (= qui vit en dehors des règles de la vie en société / SYN récent : marginal)
Attention : une société (voir D1)

SE SYNDIQUER ▬▬▬▬▬▬▬▬▬▬▬ = adhérer à un syndicat
→ le **syndicat** (= association de travailleurs ou de patrons)
un syndicat ouvrier / patronal / d'employés...
→ le / la **syndicaliste** (= membre d'un syndicat)
→ **syndical / -ale**, des responsables syndicaux

UNIFIER ▬▬▬▬▬▬▬▬▬▬▬ = rassembler en une union très étroite
→ l'**unification**
→ **réunifier**, la **réunification**

UNIR ▬▬▬▬▬▬ = regrouper, rassembler mais avec l'idée de ne faire plus qu'un
Quand une catastrophe est arrivée, tous les gens de bonne volonté doivent
s'unir pour lutter contre ses conséquences.
→ l'**union** (= le fait de s'unir)
L'union fait la force (proverbe)
→ l'**unité** (= le résultat de l'union)
→ **désunir**, **désunion**

C4-C5	**EXERCICES**

7 ◆

Réunissez chaque verbe à toutes ses suites possibles.

1. adopter
2. épouser
3. hériter de
4. tromper
5. accoucher de
6. être fidèle à

A. sa femme
B. une idée
C. son impatience en fumant
D. une affaire en cours
E. un ascendant
F. un enfant

8 ◆ ◆

Cherchez le nom d'agent dérivé de chacun des verbes de la colonne de gauche et rangez-le dans la colonne convenable en fonction du suffixe à l'aide duquel il est formé :

Le verbe de départ en contexte	-eur	-ant/ent	autre formation
Il *accouche* les femmes enceintes.	l'accoucheur		
Elle a *épousé* un homme célèbre.			
Il a *adhéré* à un parti politique.			
Elle s'est *fiancée* à un champion de planche à voile.			
Il *coopère* au développement du Sahel.			
Elle *descend* d'un maréchal de France.			
Il s'est *associé* à un homme d'affaires malhonnête.			
Ils se sont *mariés* hier.			
Il a *hérité* de son oncle.			
Les Français *élisent* le président de la République tous les sept ans.			

9 ◆ ◆

En vous aidant des deux glossaires C1-C3 et C4-C5, cherchez le nom de propriété dérivé de chacun des 8 adjectifs suivants et introduisez-le dans une phrase.

Modèle : Je ne m'imaginais pas qu'ils étaient si *grossiers*
→ Je ne m'imaginais pas une telle *grossièreté*.

1. J'admire que cette famille soit si *unie*.
→ ....

2. Je ne m'imaginais pas qu'ils étaient si *familiers*.
→ ....

3. Je ne supporterai pas qu'il me soit *infidèle*.
→ ....

4. Je ne tolérerai pas que vous soyez aussi *arrogant*.
→ ....

5. Je redoute qu'elle soit *inquiète*.
→ ....

EXERCICES

6. J'apprécie d'être *intime* avec eux.

→ ....

7. Je m'imaginais qu'elle était une *tendre* compagne.

→ ....

8. Je croyais qu'elle me serait *fidèle*.

→ ....

10 ◆ ◆ ◆

Remplacez les expressions en italique par un adjectif dérivé du nom employé. Tous ces adjectifs se trouvent dans les glossaires thématiques C1-C3 ou C4-C5.

Modèle : Le gouverneur a eu un geste *témoignant de la miséricorde* à l'égard des condamnés.

→ Le gouverneur a eu un geste *miséricordieux* à l'égard des condamnés.

1. Ce détenu a été condamné à 20 ans de prison pour un crime *causé par la passion*.

....

2. Fier de sa victoire, le candidat extrémiste n'a eu pour ses adversaires qu'un sourire *manifestant du dédain*.

....

3. Qu'est-ce qui ne va pas ? Vous avez l'air *de vous faire du souci* !

....

4. Dans les dernières années le corps (= l'ensemble) *des électeurs* a beaucoup rajeuni.

....

5. Seuls les États qui ont un régime *fondé sur un parlement* peuvent faire partie de la Communauté européenne.

....

6. La victoire de notre équipe en quart de finale de la coupe du monde a soulevé l'enthousiasme *du peuple*.

....

7. Votre voisine de table regardait vos bijoux avec des yeux *pleins d'envie*.

....

8. Avant d'accéder à ses nouvelles fonctions, le ministre de l'Agriculture était un dirigeant *de syndicat*.

....

11 ◆ ◆ ◆

Reportez-vous aux instructions de l'exercice 4.

Ingrid et Alonso (2e partie)

Vous vous souvenez d'Ingrid et Alonso, une étudiante et un étudiant qui avaient fait connaissance à l'Alliance Française à Paris ? Eh bien ! au bout de quelques mois, ils *s'engagèrent à se marier* (1). Quelque temps après leurs noces, qui leur avaient permis de *faire venir* (2) à la mairie tous leurs amis communs, Ingrid *donna naissance* à (3) une petite fille, Cécilia.

C4-C5	**EXERCICES**

Tout était pour le mieux, car Alonso *ne trompait pas* (4) sa femme et comme il *avait reçu les biens* (5) de son père après son décès, ils s'installèrent, lui comme magistrat, elle comme conseillère juridique. Ils y menèrent une vie aisée, sans pour autant faire partie d'un *groupe de privilégiés* (6).

Bientôt, Alonso devint membre d'une *association à but politique* (7), il se présenta aux élections et *fut désigné par le peuple* (8) comme *représentant* (9) de son arrondissement au parlement. Malheureusement cette fonction lui donna tellement de travail qu'Ingrid se lassa de ne plus le voir à la maison. Ils *cessèrent* alors de *vivre ensemble* (10) avant de *briser leur mariage* (11) l'année suivante.

1................................ 2................................
3................................ 4................................
5................................ 6................................
7................................ 8................................
9................................ 10................................
11................................

12 ◆ ◆

En réunissant les sujets, les verbes et les compléments, composez toutes les phrases possibles.

1. Anne et Paul …
2. La société X et le Groupe métallurgique Y …
3. Cinquante étudiants …
4. 50 000 manifestants …

A. … se sont associés …
B. … se sont rassemblés …
C. … se sont mariés …
D. … se sont regroupés …
E. … se sont réunis …

a. après la manifestation.
b. pour préparer le voyage de la promotion.
c. pour créer une usine d'automobiles.
d. pour ouvrir une petite librairie.
e. pour protester contre le racisme.

13 ◆ ◆

Substituez aux termes en italique un terme synonyme à l'aide des indications SYN dans le glossaire thématique C4-C5.

1. Les syndicats font passer les intérêts *communs* (. . . . .) avant les intérêts individuels.
2. Malheureusement l'individualisme se développe et ils comptent de moins en moins de *membres* (. . . . .).
3. À la dernière réunion électorale, le *public* (. . . . .) a hué la plupart des orateurs.
4. Les délégués qui *se sont rassemblés* (. . . . .) à Paris ont pu bénéficier d'un billet *collectif* (de . . . . .).
5. Le cortège *s'assemblera* (. . . . .) place de la Bastille à 14 heures.
6. A la suite de la charge de police, la manifestation des étudiants *s'est débandée* (. . . . .).
7. Les représentants du parti libéral et ceux du parti social-démocrate se sont *alliés* (. . . . .) pour accorder la confiance au premier ministre.
8. Les parents n'ont invité aux noces de leur fille que des membres de leur *caste* (. . . . .).

C6-C8 TEXTES ET CONTEXTES

C6

Dans une **négociation**, le but n'est pas forcément que tous finissent par **être du même avis**. Se mettre d'**accord**, c'est toujours plus ou moins aboutir à un **compromis**. Si aucun des **négociateurs** n'accepte de **transiger**, il est inutile de **négocier**. Mais si l'on accepte de **s'entendre sur un point**, de faire quelques **concessions**, on peut finir par **s'arranger**.

• • •

Dans un groupe important, il est difficile d'obtenir l'**unanimité**. Il y a toujours quelque part une petite **brouille**, quelques personnes qui **ne sont pas du même avis**. D'ailleurs, quand trop de gens sont **unanimes**, c'est presque toujours parce qu'ils ne sont pas libres ou qu'ils n'ont pas le courage d'exprimer leur **désaccord**.

• • •

Pour l'anniversaire d'Alain, sa femme et ses amis ont monté un petit **complot**. Pendant qu'il était allé faire une partie de tennis, tous les **complices** se sont retrouvés chez lui et ils se sont cachés dans sa salle de bains. Le secret de la **conspiration** avait été bien gardé. Quand Alain est rentré, il a voulu prendre une douche. Il s'est retrouvé devant vingt **conjurés**, entassés dans la baignoire et sous le lavabo qui l'ont salué d'un : « Joyeux anniversaire ! »

C7-C8

Dans la vie politique, on a toujours le droit d'**attaquer** un adversaire, de **dénigrer** ses propositions, de l'**accuser** de ne pas présenter un programme utile et intéressant. Mais il faut que le débat reste **courtois** et que la discussion ne devienne pas un échange d'**insultes**. Chacun doit **tolérer** que l'autre puisse s'exprimer. D'autre part, dans la vie politique comme dans la vie courante, la loi punit la **calomnie** et la **diffamation**.

• • •

Dès qu'ils montent dans une automobile, les gens les plus calmes et les plus **polis** s'énervent. Si celui qui est devant ralentit, ils l'**insultent**. En cas d'accrochage, les **injures** les plus **grossières** sont échangées ? La **tolérance** laisse la place à la **méchanceté**. Comment comprendre que cet homme tout à l'heure **gentil**, cet homme qui avait demandé si **aimablement** qu'on veuille bien l'**excuser** pour son retard, soit maintenant cet individu qui adresse cent **insultes vulgaires** aux automobilistes qui « le gênent » ?

• • •

« Il faut être juste avant d'être **généreux**, comme on a des chemises avant d'avoir des dentelles. » (Chamfort, *Maximes*)

• • •

« L'**égoïsme** et la haine ont seuls une patrie,
La fraternité n'en a pas. » (Lamartine, *La Marseillaise de la Paix*)

C6-C8 | GLOSSAIRES THÉMATIQUES

C6 - ACCORD ET DÉSACCORD

L'ACCORD

ACCORD (l') — **1.** le fait d'être du même avis

→ **donner / retirer son accord** à quelqu'un

se mettre d'accord avec quelqu'un, être d'accord avec quelqu'un
faire quelque chose d'un commun accord

→ **s'accorder** avec quelqu'un sur quelque chose

→ le **désaccord** (= contraire d'accord)

être en désaccord avec quelqu'un

Je me suis mis d'accord avec Paul. Il m'a donné son accord pour s'occuper de l'affaire X. et moi je m'occupe de l'affaire Z. Il fallait que nous nous accordions sur cette question. Nous étions en désaccord depuis un mois.

2. décision commune de deux partenaires

Les syndicats et les patrons ont signé un accord sur les salaires.

ARRANGER
quelque chose
avec quelqu'un

= se mettre d'accord avec quelqu'un pour qu'un différent, un problème ou une difficulté disparaisse

→ **s'arranger** avec quelqu'un (= se mettre d'accord)

→ un **arrangement** (= une solution à un problème trouvée par accord des personnes concernées.)

un arrangement à l'amiable (= entre amis, sans intervention d'une autorité ou de la justice)

Paul et Jean veulent partir en vacances la même semaine. Ce n'est pas possible. Il faut qu'ils s'arrangent entre eux. Il faut qu'ils trouvent un arrangement à l'amiable. S'ils n'arrangent pas ce problème, le patron décidera pour eux.

AVIS (être du / avoir le même avis que quelqu'un) — **SYN** = être d'accord

CAUSE (faire cause commune avec quelqu'un) — = être d'accord avec les idées de quelqu'un et travailler avec lui au succès de ces idées

COMPROMIS (le) — = accord où chacun accepte de perdre quelque chose

Les syndicats et les patrons ont signé un compromis : les patrons accordent la hausse de salaire qu'ils refusaient mais elle est moins forte que celle que demandaient les syndicats.

CONCÉDER
quelque chose
à quelqu'un

= se mettre d'accord sur quelque chose avec quelqu'un mais rester en désaccord sur d'autres points

Je vous concède que je me suis trompé sur un aspect de la question et que vous aviez raison. Mais concédez-moi que j'avais raison sur les autres aspects.

→ **concession**, faire des concessions

Les syndicats et les patrons ont fait des concessions de part et d'autre et la discussion a pu avancer.

C6-C8　GLOSSAIRES THÉMATIQUES

CONSENSUS (le) ▆▆▆▆▆▆▆▆▆▆▆▆▆▆▆▆▆▆▆▆▆▆▆▆ = accord de plusieurs personnes

S'ENTENDRE ▆▆▆▆▆▆▆▆▆▆▆▆▆▆▆▆▆▆▆▆▆▆▆▆ = se mettre d'accord

avec quelqu'un sur → l'**entente** (= l'accord, la volonté de faire quelque chose en commun)
quelque chose
Le maire s'est entendu avec le comité des fêtes pour que la Place de la mairie accueille le bal. Cette entente se renouvellera pour d'autres fêtes.

→ la **mésentente** (SYN : la discorde)

MARCHÉ (conclure un marché avec quelqu'un) ▆▆▆▆▆▆▆▆▆▆▆▆ = se mettre d'accord, au sens strict, pour un échange commercial, un travail, etc.

→ « **marché conclu** » (= formule traditionnelle d'engagement verbal ; on y ajoute parfois une tape dans la paume de la main de celui avec qui on a conclu le marché)

MÉNAGE (faire bon ménage avec quelqu'un) ▆▆▆▆▆▆▆▆▆ = s'entendre bien avec quelqu'un (au sens strict : comme un ménage entre mari et femme)

Chiens et chats font rarement bon ménage.

NÉGOCIE ▆▆▆▆▆▆▆▆▆▆▆▆▆▆▆ = discuter avec quelqu'un pour arriver à un accord

→ la **négociation**
→ le **négociateur / -trice**
→ **négociable**

La négociation vaut mieux que la guerre. Tous les négociateurs le savent. Mais tout ne peut pas être négocié. Par exemple, l'indépendance nationale n'est pas négociable.

RÉCONCILIER ▆▆▆▆▆▆▆▆▆▆▆▆▆▆▆ = remettre d'accord, rendre de nouveau amis

quelqu'un avec *J'ai réconcilié Paul et Jean. Ils ne se parlaient plus depuis presque*
quelqu'un *une année entière.*

→ **se réconcilier** avec quelqu'un (= être de nouveau amis, d'accord, après avoir été brouillés, en désaccord
→ la **réconciliation**

La réconciliation franco-allemande après la Seconde Guerre mondiale est un fait essentiel dans l'histoire de l'Europe.

TRANSIGER ▆▆▆▆▆▆▆▆▆▆▆▆▆ = conclure un accord où chacun accepte de perdre un peu

→ la **transaction**, une transaction à l'amiable (SYN : un accord à l'amiable)
→ **intransigeant / -ante**

Une transaction est souvent préférable à un conflit. Mais il y a des gens intransigeants qui refusent de discuter.

UNANIME (un accord unanime) ▆▆▆▆▆▆▆▆▆▆▆▆▆ = l'accord de tous

→ l'**unanimité**

La loi a été votée à l'unanimité. Personne n'a voté contre.

C6-C8 GLOSSAIRES THÉMATIQUES

L'ACCORD SECRET

COMPLICE (le / la) ▰▰▰▰▰▰▰▰▰▰▰▰▰ = celui / celle qui aide quelqu'un
à accomplir une action interdite par la loi, la morale

→ la **complicité**

La police a arrêté le voleur et son complice qui attendait dans la voiture.
Elle a la preuve de leur complicité.

COMPLOTER ▰▰▰▰▰▰▰▰▰ SYN : conspirer / **1.** se mettre secrètement d'accord
avec quelqu'un pour attaquer en paroles ou en actes quelqu'un ou une institution

→ le **complot**, être dans le complot (SYN : la conspiration)
→ le **comploteur / -euse** (SYN : le conspirateur)

Ce groupe armé complotait contre la République. La police a découvert
le complot et elle a arrêté les comploteurs.

2. (familier) = préparer une surprise à quelqu'un

On complote de faire un cadeau à André pour son anniversaire.
Tout le bureau est dans le complot.

CONJURÉS / -ÉES (les) ▰▰▰▰▰▰▰▰ SYN : les comploteurs, les conspirateurs

→ la **conjuration** (SYN : le complot, la conjuration)

CONNIVENCE (être de connivence avec quelqu'un) ▰▰▰▰▰▰ = être complice de quelqu'un

CONSPIRER ▰▰▰▰▰▰▰▰▰▰▰▰▰▰▰▰ SYN : comploter
contre quelqu'un

→ le **conspirateur / -trice**
→ la **conspiration** (SYN : le complot, la conspiration)

LE DÉSACCORD

SE BROUILLER (être brouillé avec quelqu'un) ▰▰▰▰▰▰▰ = ne plus être d'accord

→ la **brouille** (SYN : le désaccord)

Paul et Jean ne se parlent plus. Ils sont brouillés à cause d'une histoire
de femme.

DISCORDE (la) ▰▰▰▰▰▰▰▰▰▰▰▰▰ = l'absence d'accord, de consensus

SE FÂCHER ▰▰▰▰▰▰▰▰▰▰▰▰▰▰▰ = se mettre en colère

Si ce travail n'est pas fini demain, je me fâcherai.

→ se fâcher avec quelqu'un / contre quelqu'un (= ne plus être d'accord /
SYN : se brouiller)

MÉSENTENTE (la) ▰▰▰▰▰▰▰▰▰▰▰▰▰▰▰ voir : s'entendre

ROMPRE ▰▰▰▰▰▰▰▰▰▰▰ = ne pas continuer un dialogue, une entente
quelque chose

→ la **rupture**

Les négociations entre parents et syndicats ont été rompues à minuit. Cette
rupture entraîne un nouveau jour de grève.

Attention : voir aussi C4.

C6-C8 GLOSSAIRES THÉMATIQUES

C7 - ATTAQUER LES AUTRES

ACCUSER ▬▬▬▬▬▬▬▬▬▬▬▬ = dire que quelqu'un a fait quelque chose de mal

quelqu'un
→ l'**accusation**
→ l'**accusé / -ée** (= celui qui est accusé)
→ l'**accusateur / -trice** (= celui qui accuse)

M. Y est accusé d'avoir commis un crime. L'accusation s'appuie sur plusieurs preuves. Mais l'accusé affirme qu'il est innocent.

ATTAQUER ▬▬▬▬▬▬▬▬▬▬▬▬▬▬▬ **1.** faire violence

quelqu'un / quelque chose
→ l'**attaque**, une attaque à main armée

Des bandits ont attaqué un banquier. L'attaque a eu lieu à midi en plein centre de la ville.

2. critiquer avec force

Les journaux de l'opposition ont attaqué le ministre.

BOUE (traîner quelqu'un dans la boue) ▬▬▬▬▬▬▬ = dire beaucoup de mal de quelqu'un

CALOMNIER ▬▬▬▬▬▬▬▬▬▬▬ = mentir pour accuser quelqu'un de fautes graves

quelqu'un
→ la **calomnie**
→ le **calomniateur / -trice**

M. Z avait dit en public que M. Y était un voleur. M. Y a porté plainte contre cette calomnie. Son calomniateur a été condamné à une amende.

DÉNIGRER ▬▬▬▬▬▬▬▬▬▬▬▬ = dire du mal de quelqu'un

quelqu'un

DIFFAMER ▬▬▬▬▬▬▬ **SYN** : calomnier / = porter atteinte à la réputation de quelqu'un

quelqu'un
→ la **diffamation**, porter plainte pour diffamation
→ le **diffamateur / -trice**

Attention : la **calomnie** et la **diffamation** sont des actes graves qui conduisent leurs auteurs en justice. **Dénigrer** quelqu'un est un acte plus banal de méchanceté quotidienne. Mais à force de **dénigrer** on peut finir par **diffamer**.

GROSSIER (être grossier) ▬▬▬▬▬▬ **SYN** : être impoli/vulgaire / **CONTR** : être poli/courtois/aimable / = avoir une attitude qui ne respecte pas les autres, ne pas être aimable /

→ la **grossièreté** (**CONTR** : la politesse)
→ **grossièrement**, parler grossièrement
→ un **gros mot**, dire des gros mots (= expression qu'on utilise avec les enfants, mais aussi entre adultes, pour désigner les mots grossiers, vulgaires)

Ce type est un grossier personnage. Il n'arrête pas de dire des gros mots et il a toujours une injure à la bouche.

C6-C8	GLOSSAIRES THÉMATIQUES

INJURIER ▬▬▬▬▬▬▬▬▬▬▬▬▬▬▬▬▬▬▬▬▬▬ SYN : insulter

quelqu'un

→ une **injure** (= mot généralement grossier qui est dit pour blesser quelqu'un, pour signifier qu'on le méprise)

dire / lancer / échanger des injures
Les deux automobilistes se sont lancé des injures avant de se battre à coups de poing.

→ **injurieux / -euse**, parler à quelqu'un d'un ton injurieux (voir aussi A2)

INSULTER ▬▬▬▬▬▬▬▬▬▬▬▬▬▬▬▬▬▬▬▬▬▬ SYN : injurier

quelqu'un

→ une **insulte**, lancer / échanger des insultes
→ **insultant / -ante**, une remarque insultante

Attention : **insulte** et **injure** sont souvent synonymes. Mais **injure** est le terme que retient la loi. On porte plainte en justice pour *injure grave*.

MÉCHANT ▬▬▬▬▬▬▬▬▬▬▬▬▬▬ = qui fait le mal, qui fait souffrir les autres / CONTR : bon

→ la **méchanceté** (CONTR : la bonté, la gentillesse)

La méchanceté de ce type est incroyable. Il prend plaisir à faire souffrir les autres. Il est vraiment méchant.

VIOLER ▬▬▬▬▬▬▬▬▬▬▬▬▬ 1. violer quelqu'un = forcer quelqu'un à accomplir l'acte sexuel

→ le **viol**
→ le **violeur**

Les femmes hésitent à porter plainte pour viol parce que la police et la justice ne sont pas toujours assez attentives à ce crime. Il est trop facile de dire que la femme a aguiché le violeur.

2. violer un domicile = y entrer sans être autorisé

→ **violer l'intimité de** quelqu'un (= l'espionner)
→ **violer un secret** (= le révéler, ne plus garder le secret)

VULGAIRE (être vulgaire) ▬▬▬▬▬▬▬▬▬▬▬▬▬▬▬▬ SYN : être grossier

→ la **vulgarité** (SYN : la grossièreté)
→ **vulgairement**, parler vulgairement

On peut dire « Merde ! » avec politesse et « Bonjour ! » avec vulgarité. Tout est dans le comportement, la manière.

C8 - ÊTRE ATTENTIF AUX AUTRES

AIMABLE ▬▬▬▬▬▬▬▬▬▬▬▬▬▬▬▬▬ SYN : gentil / = de bonne compagnie

→ **aimablement**
→ l'**amabilité**

C'est un homme aimable. Il m'a reçu aimablement, avec amabilité.

AFFABLE ▬▬▬▬▬▬▬▬▬▬▬▬▬▬▬▬▬▬▬▬▬▬ SYN = gentil, aimable

C6-C8 GLOSSAIRES THÉMATIQUES

ALTRUISTE ▬▬▬▬▬▬ SYN : généreux / CONTR : égoïste / = qui aide les autres, qui fait le bien
→ l'**altruisme** (SYN : la générosité / CONTR : l'égoïsme)

Remarque : terme créé par le philosophe Auguste Comte. Il appartient à la langue savante plus qu'au vocabulaire commun.

BIENVEILLANT ▬▬▬▬▬▬ = qui prend soin des autres, qui les écoute
→ la **bienveillance**

Attention : la **bienveillance** est une attitude de simple bonté, d'ouverture. La **générosité**, l'**altruisme** et la **charité** demandent plus : il faut vraiment aimer et aider les autres.

BON / BONNE ▬▬▬▬▬▬ = qui fait le bien, qui aide les autres / CONTR : méchant
→ la **bonté**

CHARITÉ (la) ▬▬▬▬▬▬ 1. amour de Dieu et des hommes (sens religieux)
2. grande attention aux autres pour les aider
→ faire la charité (= donner de l'argent à un pauvre)
→ **charitable**
→ **charitablement**

Les gens vraiment charitables ne se contentent pas de faire la charité.
Ils aident charitablement les autres à vivre.

COURTOIS (être courtois) ▬▬▬▬▬▬ = être très poli
→ une attitude courtoise, un geste courtois
→ la **courtoisie** (= grande politesse, en particulier envers les femmes)

ÉGOÏSTE (l') ▬▬▬▬▬▬ = celui qui n'aime que lui, qui refuse d'aider les autres
CONTR : altruiste, généreux, charitable
→ l'**égoïsme**
→ **égoïstement**, agir égoïstement

Ne soyez pas égoïstes, ne faites pas preuve d'égoïsme, aidez ceux qui souffrent, qui sont dans la misère.

EXCUSER ▬▬▬▬▬▬ = ne pas tenir compte d'une erreur, d'une maladresse, d'un dérangement
quelqu'un
Je vous prie de m'excuser pour mon retard mais l'avion a atterri plus tard que prévu.
→ l'**excuse**, présenter ses excuses
→ **s'excuser**

Attention : Au sens strict on *est excusé* par celui qui *vous excuse*. Dire : « *Je m'excuse d'arriver en retard* », c'est en fait **s'excuser** soi-même ! Mais la formule est pourtant couramment employée.

GÉNÉREUX ▬▬▬▬▬▬ = bon, d'une bonté active
→ la **générosité**
→ **généreusement**

Jean a une grande générosité. Il passe généreusement plusieurs heures de ses loisirs à s'occuper d'enfants handicapés.

C6-C8 GLOSSAIRES THÉMATIQUES

GENTIL ████████████████████ SYN : aimable / = agréable à connaître, à fréquenter
→ la **gentillesse**
→ **gentiment**
C'est un gentil garçon. Il m'a aidé avec gentillesse.

MISÉRICORDE (la) ████████████████████ SYN : le pardon
→ **miséricordieux / -euse** (vocabulaire religieux)

PARDONNER ████████ = ne plus tenir compte d'une attaque ou d'une méchanceté qu'on a subie /
quelque chose
à quelqu'un   CONTR : garder rancune à quelqu'un de quelque chose
→ le **pardon**
La victime de l'agression a pardonné à son agresseur.
Attention : on utilise souvent les formules « *Pardonnez-moi si je vous
dérange mais…* » ou « *Je vous demande pardon mais je voudrais savoir si…* »
pour dire « *Excusez-moi…* ». En fait le **pardon** est une attitude de générosité,
de bonté alors que l'**excuse** est un acte de politesse.

POLI (être poli / -ie) ████████ SYN : être courtois / CONTR : être grossier /
= avoir un comportement aimable à l'égard des autres
→ la **politesse**, les règles de politesse (SYN : la courtoisie)
répondre avec politesse (CONTR : la grossièreté)
→ **poliment**
→ **impoli / -ie**
*Vous pourriez être poli et vous excuser quand vous marchez sur les pieds des
gens. On ne vous a pas appris la politesse ?*

TOLÉRER ████████ = accepter et respecter d'autres opinions que les siennes
→ la **tolérance**, l'**intolérance**
→ **tolérant / -ante, intolérant / -ante**
*La tolérance est la base de la paix. L'intolérance politique ou religieuse
entraîne toujours la guerre.*
Attention : Voir C6.

| C6-C8 | **EXERCICES** |

14 ◆

Terminez chaque phrase en utilisant pour chaque blanc l'un des mots donnés. Attention aux accords.

égoïsme - compromis - généreux - complice - accord - négociateur - insulter - pardonner - accuser - avis - générosité - s'arranger - vulgarité - violeur - diffamer - rompre

1. Après deux heures de discussion, les . . . . . sont arrivés à un . . . . . acceptable par les deux camps.

2. Je me suis . . . . . avec Jean. Il pourra me prêter sa camionnette.

3. Comme je ne partage pas son . . . . . , nous avons . . . . . nos . . . . . .

4. La police a arrêté le . . . . . et son . . . . . . La malheureuse jeune femme a reconnu ses deux agresseurs.

5. Le député a déposé une plainte contre son adversaire. Il l' . . . . . de l'avoir . . . .

6. La femme élégante est sortie de sa luxueuse voiture, et elle a commencé à . . . . . l'autre automobiliste avec une . . . . . incroyable.

7. Vous avez tort de refuser de . . . . . à Paul. Soyez . . . . . . Je vous assure qu'il regrette le tort qu'il vous a fait sans le vouloir.

8. En faisant appel à notre . . . . . . , des organismes comme l'Unicef ou Médecins sans frontières nous aident à sortir de notre . . . . . .

15 ◆

Chacune des phrases suivantes comporte un verbe (en gras) et un nom d'action dérivé de ce verbe à l'aide d'un suffixe Ø (en italique). Choisissez le genre de l'article ou de l'adjectif démonstratif précédant le nom d'action.

1. Ils ont **comploté** contre le régime ; je dénonce *ce / cette* **complot**.

2. Vous m'avez **attaqué** grossièrement ; *un / une tel(le)* **attaque** est inadmissible !

3. Ils l'ont **violée** ; il faut les condamner pour *ce / cette* **viol**.

4. Je n'aime pas qu'on s'**entende** contre moi ; je briserai *cet / cette* **entente** qui me fait du tort.

5. Vous m'avez **calomniée** ; je vous ferai payer cher *ce / cette* **calomnie**.

6. Ils se sont **brouillés** mais *ce / cette* **brouille** n'est sans doute pas très grave.

7. Certes vous m'avez demandé de vous **excuser**, mais *un / une* **excuse** ne suffira pas à réparer le mal commis.

8. Je vous **pardonne**, vous avez *mon / ma* **pardon**.

9. Il m'a **injurié** en pleine rue ; je ne lui pardonnerai jamais *cet / cette* **injure**.

10. Il a **insulté** la mémoire de son père. *Cet / cette* **insulte** l'a profondément blessée.

141

C6-C8 | EXERCICES

16 ◆ ◆

a) Achevez chaque phrase par un nom de propriété dérivé de l'adjectif qui apparaît dans la première partie de la phrase et rangez ce nom dans l'une des quatre colonnes prévues en fonction du suffixe qui sert à le former : *-ité, -(e)té, -ance* ou autre.

Ils sont …	Je constate leur …			
grossiers	*-ité*	*-(e)té*	*-ance*	*autre*
grossiers		grossièreté		
unanimes				
courtois				
égoïstes				
bienveillants				
complices				
vulgaires				
méchants				
bons				
aimables				
intolérants				
généreux				

b) Dans 4 des noms de propriété que vous avez dû trouver, le radical a été légèrement modifié. Indiquez ces quatre noms en séparant par un + le radical et le suffixe.

. . . . . + ... + ...
. . . . . + ... + ...

17 ◆ ◆ ◆

Se reporter à l'exercice 4.

Ingrid et Alonso (3ᵉ partie, voir les exercices 4, 11 et 25)

Quand Ingrid et Alonso divorcèrent, chacun d'eux voulut avoir la garde de la petite Cécilia âgée de quatre ans. L'*absence d'accord* (1) entre les parents était dramatique pour l'enfant et, après avoir vainement tenté de les *remettre d'accord* (2), le juge leur proposa *une solution par accord entre eux deux* (3) : Ingrid reconnaissait qu'Alonso avait eu une conduite irréprochable et en échange Alonso achetait à Ingrid un appartement voisin. Ils *s'entendirent sur cet accord* (4) pour le bien de la petite qui vécut dès lors indifféremment chez l'un et l'autre.
Mais peu après, plusieurs ennemis d'Alonso *se mirent secrètement d'accord* (5) contre lui et l'adversaire malheureux d'Alonso aux élections le *critiqua violemment* (6) dans ses réunions politiques, *porta atteinte à sa réputation* (7) et se livra à une *accusation mensongère* (8). Selon lui, Alonso aurait *forcé une jeune fille à accomplir l'acte sexuel avec lui* (9). Devant des *paroles si blessantes* (10), Ingrid ne voulut pas *refuser de l'aider* (11) et et elle travailla *avec lui au succès de sa défense* (12).
(À suivre exercice 25)

1 .... 2 .... 3 ....
4 .... 5 .... 6 ....
7 .... 8 .... 9 ....
10 .... 11 .... 12 ....

C6-C8 EXERCICES

18 ◆ ◆ ◆

Voici huit injures :

*1 : Patate ! 2 : Salaud ! 3 : Imbécile ! 4 : Crétin ! 5 : Pignouf ! 6 : Fumier !
7 : Cornichon ! 8 : Espèce d'âne !*

**a) Lesquelles de ces injures sont des noms qui ont un autre sens ?
Cherchez ce sens et expliquez l'injure.**

b) Classez ces huit injures dans l'une des colonnes du tableau suivant :

Injures « gentilles » presque amicales	Injures graves qui expriment la colère	Injures très graves, très violentes et vulgaires
....	....	....
....	....	....
....	....	....
....	....	....
....	....	....

19 ◆ ◆

Substituer dans la lettre ci-dessous un synonyme aux termes en italique.

Chère Maman,
Je t'ai écrit la semaine dernière (voir l'exercice 6) que j'avais trouvé les invités
des X *grossiers* (1 : . . . . .) et peu *polis* (2 : . . . . .) à mon égard. Seul Patrick,
leur fils, s'était montré *aimable* (3 : . . . . .), car il est d'un caractère *altruiste*
(4 : . . . . .). Mais j'ignorais que ces invités ne connaissent entre eux que
la *discorde* (5 : . . . . .), qu'ils se sont tous *fâchés* (6 : . . . . .) et *complotent*
(7 : . . . . .) pour se voler leurs relations d'affaires. C'est un joli monde, où
on n'hésite pas à *diffamer* (8 : . . . . .) son voisin de table derrière son dos
ou même à l'*injurier* (8 : . . . . .) en public. Chez eux ni *pardon* (10 : . . . . .)
ni *altruisme* (11 : . . . . .). Ils ne songent qu'à leurs intérêts mesquins avec
une détestable *vulgarité* (12 : . . . . .). Seul Patrick est un vrai « gentleman »,
mais se souviendra-t-il de moi ?

TEXTES ET CONTEXTES

C9-C11

Le 12 juillet 1789, on apprit à Paris que le **roi** avait **ordonné** le renvoi de Necker, le ministre le plus populaire. Ce renvoi avait été **exigé** par des **aristocrates** qui voulaient que le **roi** reste le seul **chef légitime** de l'État. Lui seul devait détenir le **pouvoir** et le peuple devait **se soumettre**. Ces hommes n'avaient pas **approuvé** la convocation des États généraux. Ils **refusaient** d'entendre les propositions faites par les **représentants** du peuple. Necker, à leur avis, allait **consentir** à faire trop de réformes. Quand la nouvelle arriva à Paris, l'**émeute** commença. Des orateurs comme Camille Desmoulins appelèrent le peuple à lutter contre la **tyrannie**. Très vite, la **révolte** grandit et, le 14 juillet, le peuple prend d'assaut la Bastille, vieille forteresse sans importance particulière, mais qui était le symbole du **pouvoir arbitraire**. Le **gouverneur** de la forteresse fait tirer au canon sur les **insurgés :** il est massacré. Le lendemain, La Fayette est nommé **commandant** de la Garde nationale de Paris. Le 16 juillet, Louis XVI doit **se résigner** à rappeler Necker. La **Révolution** est en marche…

• • •

Les Français ont toujours des querelles avec leur **administration**. Ils se **révoltent** souvent **contre** ses **règlements**, ses lenteurs. Ils lui reprochent d'être **dirigée** par trop de **chefs** et surtout de **sous-chefs** qui jouent aux petits **dictateurs**. Les **décisions administratives** sont parfois incompréhensibles : Pourquoi ceci est-il **autorisé ?** Pourquoi ceci est-il **interdit ?** Et pourtant, les **administrés** devraient pouvoir connaître clairement de quel côté est la **légalité** et de quel côté est l'**illégalité**.

• • •

La **loi** est au-dessus des **règlements**. Par exemple, une associations ne peut pas **adopter** un **règlement illégal**. Les adhérents auraient le droit de s'y **opposer** et leur **désobéissance** serait alors **légale**.

• • •

Dès l'annonce du **coup d'État**, des **manifestations** ont eu lieu. Les **manifestants** criaient leur **refus** de **se soumettre** à un pouvoir **totalitaire**. Ils réclamaient le retour à un État **démocratique**.

• • •

« Il y a trois espèces de **gouvernements :** le **républicain**, le **monarchique** et le **despotique…** Le gouvernement **républicain** est celui où le peuple… a la **souveraine puissance ;** le **monarchique**, celui où un seul **gouverne**, mais par des lois fixes et établies ; au lieu que, dans le **despotique**, un seul, sans lois ni règles, entraîne tout par sa volonté et ses caprices. » (Montesquieu, *L'Esprit des Lois*)

• • •

« L'extrême **obéissance** suppose de l'ignorance dans celui qui **obéit ;** elle en suppose même dans celui qui **commande**. » (*Idem*)

• • •

C9-C11 | TEXTES ET CONTEXTES

« Au commencement d'une grande **révolution démocratique**, le peuple s'efforce de centraliser l'**administration** publique dans les mains du **gouvernement**, afin d'arracher la **direction** des affaires locales à l'**aristocratie**. Vers la fin de cette même **révolution**, au contraire, c'est l'**aristocratie** vaincue qui tâche de livrer à l'État la **direction** de toutes les affaires, parce qu'elle redoute la **tyrannie** du peuple, devenu son égal et souvent son maître. » (Tocqueville, *De la démocratie en Amérique*)

• • •

« Il y a de nos jours, beaucoup de gens qui s'accommodent très aisément de cette espèce de compromis entre le **despotisme administratif** et la **souveraineté** du peuple, et qui pensent avoir assez garanti la liberté des individus, quand c'est au **pouvoir** national qu'ils la livrent. Cela ne me suffit point. La nature du maître m'importe moins que l'**obéissance**. » (*Idem*)

• • •

« Le **gouvernement** a gardé son sang-froid et n'a cédé ni à la panique, ni à la pression de l'**opposition**. Même si les **décisions** du conseil restreint n'ont pas désarmé ses critiques. » (J.-L. Andréani, *Le Monde*, 5 janvier 91)

• • •

« Le conseil a jugé nécessaire « d'affirmer davantage encore l'**autorité** de l'État »… pas seulement dans les domaines de la police et de la justicen, mais dans tous les domaines **administratifs**. » (*Le Monde*, 5 janvier 91)

C9-C11 — GLOSSAIRES THÉMATIQUES

C9 - L'AUTORITÉ ET L'ABUS D'AUTORITÉ

Attention : plusieurs des mots étudiés dans les sous-groupes C9 et C11 vous sembleront peut-être un peu difficiles. Ce sont des mots qui appartiennent au vocabulaire fondamental du français, mais qui appartiennent aussi au vocabulaire de la loi. Nous n'avons pas voulu les donner avec les définitions qu'ils ont dans les livres de Droit parce que la plupart des Français ignorent ces définitions. Elles sont le travail des hommes politiques, des juges et des avocats. Mais nous avons malgré tout essayé de donner une idée du sens exact à côté du sens courant… et souvent imprécis !

ABSOLU (pouvoir) ▬▬▬▬▬▬▬▬▬▬ SYN : despotisme / = pouvoir sans contrôle

→ l'**absolutisme**

Les philosophes du 18ᵉ siècle ont lutté contre l'absolutisme du pouvoir royal.

ADMINISTRER ▬▬▬▬▬▬▬▬▬▬ = organiser et diriger les services de l'État

→ l'**administration** (= les services de l'État)

→ l'**administrateur / -trice** (= qui dirige un secteur d'administration)

→ l'**administré** (= le citoyen par rapport à l'administration)

→ **administratif / -ive**

Les Français reprochent à l'administration de ne pas faire attention aux administrés et de publier des textes administratifs trop nombreux et illisibles.

(Voir aussi D9)

ARBITRAIRE ▬▬▬▬▬▬▬▬▬▬ = qui dépend de la seule volonté non légitime de quelqu'un /

Contr : légal, légitime

→ un pouvoir arbitraire, une décision arbitraire

→ l'**arbitraire** (= qui ne dépend pas de la loi)

On est en plein arbitraire. L'administration prend ses décisions « à la tête du client » et sans obéir à la loi.

ARISTOCRATIE (l') ▬▬▬▬▬▬▬▬ 1. forme de gouvernement où le pouvoir appartient à un petit nombre de privilégiés

2. classe des nobles, des privilégiés (de l'Ancien Régime)

→ les **aristocrates**

Dans la société de l'Ancien Régime (= la France d'avant la Révolution de 1789), les aristocrates soutenaient le pouvoir royal.

→ **aristocratique**, un gouvernement aristocratique

AUTORISER ▬▬▬▬▬▬▬▬▬▬ SYN : permettre / Contr : interdire / = laisser faire quelque chose qu'on aurait pu ne pas laisser faire

→ l'**autorisation**

Le maire m'a autorisé à garer ma voiture sur le trottoir pendant les travaux. J'ai l'autorisation de la garer devant chez moi.

C9-C11 GLOSSAIRES THÉMATIQUES

AUTORITÉ (l') ▬▬▬▬▬▬▬▬▬▬▬▬ **1.** le pouvoir légal sous toutes ses formes

→ les **autorités** (= toutes les personnes qui ont un pouvoir)

La cérémonie a eu lieu en présence des autorités administratives, militaires et religieuses.

2. la manière de commander

→ avoir de l'autorité, manquer d'autorité

→ **autoritaire**

→ l'**autoritarisme**

Paul sait commander. Il parle avec autorité. Il n'a pas besoin de répéter ses ordres. Mais Pierre ne sait pas se faire obéir. Alors il prend un ton autoritaire, il crie, il menace. Ce n'est plus de l'autorité, c'est de l'autoritarisme.

CHEF (le) / (la chef : familier) ▬▬▬▬▬▬ = celui / celle qui commande un groupe

→ le chef de l'État (= le président de la République)

→ le **sous-chef**

COMMANDER ▬▬▬▬▬▬▬ **SYN** : ordonner / = donner l'ordre de faire quelque chose

→ le **commandement** (SYN : l'ordre)

DÉCIDER ▬▬▬▬▬▬▬▬▬▬▬▬ = choisir et agir selon sa volonté

de faire quelque chose / que (Indic)

J'ai décidé de ne plus fumer / que je ne fumerai plus.

→ la **décision**, une décision politique, économique…

prendre / soutenir / renoncer à / refuser une décision

Attention : voir aussi D1.

DÉCRÉTER ▬▬▬▬▬▬▬ = donner un ordre, prendre une décision pour un pouvoir politique

→ le **décret** (= le texte de l'ordre décrété)

Le gouvernement a décrété que les prix de l'essence seront fixés par le ministre de l'Industrie pendant une période de un mois. Le décret paraîtra au Journal officiel.

Attention : la **loi** est un texte qui a été voté par le parlement, les députés. Le **décret** est un acte du gouvernement qui n'a pas été discuté par les députés.

DÉFENDRE ▬▬▬▬▬▬▬ **SYN** : interdire / = ordonner de ne pas faire quelque chose

de faire quelque chose

→ la **défense** (SYN : l'interdiction)

→ **défendu** (SYN : interdit)

La loi défend de faire du bruit après 22 heures. Défense de faire du bruit. Il est défendu de faire du bruit la nuit.

DÉLÉGUER ▬▬▬▬▬▬▬ **1. SYN** : se faire représenter / déléguer quelqu'un

= envoyer quelqu'un pour parler au nom d'une collectivité précise

La France a délégué son ancien ambassadeur en Argentine pour participer à la conférence.

→ le **délégué / -ée** (= celui qui est délégué / SYN : le représentant)

→ la **délégation** (= le groupe des délégués)

Les délégués des différents pays aux Nations Unies se sont réunis hier. La délégation française a pris contact avec plusieurs délégations européennes et africaines.

147

C9-C11 | GLOSSAIRES THÉMATIQUES

2. déléguer son autorité à quelqu'un
= permettre à quelqu'un d'exercer cette autorité à votre place

→ la **délégation** (= l'acte officiel qui autorise quelqu'un à exercer une autorité à la place d'un autre)

Pendant mon absence, je délègue mes pouvoirs à Monsieur Paul X. Cette délégation de pouvoirs lui permettra de prendre toutes les décisions qu'il jugera utiles.

DÉMOCRATIE (la) ▬▬▬▬▬▬▬▬▬ = État où le pouvoir est exercé par des autorités élues dans des élections libres et organisées à des dates prévues

→ le **démocrate** (= celui qui est favorable à la démocratie)
→ **démocratique, antidémocratique**

La liberté de la presse est une liberté démocratique. Toute loi qui la limite est une loi antidémocratique.

DESPOTE (le) ▬▬▬▬▬▬▬▬▬ **1.** Spéc = celui qui gouverne sans que son pouvoir soit contrôlé par des députés librement élus

→ le **despotisme**
→ **despotique**

*Le système politique de la royauté absolue est un système despotique.
En revanche si le pouvoir royal est contrôlé par un parlement, le roi cesse d'être un despote.*

Attention : le **dictateur** est un **despote** mais qui gouverne par la terreur, la violence. Par exemple, le roi de France Louis XIV était un **despote**.
Il gouvernait selon sa seule volonté. On ne peut pas dire que c'était un **dictateur**.

2. (courant) = quelqu'un qui commande avec trop d'autoritarisme

Ce patron est un vrai despote. Il se cherchera une autre secrétaire. Moi, je m'en vais.

Attention : dans ce sens familier, on emploie souvent **despote**, **tyran** et **dictateur** comme des synonymes.

DICTATEUR (le) ▬▬▬▬▬▬▬ **1.** Spéc = celui qui gouverne par la force et sans contrôle de son pouvoir par des députés librement élus

→ la **dictature** (= gouvernement par la force)

2. (courant) = quelqu'un qui commande en abusant de son autorité

Il commande sa femme et ses enfants comme un vrai dictateur !

Attention : voir despote (2)

DIRIGER ▬▬▬▬▬▬▬▬▬▬ = commander, être à la tête de, le chef de

→ le **directeur**, la **directive**,
directorial, le **dirigisme**, les **dirigeants** : voir D9

EXIGER ▬▬▬▬▬▬▬▬▬▬ = ordonner sans accepter la discussion

→ une **exigence**

Je n'ai qu'une exigence : j'exige que vous me rendiez immédiatement le dossier que vous avez pris sur mon bureau.

→ **exigeant / -ante** (voir aussi A7)

C9-C11 GLOSSAIRES THÉMATIQUES

GOUVERNER = diriger un État

→ le **gouvernement** (= ceux qui dirigent l'État au plus haut niveau ; en France : le premier ministre et les ministres sous l'autorité du président de la République)

→ le **gouverneur** (= personne qui gouverne un établissement précis)

le gouverneur de la Banque de France

INTERDIRE **SYN** : défendre / CONTR : autoriser, permettre

→ l'**interdiction**

→ **interdit**

La direction du zoo interdit de donner à manger aux animaux.
Il est interdit de donner à manger aux animaux.
L'interdiction est affichée partout.

→ l'**interdit**

Notre société n'obéit plus à certains interdits sexuels qui étaient encore jugés importants il y a cinquante ans.

LÉGAL / ILLÉGAL = qui est / n'est pas autorisé par la loi

→ la **légalité** / l'**illégalité**, vivre dans l'illégalité

→ **légalement** / **illégalement**

LOI (la) = dans un État démocratique, texte voté par le parlement et qui sert de règle à la vie de l'État et des citoyens

→ **légiférer** (= proposer, discuter, modifier, voter une loi)

→ **législatif** / **-ve** (= qui légifère)

En France, le pouvoir législatif est exercé par l'Assemblée nationale et le Sénat.

Attention : la **loi** n'est pas un simple **règlement**. Elle s'applique à toute la collectivité nationale. La **loi** est au-dessus des **règlements** particuliers. Par exemple, dans une association, vous ne pouvez pas adopter un **règlement** contraire à la **loi**.

LÉGITIME / ILLÉGITIME = conforme / ou non conforme au droit, à la justice

→ être en état de légitime défense

Le policier a tiré un coup de feu sur le voleur qui le menaçait de son fusil.
Le policier était en état de légitime défense.

→ la **légitimité** / l'**illégitimité**

Attention : est **légal** ce qui est conforme aux lois au sens strict, ce qui ne désobéit pas aux lois. Est **légitime** ce qui est conforme à quelque chose qui est au-dessus des lois écrites, la justice. Par exemple, dans une dictature, se révolter contre le pouvoir est **illégal** mais c'est une attitude d'homme libre, donc une attitude **légitime**. La **légalité** est définie par les lois, la **légitimité** est affaire de cœur, d'idée qu'on a de la dignité de l'homme.

C9-C11 GLOSSAIRES THÉMATIQUES

MONARCHIE ▬▬▬▬▬▬▬▬▬▬▬▬▬▬▬ SYN : royauté

→ le **monarque** (SYN : roi)

→ **monarchique**

OPPRIMER ▬▬▬▬▬▬▬▬▬▬ = gouverner par la violence, la terreur

→ l'**oppression**

→ l'**oppresseur**

ORDONNER ▬▬▬▬▬▬ SYN : commander / CONTR : obéir / = dire à quelqu'un ce qu'il doit faire
en ayant le pouvoir légal ou moral de le forcer à le faire

→ l'**ordre** (= expression d'un pouvoir légal ou moral)

donner / recevoir un ordre

*Le policier m'a ordonné d'arrêter ma voiture sur le côté de la route. J'ai obéi
à son ordre.*

PERMETTRE ▬▬▬▬▬▬▬▬▬▬ SYN : autoriser / CONTR : défendre de, interdire /
= laisser faire quelque chose qu'on aurait pu interdire

→ la **permission** (SYN : l'autorisation)

*Comme j'avais fini mes devoirs, ma mère m'a donné la permission de sortir
avec mes amis.*

→ le **permis** (= acte officiel qui permet de faire quelque chose)

le permis de conduire, un permis de chasse

→ **permissif / -ve** (= qui laisse trop de liberté)

Tu es trop permissive avec ta fille. Elle ne devrait pas sortir si tard le soir.

POUVOIR (le) ▬▬▬▬▬▬▬▬ 1. avoir le pouvoir de faire quelque chose = avoir reçu
de la loi, l'autorisation de faire quelque chose

→ un abus de pouvoir

La police a le pouvoir d'interroger un suspect, d'arrêter un coupable.

2. le pouvoir = le gouvernement, les autorités politiques en général

Les députés de l'opposition ont protesté contre les décisions du pouvoir.

PRÉSIDENT (le) ▬▬▬▬▬▬▬ = chef élu d'une association, d'une assemblée

→ le **président / -ente**

1. celui qui préside une assemblée, une association

Je suis le président du club de natation de ma commune.

2. dans les républiques, le chef de l'État

Le président parlera ce soir à la télévision.

→ **présider**

Attention : voir aussi D9

| C9-C11 | **GLOSSAIRES THÉMATIQUES** |

PUISSANT ▬▬▬▬▬▬▬▬▬▬▬▬▬▬▬▬▬▬▬▬ = très fort

→ la **puissance** (= le fait d'être puissant)

→ une **puissance** (SYN : un État)

Les grandes puissances, les superpuissances

RÈGLEMENT (le) ▬▬▬▬▬▬▬▬▬▬▬▬▬ = texte qui expose les conditions du bon fonctionnement d'un groupe organisé

Le règlement de la bibliothèque dit que les lecteurs ne doivent pas écrire sur les livres.

→ **réglementaire** (= qui est conforme au règlement)

→ la **réglementation**

La réglementation des prix interdit de vendre à perte.
Vendre un produit moins cher qu'on l'a acheté n'est pas réglementaire.

REPRÉSENTER ▬▬▬▬▬▬▬▬▬▬▬▬▬▬▬ = accomplir un acte au nom de quelqu'un

quelqu'un

→ le **représentant / -ante**

→ **se faire représenter**

Monsieur X. n'a pas pu venir à notre réunion. Il s'est fait représenter par Monsieur Z. Son représentant aura le droit de voter à sa place.

RÉPUBLIQUE ▬▬▬▬▬▬▬▬▬▬▬▬▬▬ = État où toute la souveraineté appartient au peuple

→ **républicain / -aine**

ROI / REINE (le / la) ▬▬▬▬▬▬▬ **1.** chef d'État qui tient son pouvoir de son appartenance à une famille royale et non d'une élection

→ la **royauté** (= système de gouvernement comportant un roi)

la royauté absolue (= en France, celle de l'Ancien Régime)

→ le **royaume**

→ **royal / -ale**

L'autorité royale peut être très variable et la plupart des royaumes modernes ont des gouvernements démocratiques. Les pouvoirs du roi ou de la reine sont très limités. Ce ne sont plus des royautés absolues comme celle de Louis XIV au 17e siècle.

2. (familier et courant) = quelqu'un qui est jugé meilleur ou moins bon que beaucoup d'autres personnes

Pendant des années, le Brésilien Pelé a été le roi des joueurs de foot.
Jean est plus bête qu'un âne. C'est vraiment le roi des imbéciles !

SOUVERAIN (le) ▬▬▬▬▬▬▬▬▬▬▬▬▬▬▬ **1. SYN** : le roi

Louis XIV est le souverain qui a fait construire le château de Versailles

2. Spéc : en termes de droit politique, l'origine du pouvoir dans l'État

→ la **souveraineté**

Dans une démocratie, le souverain, c'est le peuple. On parle de souveraineté populaire.

C9-C11 GLOSSAIRES THÉMATIQUES

TOLÉRER ▬▬▬▬▬▬▬▬▬▬ = accepter quelque chose qui aurait dû être interdit

quelque chose

Après la victoire du club de football, la police a toléré que les supporters défilent dans les rues jusqu'à minuit.

TOTALITAIRE ▬▬▬▬▬▬▬▬▬ = qui est imposé par la violence, par la force

→ un gouvernement / un régime totalitaire

→ le **totalitarisme**

TYRAN (le) ▬▬▬▬▬▬ 1. celui qui gouverne par la violence / **SYN** : le didacteur

→ **tyranniser** (un pays, quelqu'un…) (= persécuter)

→ la **tyrannie**

→ **tyrannique**

On peut espérer que tous les gouvernements tyranniques du monde céderont un jour leur place à des gouvernements démocratiques.

2. (courant) = quelqu'un qui abuse de son autorité

→ se comporter en tyran, tyranniser sa famille / ses ouvriers / ses proches

Attention : voir **despote** (2).

C10 - L'ACCEPTATION DE L'AUTORITÉ

ACCEPTER ▬▬▬▬▬▬▬▬ = dire oui à une demande / **CONTR** = refuser

Voulez-vous travailler avec nous ? – Oui. J'accepte.

→ accepter de faire quelque chose

→ l'**acceptation**

J'ai accepté de travailler avec lui. Mon oui lui a fait plaisir. Il attendait mon acceptation depuis un mois.

ADOPTER (une loi) ▬▬▬▬▬▬▬ = dire oui à, voter pour cette loi

→ l'**adoption** d'une loi

Attention : Voir aussi C4

APPROUVER ▬▬▬▬▬▬▬ = être d'accord avec une idée, un projet…

→ l'**approbation**, un geste d'approbation

→ **approbateur**, un ton approbateur

Le gouvernement n'a pas obtenu l'approbation des députés pour son projet de loi. Seulement 150 députés l'ont approuvé. Il en aurait fallu 180.

ASSENTIMENT (l') ▬▬▬▬▬▬▬▬ = l'avis favorable, le oui

→ donner / retirer / refuser son assentiment à un projet

C9-C11 GLOSSAIRES THÉMATIQUES

CONSENTIR ▬▬▬▬▬▬▬▬▬▬ = accepter quelque chose / de faire quelque chose
à quelque chose /
à faire quelque chose   Contr = s'opposer à quelque chose

→ le **consentement** (Syn : l'acceptation, l'approbation)

→ **consentant /-ante**

Le maire a reçu le consentement des époux.

OBÉIR ▬▬▬▬▬▬▬▬▬▬ = faire ce qu'un ordre ou une loi commande / Contr : désobéir

→ l'**obéissance** /la **désobéissance**

L'obéissance aux lois est nécessaire dans une société démocratique. Dans une tyrannie, la désobéissance est légitime.

→ **obéissant /désobéissant**

C'est un enfant sage et très obéissant.

SE RÉSIGNER ▬▬▬▬▬▬▬▬▬▬ = obéir mais contre sa volonté, contre son cœur
à quelque chose /   → la **résignation**
devant quelque chose /
à faire quelque chose   *Les réfugiés ne demandaient rien. Ils étaient résignés à connaître d'autres misères. Cette résignation était encore plus insupportable que des cris de colère.*

SE SOUMETTRE ▬▬▬▬▬▬▬▬▬▬ = obéir sans discuter (généralement par crainte)
à quelqu'un / un ordre   → **soumis /-ise**

Elle est incroyablement soumise à son mari !

→ la **soumission**

Les lois démocratiques n'exigent pas la soumission des citoyens mais leur libre obéissance.

C11 - LE REFUS DE L'AUTORITÉ

COUP D'ÉTAT (le) ▬▬▬▬▬▬▬ SYN : putsch / = renversement du pouvoir légal par la force

DÉSOBÉIR ▬▬▬▬▬▬▬▬▬▬▬▬▬▬▬▬ (voir : obéir)

ÉMEUTE (l') ▬▬▬▬▬▬▬▬▬ = révolte populaire limitée dans le temps et l'espace

→ les **émeutiers**

Les révolutions peuvent commencer par des émeutes.

S'INSURGER ▬▬▬▬▬▬ **1. SYN** : se soulever / = lutter contre un pouvoir en faisant usage des armes
contre   → l'**insurrection** (Syn : le soulèvement)

→ l'**insurgé /-ée**

En février 1848, l'insurrection du peuple obligea le roi Louis-Philippe à quitter le pouvoir. Les insurgés proclamèrent la République.

2. (courant) = protester avec force

→ s'insurger contre une décision / une proposition

C9-C11 GLOSSAIRES THÉMATIQUES

MANIFESTER ▬▬▬▬▬▬▬▬▬▬▬▬▬ = protester, défiler dans la rue pour crier qu'on refuse,
contre / pour quelqu'un / qu'on demande quelqu'un
quelque chose
quelque chose
→ la **manifestation**
→ le **manifestant / -ante**
La manifestation des fonctionnaires pour demander une augmentation de salaire a rassemblé 20 000 manifestants.

S'OPPOSER à ▬▬▬▬▬▬▬▬▬▬▬▬▬ **SYN** = refuser / CONTR : accepter /
= ne pas être d'accord avec, lutter contre
→ l'**opposition**
→ un **opposant**
Dans une démocratie, les droits de l'opposition doivent être respectés.

PUTSCH (le) ▬▬▬▬▬▬▬▬▬▬▬▬ = coup d'État soutenu par la force militaire
→ un **putschiste** (= celui qui soutient le putsch)

REFUSER ▬▬▬▬▬▬▬▬▬▬▬ = dire non à une idée, un projet / CONTR : accepter, permettre
→ le **refus**
J'ai refusé de travailler avec lui. Mon refus est définitif.

SE RÉVOLTER ▬▬▬▬▬▬▬▬▬ 1. **SYN** : s'insurger / = lutter contre un pouvoir
pour obtenir qu'il change de politique
Les paysans français se sont révoltés contre la baisse des prix de leurs produits. Ils ont organisé de nombreuses manifestations.
2. (courant) : refuser d'obéir à une autorité, un pouvoir
Les élèves se sont révoltés contre la trop grande sévérité du directeur de l'école.
→ la **révolte**
→ un **révolté /-ée**
→ **révoltant /-ante**, un décision révoltante

RÉVOLUTION (la) ▬▬▬▬▬▬▬▬ = renversement d'un pouvoir politique par la force
des armes et transformation du mode de gouvernement
→ **révolutionnaire** (le / la)
→ **révolutionnaire**
La première grande journée révolutionnaire de la Révolution française a été le 14 juillet 1789.

SOULEVER ▬▬▬▬▬▬▬▬▬▬▬ = entraîner dans une révolte armée contre
contre
→ **se soulever** contre (= se révolter par la force des armes)
→ le **soulèvement**
Le soulèvement des ouvriers n'a pas été suivi par la population et il n'y a pas eu de révolution.

| C9-C11 | **EXERCICES** |

20 ◆ ◆

Complétez ce texte en employant les mots donnés.

république - se soumettre - aristocrate - roi - représentant - chef - exiger - pouvoir - monarchie - révolution - loi

En France, avant la Révolution de 1789, l'État était une . . . . . absolue. C'est-à-dire que le . . . . . disposait de tous les pouvoirs. L' . . . . . elle-même, lui était soumise. En 1789, les bourgeois, le peuple, mais aussi un grand nombre de nobles, d'aristocrates . . . . . que le . . . . . soit partagé entre le roi et l'assemblée des . . . . . de la nation. Le roi resterait le . . . . . de l'État, mais les . . . . . seraient votées par l'Assemblée nationale. Poussé par ceux des nobles qui refusaient de . . . . . , le roi entra en conflit avec l'Assemblée et le peuple. La . . . . . devint inévitable. Elle alla jusqu'à l'exécution du roi Louis XVI et la proclamation de la . . . . . .

21 ◆

Les noms d'agent dérivés d'un verbe qui apparaissent en italique dans les phrases suivantes sont formés à l'aide des suffixes *-(at)eur* ou *–ant*. Complétez à l'aide du suffixe manquant.

1. L'*administr*. . . . . de notre société va être reçu par le *gouvern*. . . . . de la Banque de France la semaine prochaine.

2. Le *présid*. . . . . de la Cour d'Appel a condamné le *viol*. . . . . des cinq jeunes femmes à la réclusion à perpétuité (prison à vie).

3. Les *conspir*. . . . . cherchent à renverser le régime despotique de l'*oppress*. . . . . .

4. Dans la négociation sur le désarmement à Genève, les *négoci*. . . . . sont les *représent*. . . . . des super-puissances.

5. Tous les *manifest*. . . . . ne sont pas nécessairement des *oppos*. . . . . mais ils peuvent être manipulés par des *complot*. . . . .

22 ◆

Comment appelle-t-on...

1. ...l'association des gens qui **se liguent** pour défendre les droits de l'homme ?
La . . . . . des droits de l'homme.

2. ...l'ensemble des personnes qui **administrent** l'État ?
L' . . . . . de l'État

3. ...l'ensemble des hommes politiques qui **s'opposent** au gouvernement ?
L' . . . . .

4. ...l'ensemble des gens qui **peuplent** la France ?
La . . . . . de la France.

5. ...l'ensemble des hommes politiques qui **gouvernent** un pays ?
Le . . . . . du pays.

6. ...un groupe de personnes qui **se rassemblent** pour défendre une même opinion politique ?
Une . . . . . politique.

7. ...une foule de personnes qui **manifestent** leur opinion dans un lieu public ?
Une . . . . . publique.

C9-C11 | EXERCICES

23 ◆ ◆

Avec l'aide des glossaires thématiques C6-C8 et C9-C11, cherchez l'adjectif de sens actif dérivé de chacun des verbes mentionnés à gauche et introduisez-le dans la colonne convenable selon le suffixe à partir duquel il est formé (-*ateur, -ant* ou autre) :

Verbe	-*ateur*	-*ant*	autre suffixe
calomnier			
insulter			
exiger			
révolter			
permettre			
tolérer			
injurier			
obéir			
approuver			
réglementer			

Lequel de ces adjectifs est-il formé à partir d'un radical modifié ?

24 ◆

Complétez le texte ci-dessous à l'aide de noms de théories ou de pratiques politiques ou économiques formés à l'aide du suffixe -*isme*.

Les théories et les pratiques politiques et les économies appliquées dans les différents régimes diffèrent beaucoup d'un pays à l'autre : Sous l'Ancien Régime (jusqu'à la Révolution française), la France a connu l'. . . . . *(= principe du pouvoir absolu du roi)*. De nos jours, dans certains pays, le . . . . . *(théorie communiste)* s'appuie sur le . . . . . *(= économie collectiviste)*. Ailleurs, au contraire, le . . . . . *(= théorie libérale)* rejette tout . . . . . *(= pratique autoritaire du pouvoir)* et tout . . . . . *(= pratique totalitaire du pouvoir)*. Quant au . . . . . *(= pratique despotique du pouvoir)*, il n'a malheureusement pas encore complètement disparu malgré la prise de conscience universelle des droits de l'homme.

25 ◆ ◆ ◆

Se reporter à l'exercice 4

Ingrid et Alonso (4e et dernière partie, voir exercices 4, 11 et 17)

À la suite de l'accusation de son adversaire, les *services de l'État* (1) *ordonnèrent* à Alonso de *cesser* (2) d'exercer son métier de magistrat et le *chef de l'État* (3) lui-même *ordonna sans accepter de discussion* (4) la constitution d'une commission d'enquête.

Alonso *obéit sans discuter* (5) et *accepta de répondre* (6) aux questions des enquêteurs, car il était sûr de son innocence et *protestait avec force* (7) contre les calomnies dont il était victime. Avec l'*avis favorable* (8) de son parti, l'association des étudiants *défila dans la rue* (9) pour le soutenir publiquement.

Le soutien populaire grandit au point de faire craindre *aux autorités politiques* (10) *une révolte armée* (11). Mais devant l'insistance des enquêteurs, la jeune fille reconnut qu'elle avait *fait ce que lui avait commandé* (12) l'adversaire d'Alonso en l'accusant d'un viol imaginaire.

C9-C11 — EXERCICES

À la suite de cette épreuve, Alonso, heureux d'avoir reconquis l'estime et l'amour d'Ingrid, se retira de la vie politique, reprit ses fonctions de magistrat et se consacra désormais avec l'aide d'Ingrid à la lutte contre l'injustice. FIN.

1 ....   2 ....   3 ....
4 ....   5 ....   6 ....
7 ....   8 ....   9 ....
10 ....   11 ....   12 ....

26 ◆◆

Les mots donnés dans la colonne du bas ont deux sens, souvent un sens propre et un sens figuré. Associez chacune des phrases suivantes au sens qui convient pour bien comprendre le mot dérivé qui est employé.

1. Le peuple s'est révolté contre l'**oppresseur**.
2. Jean est leur fils **adoptif**.
3. Le **gouvernement** a été renversé par le parlement.
4. C'est une belle **représentation** du *Don Juan* de Molière.
5. Ce rhume me donne comme une **oppression** sur la poitrine.
6. Les **manifestants** ont défilé de la Bastille à la République.
7. Monsieur Dupont est le **directeur** de l'usine.
8. Le **gouvernail** est cassé.
9. La **révolution** de la terre autour du soleil dure une année
10. L'**adoption** du projet de loi a entraîné de longues discussions au parlement.
11. Le **soulèvement** populaire a obligé le dictateur à s'enfuir.
12. Le patron a reçu les **représentants** des ouvriers.
13. Le fait qu'il mange tout le temps est la **manifestation** de ses angoisses, de sa peur de vivre.
14. Sa voiture a heurté le mur parce qu'il n'a pas tourné le volant dans la bonne **direction**.
15. Louis-Philippe, roi des Français depuis 1830, a été renversé par la **révolution** de 1848.
16. **Soulève** la table, s'il te plaît, que je retire le tapis.

A. adopter = approuver par un vote
B. adopter = faire sien
C. diriger = faire aller dans un certain sens
D. diriger = commander
E. gouverner = diriger un bateau
F. gouverner = diriger un pays
G. manifester = faire voir, montrer
H. manifester = protester contre quelqu'un ou quelque chose
I. oppression = malaise, gêne
J. oppression = dictature, tyrannie
K. représenter = faire voir, mettre en scène
L. représenter = être à la place de quelqu'un
M. révolution = trajectoire circulaire, tour
N. révolution = renversement d'un pouvoir
O. soulever = lever, mettre plus haut
P. soulever = se -, se révolter.

C9-C11 EXERCICES

27 ◆ ◆

Substituez un terme synonyme à chacun des mots en italique de cet extrait d'un bulletin d'information imaginaire :

En direct de la capitale, je peux vous annoncer que l'*insurrection* (1 : . . . . .) populaire contre le régime *absolu* (2 : . . . . .) du président X est un succès. L'armée a accompagné l'insurrection d'un coup d'État pour éviter les débordements incontrôlés, et défiant l'*ordre* (3 : . . . . .) du ministre de la défense, a arrêté et mis en prison tous les *délégués* (4 : . . . . .) du peuple. Les syndicats s'étaient *insurgés* (5 : . . . . .) contre le gouvernement parce que le chef de l'État avait *autorisé* (6 : . . . . .) des *puissances* (7 : . . . . .) étrangères à prendre le monopole de l'exploitation du cuivre. L'armée, qui continuera à défendre sans défaillir la volonté du peuple, *vient d'ordonner* (8 : . . . . .) le couvre-feu.

MODULE C — EXERCICES DE SYNTHÈSE

28 ◆ ◆ ◆

a) Récrivez les phrases ci-dessous à l'aide de l'un des adjectifs ou verbes de sens contraire donnés. Vous conservez le sens de la phrase initiale.

égoïste
familier
poli/courtois
arbitraire
collectif
captiver

défendre/interdire
accepter/consentir à
féliciter
gentil

> **Exemple :** Émile est l'enfant le plus *détestable que j'aie jamais eu dans ma classe.*
> → Émile est l'enfant le moins *gentil que j'aie jamais eu dans ma classe.*

1. Le vocabulaire de l'informatique m'est absolument *inconnu*.

....

2. Cette décision de l'administration n'est absolument pas *légitime*.

....

3. L'attitude que vous avez adoptée n'est pas très *charitable*.

....

4. À l'inverse du taxi, l'autobus n'est pas un moyen de transport *particulier*.

....

5. Vous pourriez vous adresser aux clients en termes moins *grossiers*.

....

3. Mon fils a eu de si bons résultats au dernier trimestre que je ne peux vraiment pas le *disputer*.

....

7. Je ne vous avais pas *autorisé* a vous absenter cet après-midi.

....

8. À votre place je refuserais de signer un document douteux.

....

9. Cette conférence ne m'a pas *ennuyé*.

....

b) Même exercice, mais cette fois les deux termes entretiennent une relation morphologique qui doit vous permettre de trouver le terme de sens contraire.

> **Exemple :** Jure-moi de m'être toujours *fidèle* !
> → Jure-moi de ne jamais m'être *infidèle* !

1. C'est une famille qui n'a jamais connu l'*entente*.

....

2. Qui plus est, tous les membres de la famille sont *intolérants*.

....

3. Lucette est la moins *obéissante* de mes élèves.

....

4. Est-elle aussi *impolie* avec vous ?

....

5. Je ne suis pas du tout *en accord* avec votre point de vue.

....

MODULE C — EXERCICES DE SYNTHÈSE

29 ◆ ◆

Dans les glossaires thématiques du module C, certains termes sont "dégroupés", c'est-à-dire que leurs deux ou trois sens distincts sont introduits sous des entrées distinctes,

Exemple : la collectivité (1) = l'ensemble des membres d'un groupe donné
la collectivité (2) = l'ensemble des gens qui vous entourent

Dans chacune des paires de phrases qui suivent, un même mot est à introduire dans les deux espaces vides (parfois avec une différence grammaticale). Essayez de le retrouver à partir du contexte des deux phrases. (Les 5 mots sont empruntés aux glossaires C1-C3 et C4-C5.)

1. Jadis les fidèles se réunissaient pour ..... les reliques des saints / On ne peut qu'..... un enfant aussi charmant.

2. Elle s'est ..... en plantant un clou dans le mur / Je suis désolé de vous avoir ..... par mes reproches injustifiés.

3. Va voir ce film : tu ne risque pas de t'..... / Cela m'..... beaucoup, mais je ne pourrai pas me libérer pour me joindre à votre soirée.

4. Il est indispensable qu'un maximum d'adhérents soient présents à l'..... générale de notre association / À la dernière réunion l'..... était houleuse (= manifestait son mécontentement) et a hué tous les orateurs.

5. Les ..... ennemies viennent d'envahir notre province orientale / Cet été notre ville aura la chance d'accueillir plusieurs ..... théâtrales.

30 ◆ ◆ ◆

Trouvez, à partir de deux définitions qui s'appliquent à lui, un terme dégroupé dans l'un des deux glossaires C6-C8 ou C9-C11.

1. Un verbe : soit conspirer contre quelqu'un
soit lui préparer une surprise

→ ....

2. Un nom : soit la puissance
soit l'autorité qui la détient

→ ....

3. Un nom : soit un chef d'État par filiation
soit le représentant le plus remarquable dans le sport, le commerce, etc.

→ ....

4. Un nom : soit un chef d'État qui ne partage pas le pouvoir
soit quelqu'un qui fait preuve d'une autorité excessive

→ ....

5. Un verbe : soit forcer une femme à avoir une relation sexuelle contre son gré
soit entrer sans autorisation dans un domicile

→ ....

6. Un verbe : soit lutter contre un pouvoir pour obtenir un changement de politique
soit refuser d'obéir à une autorité

→ ....

MODULE C   EXERCICES DE SYNTHÈSE

31 ◆ ◆ ◆

mots croisés

Mots croisés pour tout le Module.

Sur le graphique de mots croisés ci-dessous 10 mots verticaux (définis de 1 à 10) et 10 mots horizontaux (définis de A à J) se touchent par leurs lettres initiales et finale. le nombre de lettres de chaque mot est variable. Remplissez le graphique à l'aide des définitions.

Vertical
1. Qui entretient une relation amoureuse
2. Casser une liaison
3. Jalouser
4. Les épouses des rois
5. Vous me paraissez soucieux, racontez moi vos e.....
6. Considération
7. Ce retard est inadmissible ! Je suis en.....contre le transporteur
8. Ensorceler
9. Accepter l'expression d'opinions différentes
10. Manifestations de révolte dans la rue

Horizontal
A. Plus que de l'amitié
B. Demander avec insistance
C. Son mari lui est infidèle. Cette femme est.....par son mari
D. Mettre les nerfs à vif
E. Manifestations violentes de mécontentement
F. Les personnes qui vous aident à commettre un délit
G. Insurrection/mouvement révolutionnaire
H. Amour très doux
I. Appréciée
J. Elles mettent fin à l'amour ou à la négociation.

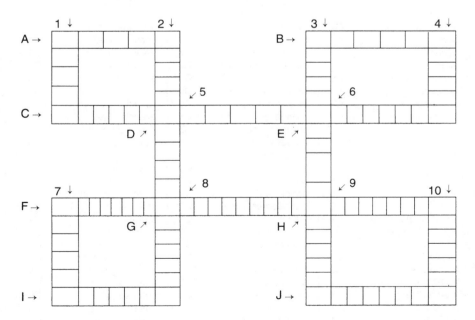

MODULE C — GLOSSAIRES ALPHABÉTIQUES

LISTE DES MOTS ESSENTIELS

accord	chef	loi
administration	communauté	négocier
aimer	conseil	obéir
allié	coopérer	plaire
ami	décider	pouvoir
amour	démocratie	président
arbitraire	désobéir	république
association	élection	révolution
autoriser	gouverner	tolérance
bonté	haine	unir

GLOSSAIRE COMPLET

A

absolu, adj	C9
absolutisme, nm	C9
acceptation, nf	C9
accepter, v	C10
accord, nm	C6
accorder (s'), v	C6
accouchement, nm	C4
accoucher, v	C4
accoucheur, nm	C4
accusateur, nm	C7
accusation, nf	C7
accusé, nm	C7
accuser, v	C7
adhérent, nm	C5
adhérer, v	C5
adhésion, nf	C5
administrateur, nm	C9
administratif, adj	C9
administration, nf	C9
administré, nm	C9
administrrer, v	C9
admirateur, nm	C1
admiratif, adj	C1
admiration, nf	C1
admirer, v	C1
adopter, v	C4, C10

adoption, nf	C4, C10
adorable, adj	C1
adoration, nf	C1
adorer, v	C1
affable, adj	C8
aimable, adj	C8
aimablement, adj	C8
aimer, v	C1
alliance, nf	C5
allié, nm	C5
allier (s'), v	C5
altruisme, nm	C8
altruiste, adj	C8
amabilité, nf	C8
amant, nm	C1
ami, nm	C1
amical, adj	C1
amicalement, adv	C1
amitié, nf	C1
amour, nm	C1
amoureux, nm	C1
approbateur, adj	C6
approbation, nf	C10
approuver, v	C10
arbitraire, adj et n	C9
aristocrate, nm	C9
aristocratie, nf	C9
aristocratique, adj	C9

arrangement, nm	C6
arranger, (s'), v	C6
arrogance, nf	C2
arrogant, adj	C2
ascendance, nf	C4
ascendant, nm	C4
asocial, adj, n	C5
assemblée, nf	C5
assembler (s'), v	C5
assentiment, nm	C10
associatif, adj	C5
association, nf	C5
associé, nm	C5
associer, v	C5
attachant, adj	C1
attacher (s'), v	C1
attachement, nm	C1
attaque, nf	C7
attaquer, v	C7
attirance, nf	C1
attirer, v	C1
attroupement, nm	C5
attrouper (s'), v	C5
autorisation, nf	C9
autoriser, v	C9
autoritaire, adj	C9
autoritarisme, nm	C9
autorité, nf	C9

avances (faire des -), locv	C1
aversion, nf	C2
avis (être du même -), locv	C7

B

bande, nf	C8
bébé, nmf	C4
bienveillance, nf	C8
bienveillant, adj	C8
blessant, adj	C2
blesser, v	C2
blessure, nf	C2
bon, adj	C8
bonté, nf	C8
bouder, v	C3
bouderie, nf	C3
boue (traîner dans la -), locv	C7
brouille, nf	C6
brouiller (se)	C6

C

calme, adj, nm	C3
calmer, (se-), v	C3
calomniateur, nm	C7
calomnie, nf	C7
calomnier, v	C7

MODULE C — GLOSSAIRES ALPHABÉTIQUES

MODULE C | GLOSSAIRES ALPHABÉTIQUES

MODULE D

ENTREPRENDRE, PRODUIRE

D1-D3 | TEXTES ET CONTEXTES

D1

Il y a des **décisions** qui sont difficiles à prendre. Ceux qui veulent **prévoir** tous les détails d'un **projet** sont souvent ceux qui ne se **décident** jamais. Il faut savoir « se jeter à l'eau ».

• • •

Si vous **projetez** d'acheter une maison dans deux ou trois ans, il faudrait **prévoir** dès maintenant de faire des économies.

• • •

Vous avez des **projets** de construction ? Vous avez des économies mais elles ne suffisent pas ? Notre banque vous prête l'argent nécessaire pour **entreprendre** vos travaux.

• • •

Comme les grands travaux routiers sont commandés par l'État, on peut dire que les **entreprises** de travaux publics travaillent presque uniquement avec lui. Le premier travail d'un chef d'**entreprise** est de trouver des commandes. Après, il peut redevenir un véritable **entrepreneur**.

• • •

L'**entreprise** avait trop de dettes. Le président de la **société** a dû annoncer au conseil d'administration la fermeture de deux usines.

• • •

La **Société** X envisage de fermer l'usine de Lyon pour en ouvrir une plus grande à Villeurbanne. La décision n'est pas encore prise. C'est une **prévision** à long terme. Le personnel sera consulté sur ce projet.

D2

Tous les ans, à la Foire de Paris, a lieu le Concours Lépine. C'est un concours ouvert à tous les **inventeurs**. Il y a parfois des **inventions** étonnantes, pleines d'**imagination** et d'**originalité**.

• • •

Dans le progrès technique, il faut distinguer trois étapes. Il y a d'abord le travail des **chercheurs** qui permet une **découverte** scientifique originale, par exemple un nouveau type de verre. Il faut ensuite **imaginer** les conditions de son emploi dans les machines, **inventer** des procédés de fabrication, créer des outils, découvrir des usages possibles. L'**innovation** est enfin complète quand ce nouveau type de verre est devenu un matériau courant de l'industrie.

• • •

Avec cette bourse, il va pouvoir suivre ses **recherches**. Il a un esprit très **inventif** et la **conception** de son nouveau type de frein est d'une complète **originalité**.

• • •

Cette année, les **créations** de la mode reposent sur des couleurs originales. Les **créateurs** ont conçu des teintes vives mais agréables à regarder. La **découverte** des nouvelles robes a provoqué les applaudissements du public.

| D1-D3 | **TEXTES ET CONTEXTES** |

D3

Les moyens modernes de **reproduction** ont bouleversé les techniques de communication. Avec une simple **photocopieuse**, vous faites en deux minutes un travail qui demandait des heures il y a vingt ans. Vous pouvez ensuite envoyer votre **photocopie** au bout du monde par **télécopie**.

* * *

« L'article 139 du Code pénal punit de la réclusion criminelle à perpétuité ceux qui auront **contrefait** ou **falsifié** les billets de banque autorisés par la loi, ainsi que ceux qui auront fait usage de ces billets **contrefaits** ou **falsifiés**. » (Se lit sur tous les billets de banque)

* * *

Un musée a décidé d'organiser une exposition de **faux**. Les noms des **faussaires** ne sont pas tous connus, mais l'idée est bonne. Peut-être que les peintres devront écrire sur leurs tableaux ce que certains fabricants écrivent sur leurs produits : se méfier des **imitations**.

* * *

La Société Dupont a fait détruire des milliers de briquets qui étaient des **copies** de ses propres briquets. Les **imitations** semblaient presque parfaites mais de mauvaise qualité. La Société a porté plainte contre une centaine de fabricants qui essaient d'**imiter** ses créations. La police a déclaré que le **piratage** industriel était de plus en plus développé.

* * *

« Après les **contrefaçons** des chemises Lacoste, on trouve maintenant en vente des **fausses** pièces de rechange Renault. Mais cette fois, les **contrefacteurs** mettent en danger la sécurité des automobilistes. » (La presse du 24-07-90)

D1-D3 GLOSSAIRES THÉMATIQUES

D1 - ENTREPRENDRE

DÉCIDER ▬▬▬▬▬▬▬▬▬▬▬▬▬▬▬▬▬▬▬▬▬ = agir selon sa volonté

de faire quelque chose

Il a décidé de fonder une entreprise d'entretien et de nettoyage. Il veut qu'elle ouvre dans deux mois.

→ la **décision**, prendre une décision
→ un **décideur / -euse**

L'industrie a besoin de décideurs qui aient des idées et osent les appliquer.

→ **se décider** à faire quelque chose

Il s'est décidé à fonder une entreprise.

ENTREPRENDRE ▬▬▬▬▬▬▬▬▬▬▬▬▬▬▬ **SYN** : commencer

quelque chose / de faire quelque chose

Il va entreprendre la construction de sa maison / de construire sa maison.

→ l'**entreprise**

1. l'action d'entreprendre
une entreprise difficile / risquée / folle

C'est une entreprise presque irréalisable mais je vous souhaite de réussir.

2. l'établissement, la société
fonder / créer une entreprise
une entreprise privée / publique (= d'État)
une entreprise de travaux publics / de construction / de peinture / d'import-export…
une entreprise industrielle / commerciale / culturelle…
les P.M.E. (= les petites et moyennes entreprises)
un chef d'entreprise (= un patron) / le personnel de l'entreprise

→ l'**entrepreneur / -euse**

1. celui qui entreprend

Le patron de cette entreprise de fabrication de machines à laver est un entrepreneur courageux.

2. celui qui a reçu un travail de construction ou d'entretien à faire

Pour refaire le toit de ma maison, je me suis adressé à l'entrepreneur que vous m'aviez recommandé.

ENVISAGER ▬▬▬▬▬▬▬▬▬▬▬▬▬▬▬▬▬ = examiner, analyser

quelque chose

J'ai envisagé toutes les solutions

→ **envisager** de faire quelque chose (= avoir l'intention)

J'envisage d'emprunter 20 millions à ma banque.

INTENTION (l') ▬▬▬▬▬▬▬▬▬▬▬▬ **SYN** : le projet / = idée que l'on souhaite réaliser

J'ai l'intention de demander une augmentation.

PRÉVOIR ▬▬▬▬▬▬▬▬▬▬▬▬▬▬▬▬▬▬ = deviner à l'avance

quelque chose

→ la **prévision**

Les spécialistes prévoient une hausse de la bourse. C'est une prévision optimiste.

→ **prévoir** de faire quelque chose (= avoir l'intention)

Je prévois de changer de travail l'an prochain.

D1-D3 GLOSSAIRES THÉMATIQUES

PROJETER ▰▰▰▰▰▰▰▰▰▰▰▰▰▰▰▰▰▰▰▰▰▰▰▰▰ = avoir l'intention

quelque chose / de faire
quelque chose

Il projette l'achat d'une maison / d'acheter une maison.

→ le **projet** (SYN : un plan (1), une intention / STYLE soutenu : un dessein)
avoir / exposer / soumettre (= proposer) un projet

C'est un projet d'achat réalisable.

SOCIÉTÉ (une) ▰▰▰▰▰▰▰▰▰▰▰▰▰▰ = réunion de personnes qui mettent en commun de l'argent
pour financer une entreprisé et obtenir des bénéfices

→ fonder / présider / dissoudre / gérer / administrer une société

Attention : une société est obligatoirement dirigée par un conseil
d'administration formé de membres élus. Le conseil est présidé par le
président de la société. Voir D9.

D2 - CHERCHER, CRÉER

CHERCHER ▰▰▰▰▰▰▰▰▰▰▰▰▰▰▰▰▰▰▰▰▰▰▰ = essayer de trouver

quelqu'un / quelque chose   → un chercheur d'or

CHERCHER / RECHERCHER ▰▰▰▰▰▰▰▰▰▰▰▰▰▰▰▰ SPÉC : dans le domaine des sciences

→ le chercheur /-euse (en biologie, en chimie, en histoire,
en linguistique, etc.)

→ la **recherche** fondamentale / appliquée
la / une recherche en physique / en agronomie.. ;
la / une recherche sur le sida / sur l'art grec…
C.N.R.S. = Centre National de la Recherche Scientifique
I.N.R.A. = Institut National de la Recherche Agronomique
I.N.S.E.R.M. = Institut National de la Santé et de la Recherche Médicale

→ faire / poursuivre / diriger / achever / mener une recherche / des recherches

*Il est chercheur dans un laboratoire de l'I.N.R.A. Ses recherches en agronomie
portent sur la culture du maïs. Il cherche (recherche) de nouvelles variétés.*

CONCEVOIR ▰▰▰▰▰▰▰▰▰▰▰▰▰▰▰▰▰▰▰▰ = avoir l'idée de quelque chose

quelque chose

→ le **concepteur /-trice**
→ la **conception** de quelque chose

*La conception de cette usine est mauvaise : le concepteur a mal disposé les
bureaux et les ateliers.*

→ le / un **concept** (Néologisme : l'idée de quelque chose)

En France, le concept de vente par téléphone est encore mal admis.

CRÉER ▰▰▰▰▰▰▰▰▰▰▰▰▰▰▰▰ = faire exister / SPÉC : généralement dans un domaine artistique

quelque chose

→ le **créateur /-trice**

La publicité se répète trop. Elle manque de vrais créateurs.

→ la **création** (= l'acte de faire exister)

La création d'un nouveau parfum demande des mois de travail.

→ une **création** (= le résultat du travail)

Ce parfum est une création extraordinaire.

D1-D3 | GLOSSAIRES THÉMATIQUES

→ la **créativité**

Les enseignements artistiques développent la créativité des enfants.

→ **créatif / -ive**

La création d'un nouveau modèle de robe demande un esprit créatif.

DÉCOUVRIR (un produit, un procédé) ▬▬▬▬ = révéler l'existence de quelque chose d'inconnu

→ la / une **découverte**, faire une découverte

En 1928, Fleming a découvert la pénicilline. Cette découverte a sauvé depuis de nombreux malades.

IDÉE (avoir / exposer / défendre / combattre une) ▬▬▬▬▬▬▬

IMAGINER (un procédé, un mécanisme) ▬▬▬ = se représenter en esprit quelque chose de nouveau

Il devient impossible de circuler dans les villes. Il faudrait imaginer un nouveau moyen de transport.

→ l'**imagination**, faire preuve d'imagination

→ **imaginatif / -ive**

INNOVER en / dans un domaine d'activité ▬▬▬ = appliquer une invention, un procédé nouveau

→ l'**innovation** (= le mouvement général du changement dans un domaine particulier)

→ une **innovation** (= un changement, une nouveauté)

→ **innovateur / -trice**

On a beaucoup innové dans le domaine des cartes magnétiques. De ce point de vue, la carte « à puce » a été une innovation essentielle. Mais d'autres progrès sont possibles, l'innovation ne s'arrête pas.

INVENTER (un appareil, une machine, un procédé) ▬▬▬▬ = imaginer et construire quelque chose de nouveau

En 1895, les frères Lumière ont inventé le cinéma.

Proverbe : Il n'a pas inventé le fil à couper le beurre / la poudre / l'eau tiède.
(= Il n'est pas très malin)

→ l'**inventeur / -trice**

→ une **invention**

Pour protéger leurs inventions contre les copies, les inventeurs déposent des brevets d'invention.

→ **inventif / -ive**

ORIGINAL ▬▬▬▬▬▬▬ = entièrement nouveau

→ l'**originalité**, faire preuve d'originalité

La conception de ce moteur est très originale. Vous avez fait preuve d'une grande originalité.

→ l' / un **original** (= objet unique)

Ce tableau est une copie. L'original est au Musée de Reims.

D1-D3 | GLOSSAIRES THÉMATIQUES

D3 - COPIER, IMITER

CONTREFAIRE = fabriquer un faux, une copie
quelque chose
→ le **contrefacteur / contrefactrice**
→ la **contrefaçon**
La loi punit la contrefaçon des billets de banque.
→ **contrefait / -aite**

COPIER = reproduire avec ou sans intention de faire un faux
quelque chose
→ le **copieur / -euse** (= celui qui copie)
Attention : le copiste était la personne chargée de faire des copies avant
l'invention de l'imprimerie (un moine copiste).
→ la **copie** / le **copiage** (= l'action de copier)
La copie des modèles exposés est interdite.
→ la / une **copie** (= le résultat de l'action de copier)
Ce tableau n'est qu'une copie (= un faux). Vous avez été trompé.
Les élèves ont rendu leurs copies (SPÉC = leurs devoirs).
→ **recopier** 1. refaire la copie
　　　　　　 2 (courant) : SYN de copier
→ **photocopier**, une **photocopieuse** (= machine), une **photocopie**
→ **télécopier**, une **télécopieuse** (= appareil), une **télécopie**
Faites-moi mille photocopies de ce rapport et télécopiez-le à toutes
nos agences.

FAUX = qui n'est pas vrai
C'est de la fausse monnaie.
→ un **faux**
Ce tableau est un faux. La signature du peintre a été imitée.
→ un / une **faussaire**
Certains faussaires ont autant de talent que ceux dont ils copient les œuvres.
Mais ils ont moins d'imagination.

IMITER = généralement avec l'intention de faire un faux
→ **imitateur / -trice**
→ l'**imitation** (= l'acte d'imiter)
→ une **imitation** (SYN : une copie, un faux / CONTR : l'original)
Cette statue est en faux marbre. C'est une imitation.

PIRATER = copier pour voler le modèle
→ le / la **pirate**
→ le **piratage**
→ **pirate**, cassette / disquette / disque / émission de radio ou
de télévision pirate
Le piratage des cassettes vidéo est très courant. On trouve beaucoup
de cassettes pirates dans le commerce.

REPRODUIRE SYN : copier
quelque chose
→ la **reproduction** (= l'acte de reproduire)
→ une **reproduction** (SYN : une copie)

171

D1-D3　　EXERCICES

1 ◆

Complétez chacun des trois textes en employant les mots et expressions mentionnés en tête.

a) *décider de / avoir l'intention de / prévoir* (2 fois) */ projet / se décider à / décideur / décision*

Paul a enfin .... changer de travail. Il hésitait depuis six mois. La ..... était difficile à prendre. Et puis, tu le connais, ce n'est pas un ..... . Quand il .... faire quelque chose, il veut tout ..... .En fait, il ..... surtout toutes les catastrophes possibles. Et il ne fait rien. Il a des ..... , mais il ne ..... jamais .....les réaliser.

b) *chercher / original / inventeur / imagination / idée / invention*

Édouard est un ..... un peu fou. Toutes ses ..... sont inutiles, mais il continue de ..... . Il a dix ..... par jour . Son ..... déborde. Il rêve de créer un appareil complètement ..... .

c) *reproduction / imiter* (2 fois) */ faux* (2 fois) */ faussaire / copie / copier*

Dans le domaine de l'art, il ne faut pas confondre un ..... et une ..... ou une ..... . Il y a des artistes qui ..... un tableau sans ..... la signature du peintre et qui le vendent. Ce ne sont pas des ..... . Le ..... , c'est un tableau dont la signature a été ..... pour faire croire, qu'il était d'un artiste célèbre.

2 ◆

Chaque phrase peut être complétée par un ou plusieurs des groupes nominaux mentionnés en tête des colonnes. Cochez les bonnes cases :

aimeriez-vous	une firme ?	une loi de la physique ?	un nouveau parfum ?	un moteur non poluant ?	une île inconnue ?	une bonne blague ?
créer concevoir découvrir imaginer inventer avoir l'idée						

3 ◆

a) Transformez les phrases suivantes en groupes nominaux exprimant une action.

　　Modèle : On a *découvert* un nouveau médicament.
　　→ la *découverte* d'un nouveau médicament

1. On a *créé* une nouvelle filiale.
2. On a *cherché* un profit maximum.
3. On a *prévu* les besoins à venir.
4. On a *projeté* d'étendre (→ l'extention) les installations.
5. On a *innové* dans le conditionnement des produits.
6. On a *inventé* un nouveau procédé de fabrication.
7. On a *photocopié* les documents à distribuer.
8. On a *piraté* des articles de luxe.
9. On a *conçu* un nouveau modèle de voiture de course.
10. On a *décidé* de mettre en vente la filiale de Londres.

D1-D3 | EXERCICES

b) Rangez les noms d'action dans quatre colonnes selon le suffixe à l'aide duquel ils sont formés :

-tion	radical + Ø	-age	autres

La plupart des noms de métiers formés à l'aide du suffixe *-eur* ont une forme féminine constituée à l'aide du suffixe *-euse* ou du suffixe *-trice*. Les suffixes *-eur, -euse* ou *-trice* servent aussi à former des adjectifs en rapport avec l'activité exprimée par le verbe (ex. *innover* → un esprit *innovateur*, la capacité *innovatrice*). Choisissez la forme féminine de nom ou d'adjectif convenable pour terminer les phrases qui suivent (certains des termes sont empruntés à la série D4-D5).

1. Le C.N.R.S. emploie des milliers de chercheurs et de ..... .
2. Picasso a développé pendant toute sa vie sa capacité ..... *(créer)*.
3. Pour concevoir une nouvelle disposition plus adaptée de nos bureaux, nous nous adressons à un concepteur ou à une ..... .
4. Berthe Morizot était une artiste de grand talent et non une pâle ..... *(imiter)* des impressionnistes qu'elle côtoyait.
5. À l'école, Paul a traité sa voisine de ..... *(copier)* parce qu'elle avait une meilleure note que lui.
6. Le poste est ouvert à un dessinateur ou une ..... de projet ayant au moins deux ans d'expérience.
7. Les ..... sont aussi nombreuses que les contrôleurs dans les transports parisiens.
8. L'appareil doit être contrôlé avant l'empaquetage par une vérificateur ou une ..... .

Introduisez dans la phrase le terme le plus convenable en fonction du contexte.

Modèle : Il manque dans notre ville *une entreprise* d'électronique. Il faut en fonder une. *(fonder une entreprise)*.

1. *Votre projet* d'extention de nos locaux m'est encore inconnu. J'aimerais que vous me l'..... .
2. Le président de nos établissements va prendre sa retraite. Seriez-vous prêt à ..... *notre société* ?
3. *Cette idée* est promise à un bel avenir. Il faut que vous la ..... contre ses détracteurs (= *ceux qui la critiquent*).
4. Je m'intéresse à la physique théorique des particules atomiques. Je souhaite ..... *des recherches* dans ce domaine, mais la pratique ne me passionne pas, je ne veux pas passer à la *recherche* ..... .
5. Le bilan annuel de *notre filiale* (= *une société que nous contrôlons*) au Danemark est catastrophique. Je crains que le conseil d'administration ne doive la ..... .
6. Je n'ai vraiment pas de succès avec *mes idées* innovatrices. Mes adversaires traditionnalistes les ont toutes ..... et ont fait échouer tous les *projets* que je leur avais ..... .

| D1-D3 | **EXERCICES** |

6 ◆ ◆

Transformez le groupe nominal en italique en proposition infinitive.

Modèle : Le conseil d'administration s'est décidé *au licenciement de 500 membres du personnel*
→ ...s'est décidé à *licencier 500 membres du personnel*.

1. Le directeur a décidé la fermeture du magasin à 19 heures.
→ ...a décidé de..

2. La société va entreprendre *la construction de logements sociaux pour ses employés*.
→ ...va entreprendre de ....

3. En raison de la course cycliste, la police envisage *le détournement du trafic automobile*.
→ ...envisage de ....

4. Fort du dernier bilan, le patron imagine déjà *le doublement de la production des véhicules*.
→ ...imaginé déjà de ....

5. Inquiet de la chute des ventes, le directeur a eu l'idée de la *reconversion de l'entreprise dans le prêt-à-porter*.
→ ...a eu l'idée de..

6. Les patrons prévoient *l'engagement de nombreux apprentis*.
→ ...prévoient d' ....

D4-D5 TEXTES ET CONTEXTES

D4

Votre **croquis** me plaît. Faites-moi un **dessin** complet et étudiez les détails.

• • •

Madame, Nous vous envoyons notre **devis** pour le meuble que vous envisagez d'acheter. Le **dessin** montre le meuble terminé. Le **plan** de votre salon vous permettra d'imaginer sa place. Pour que votre commande devienne définitive, il vous suffira de nous retourner ce **devis** avec un chèque égal à 30% du prix total.

• • •

Vous avez sous les yeux toute l'histoire de notre nouvelle voiture. Il y a en premier cette simple **esquisse dessinée** par nos ingénieurs. Puis notre **bureau d'étude** a **élaboré** cette **ébauche**. Le **projet** a peu à peu grandi. Les **maquettistes** ont construit la **maquette** que vous voyez devant vous. Elle marche avec un moteur électrique et elle nous a permis de **simuler** les conditions d'utilisation de la voiture. Voici les **épures** et les **plans** définitifs. Regardez maintenant dans la cour de l'usine : vous verrez le **prototype**. D'un simple **schéma** à une voiture nouvelle, tout est sous vos yeux ! Ce nouveau **modèle** sera un atout dans notre **politique** de développement.

• • •

Mon **plan** est encore à l'état d'**esquisse**. Ce n'est qu'un **avant-projet** qui demande à être mieux **élaboré**, complètement **étudié**. Mais une fois terminés le **devis** et la première **maquette**, nous aurons vite une idée de ce que nous pourrons faire de plus efficace pour **planifier** la fabrication.

D5

Les derniers **contrôles** et la **vérification** des systèmes de mise à feu ont été faits. Ariane pourra décoller à l'heure prévue.

• • •

Paul est pilote d'**essai** chez Airbus Industrie. Il **vérifie** que l'avion vole bien en **testant** toutes les commandes. Le **contrôle** doit être très bien fait. Il faut qu'un avion soit parfaitement **mis au point** pour recevoir l'autorisation de voler. C'est seulement quand il a subi tous les **essais**, toutes les **vérifications**, tous les **contrôles**, tous les **tests** possibles que l'avion peut être **mis en vente**.

D4-D5 | GLOSSAIRES THÉMATIQUES

D4 - ÉTUDIER ET RÉALISER

CANEVAS (le) ▬▬▬▬▬▬▬▬▬▬▬ SYN : une ébauche (2), une esquisse (2), un schéma (2) /
= principaux points d'un plan

Exposez-moi votre plan dans ses grandes lignes, son canevas.

CROQUIS (le) ▬▬▬▬▬▬▬▬ SYN : une esquisse (1), un schéma (1) / = dessin rapide

DESSINER ▬▬▬▬▬▬▬▬▬▬▬▬▬▬ = représenter sur une feuille ou un écran
quelque chose
→ le **dessinateur / -trice**
un dessinateur industriel / projeteur (= chargé d'étudier un projet)
→ le **dessin** de quelque chose
Votre dessin est très réussi. Vous êtes un bon dessinateur.

DEVIS (le) ▬▬▬▬▬▬▬▬▬▬▬ = estimation financière du prix de fabrication

Établissez-moi un devis exact. Je ne veux pas de dépassement de prix.

ÉBAUCHER ▬▬▬▬▬▬▬▬▬▬▬▬ 1. donner une première forme
quelque chose
→ l' / une **ébauche** d'un objet
*Il a ébauché dans ce morceau de bois les formes du bateau qu'il veut
construire. Cette ébauche est déjà très belle.*
2. SYN : esquisser (2) / exposer les points essentiels
→ l' / une **ébauche** d'une idée, d'un projet
*Ce n'est que l'ébauche d'une idée. Je dois encore réfléchir pour préciser
plusieurs points de détail.*

ÉLABORER ▬▬▬▬▬▬▬▬▬▬▬▬ 1. travailler longtemps pour produire
→ l'**élaboration** de l'acier / du béton
2. préparer un projet dans tous ses détails
→ l'**élaboration** d'un plan / d'une campagne publicitaire

ÉPURE (l') ▬▬▬▬▬▬▬▬▬▬ = dessin terminé d'un objet à fabriquer
Contr : une ébauche (2), une esquisse (2)

ESQUISSER ▬▬▬▬▬▬▬▬▬▬▬▬▬ 1. dessiner rapidement
quelque chose
→ l'**esquisse** (Syn : le croquis, le schéma (1))
*Esquissez-moi la pièce sur ce carnet et portez ensuite votre esquisse au
dessinateur projeteur.*
2. expliquer, exposer rapidement
→ l'**esquisse** (Syn : le canevas, une ébauche (2))
*Mon projet de réorganisation des services financiers est encore à l'état
d'esquisse.*

ÉTUDIER ▬▬▬▬▬▬▬▬▬ = travailler sur un projet, préparer la fabrication de quelque chose
quelque chose
→ l'**étude** de marché / de financement / de fabrication
un bureau d'étude / un programme d'étude(s)
mettre à l'étude / faire une étude

D4-D5 GLOSSAIRES THÉMATIQUES

Notre bureau d'étude a travaillé deux ans sur ce projet. Nous avons étudié tous les problèmes posés.

Attention : SPÉC : étudier, faire / poursuivre des études, être étudiant / -e (= aller à l'université)

MAQUETTE (la)
SYN : modèle réduit / = représentation réduite
→ le / la **maquettiste**
Notre maquettiste a fait une maquette de votre usine au 1 / 100ᵉ

MODÈLE (le)
= objet original destiné à être reproduit
→ **modèle réduit** (SYN : prototype)

PLAN (le)
de quelque chose
1. = projet
→ avoir / élaborer / exposer un plan
2. SYN : une épure / = dessin de fabrication
→ dessiner / dresser / reproduire un plan
Des espions ont voulu voler les plans de l'Airbus.
3. ordre suivi dans un exposé, un travail
→ **planifier**
→ la **planification**
→ le **planning**, le plan de travail (= le programme)
Nous ne pouvons pas suivre notre plan de travail à cause de la grève des transports. Nous avons dû revoir la planification de notre production.

POLITIQUE (une)
= une intention directrice, une ligne d'action
→ mener / suivre / abandonner une politique
Depuis un an notre société mène une politique commerciale très active.

PROJET (le)
= exposé complet sur une idée, une fabrication nouvelle
→ un projet industriel / commercial / financier
rédiger / défendre / combattre un projet
laisser / abandonner à l'état de projet
→ un **avant-projet** / un **contre-projet**

PROTOTYPE (le)
= premier exemplaire d'un produit destiné à être fabriqué en série
Le prototype de la nouvelle Renault a été présenté à la presse automobile.

SCHÉMA (le)
SYN : le croquis, une esquisse (1) / **1.** dessin rapide
→ faire / dessiner un schéma
2. SYN : le canevas, une esquisse (2) / plan rapide d'un exposé
→ **schématiser** (= simplifier)
→ **schématique** (= sans détails précis)
→ **schématiquement**
Schématiquement, notre projet repose sur deux idées. Bien sûr, je schématise mais c'est pour aller plus vite.

SIMULER
= faire fonctionner un modèle pour l'étudier
→ la **simulation**
Pour simuler le trafic du port, on a construit une maquette. La simulation a montré que les digues résistaient bien.

D4-D5   GLOSSAIRES THÉMATIQUES

D5 - METTRE AU POINT

CONTRÔLER   **SYN** : vérifier / = voir si la fabrication est correcte
quelque chose
     → le **contrôleur /-euse**
     → le / un **contrôle**
     un appareil / un instrument / un procédé de contrôle
     Nos contrôles de fabrication sont très stricts. Les contrôleurs vérifient toutes
     les pièces produites.

ESSAYER   = utiliser pour la première fois et vérifier le fonctionnement
quelque chose
     → l' / un **essai**
     un pilote d'essai, un banc d'essai
     Notre moteur a tourné cent mille heures sur un banc d'essai.
     Attention : un **essayage** = essayage d'une robe, d'un costume.

GABARIT (le)   = modèle de mesure
     → être / mettre au gabarit

METTRE AU POINT   **1.** faire parfaitement fonctionner
     → la **mise au point** d'un moteur

     2. étudier dans tous ses détails
     → la **mise au point** d'un projet
     faire une mise au point (= apporter des précisions sur un point précis)
     Je voudrais faire une mise au point : je n'ai jamais dit que ce moteur
     ne marchait pas, j'ai dit qu'il fallait encore mettre au point le carburateur.

METTRE EN SERVICE, EN VENTE   **SYN** : exploiter
     → la **mise en service / en vente**

TESTER   = faire des essais
quelque chose
     → le **test**
     faire / faire subir / subir un test
     Cet acier a subi des tests d'élasticité très poussés.

VÉRIFIER   **SYN** : contrôler / = voir si quelque chose fonctionne bien
quelque chose
     → un **vérificateur /-trice**
     → la **vérification**
     Le B.V.P. (Bureau de Vérification de la Publicité) contrôle les publicités pour
     vérifier si elles ne sont pas mensongères.

D4-D5	**EXERCICES**

7 ◆

Complétez le texte avec les mots donnés.

élaboration - maquette - canevas - esquisser - avant-projet - devis - modèle - planifier - schématiquement - étudier - simulation - plan

Je vais vous . . . . . les principaux points de mon . . . . . D'abord, j'expose . . . . . la situation de l'entreprise cette année. Ensuite je présente les différents . . . . . que nous avons . . . . . . Je montre que leur . . . . . est allée jusqu'à la fabrication des . . . . ., le calcul des . . . . et la . . . . . des emplois. Enfin, dans mon troisième point, j'explique pourquoi nous avons retenu ce . . . . . et je montre que nous avons déjà . . . . tous les détails de sa fabrication et de sa vente. Que pensez-vous de ce . . . . . ?

8 ◆

Les noms *croquis* (sens 1+2), *esquisse* (sens 1+2), *schéma* (sens1+2), *étude*, *plan* (sens 1+2), *projet*, *épure* ont des sens très proches. On peut distinguer ces sens à partir de deux oppositions :

a) d'une part ils désignent une idée exposée soit oralement ou par écrit, soit sous forme de dessin,

b) d'autre part cette idée est présentée de manière superficielle, rapide ou au contraire de manière approfondie, élaborée. À l'aide des indications de sens du glossaire thématique, disposez ces noms dans la ou les cases convenables.

idée exposée	de manière superficielle, rapide	de manière approfondie, élaborée
par écrit ou oralement		
par un dessin		

9 ◆

Les noms d'action dérivés des verbes ci-dessous (tous du 1er groupe de conjugaison) sont formés à l'aide du suffixe *-(ic)ation* ou sans suffixe, avec ou sans la terminaison *-e*. Rangez ces noms d'action dans la colonne qui convient et indiquez leur genre.

suffixe	V + *ation*	V + *ication*	V + Ø	V + *e*
contrôler				
dessiner				
ébaucher				
élaborer				
esquisser				
essayer				
étudier				
planifier				
simuler				
tester				
vérifier				

Lequel de ces noms d'actions présente-t-il une formation irrégulière ?

D4-D5	EXERCICES

10 ◆ ◆

a) Certains des verbes indiqués dans la première colonne et des compléments nominaux mentionnés dans la seconde forment des couples habituels (des collocations). Joignez par un trait les termes qui vous paraissent s'assembler habituellement (exemple : *exposer un plan*) et composez quatre phrases associant chacune deux verbes à un même complément nominal.

mener	un plan
suivre	
dresser	
subir	un projet
rédiger	
exposer	
élaborer	un test
défendre	
laisser quelque chose à l'état de	
soumettre quelqu'un à	une politique

b) Composez quatre phrases associant chacune deux verbes à un même complément.

Exemple : Il a exposé / défendu son projet devant le conseil.

1 ....
2 ....
3 ....
4 ....

11 ◆ ◆ ◆

Remplacez les groupes en italique par une locution figée dont l'un des deux termes vous est fourni entre parenthèses :

1. Les ingénieurs *commencent à étudier* (. . . . . l'étude) la construction d'une installation pour *les essais techniques* (un . . . . . d'essai).
2. Le nouveau modèle d'avion de chasse va être *réglé* (mis . . . . .) avec l'aide des *aviateurs chargés des premiers vols* (pilotes d' . . . . .).
3. Avant de *fabriquer en taille réelle* (mettre au . . . . .) les pièces de précision, les ingénieurs en fabriquent *une maquette* (un modèle . . . . .).
4. *Le début d'exploitation* (la mise . . . . .) des nouveaux autobus suppose d'abord *leur réglage* (leur mise . . . . .).

TEXTES ET CONTEXTES

D6

Les pays **producteurs** de **matières premières** pourraient être des pays riches. Mais les prix de leurs **produits** changent souvent. Quand ils baissent trop, ces pays deviennent pauvres. Il faudrait qu'ils contrôlent mieux leur **production** et qu'ils la **commercialisent** eux-mêmes. En fait, ce sont souvent des sociétés étrangères qui **vendent** ces **produits** parce que les pays qui les **produisent** n'ont pas un réseau **commercial** assez développé.

• • •

Le **conditionnement** est très important. Le même **produit**, bien ou mal **conditionné**, se **vend** très bien ou non. Les **commerçants** ont tous remarqué que les **ventes** étaient bonnes quand un **producteur** avait changé le **conditionnement** de ses **produits**.

• • •

Grâce aux moyens modernes de **production**, la **productivité** de l'agriculture est devenue très bonne.

D7

Dans beaucoup de régions **agricoles**, les **exploitants agricoles** **cultivent** plusieurs produits. Une grande **exploitation** de **monoculture** est difficile à **exploiter**. L'**agriculteur** sait que si la **récolte** est mauvaise, il gagnera peu d'argent.

• • •

La sécheresse et l'été très chaud posent des problèmes à l'**agriculture**. La **culture** de certains produits qui demandent beaucoup d'eau est impossible et déjà les **récoltes** sont perdues. Il y aura, par exemple, une **sous-production** de maïs. L'**élevage** est très menacé. Quelques **éleveurs** ont été obligés d'abattre une partie de leurs bêtes parce qu'ils n'avaient pas assez d'eau pour leur donner à boire. Enfin, il a fallu avancer les **moissons**. Mais la **cueillette** des fruits est bonne et les **viticulteurs** sont contents : les **vendanges** seront très belles mais il faudra **vendanger** dès la mi-septembre.

• • •

Pêcheur et **mineur** sont des métiers dangereux. Les bateaux sont modernes et l'**extraction** des **minerais** se fait aussi par des moyens modernes. Mais celui qui part à la **pêche** ou celui qui descend dans la **mine** peut toujours se trouver en face du danger. Quand vous mangez du poisson, pensez à ceux qui le **pêchent**. Quand vous tenez un objet en acier dans vos mains, pensez à ceux qui **extraient** le **minerai** de fer.

• • •

« Lourdement subventionnée sous le régime communiste, l'**agriculture** est-allemande n'ignorait pas qu'elle allait avoir à se restructurer sérieusement pour affronter son entrée dans le marché commun **agricole**. Mais la survie de ces **exploitations** passe par d'importantes réductions de personnel, l'introduction de nouvelles méthodes de **culture** et d'importants investissements en matériel. » (H. de Bresson, *Le Monde,* 21 juillet 90, p. 17)

TEXTES ET CONTEXTES

D8

L'usine fait **fabriquer** plusieurs **pièces** de voitures par des **artisans** de la région. Puis elle les **assemble** sur ses chaînes de **montage**. Cette **sous-traitance** est d'une grande importance économique pour une dizaine de villages de la montagne. Si l'usine arrêtait de **construire** des voitures, ce n'est pas seulement l'**industrie** automobile qui serait atteinte, c'est toute une région qui mourrait.

• • •

Les différentes parties d'un Airbus sont **fabriquées** par plusieurs pays d'Europe. La principale usine d'**assemblage** est en France, à Toulouse. Une usine allemande va **assembler** un autre modèle.

• • •

« Dans l'**industrie**, le secteur des machines-outils et celui de l'électronique continuent de tourner à plein régime malgré un léger affaiblissement des commandes en provenance de certains pays **industrialisés**. »
(C. Holzbauer-Madison, *Le Monde,* 07 juillet 90, p. 21)

• • •

« L'UIMM (Union des **industries** métallurgiques et minières) a saisi le problème à bras le corps et développe une politique très offensive. » (A. Lebaube, *Le Monde,* 08 juillet 90, p. 13)

• • •

« Philips France est non seulement une unité de commercialisation, mais aussi de **fabrication** et de **recherche**. » (A. Kahn, *Le Monde,* 07 juillet 90, p. 21)

D6-D8 GLOSSAIRES THÉMATIQUES

D6 - PRODUIRE, VENDRE

COMMERCE (le) ▬▬▬▬▬▬▬▬▬▬▬ = la vente et les techniques de vente

Le commerce du pétrole est influencé par la situation politique et militaire du Proche-Orient.

→ un **commerce** (Syn : un magasin, une boutique)
→ le **commerçant /-ante** (= celui qui vend, généralement dans un magasin, une boutique

Dans ce quartier, il y a beaucoup de commerces mais les commerçants ne sont pas toujours assez aimables.

→ **commercial /-iale**
→ **commercialiser** (= mettre en vente dans de nombreux points de vente)
→ la **commercialisation** d'un produit

Attention : le **commerçant** ne **commercialise** pas ce qui est dans son magasin. Il le vend. **Commercialiser** suppose tout un réseau de vente sur un ou plusieurs pays.

CONDITIONNER un produit ▬▬▬▬▬▬▬▬ **SYN** : emballer / = préparer pour la mise en vente

→ le **conditionneur /-euse**
→ le **conditionnement**

Depuis que nous avons changé le conditionnement de nos fromages frais, les ventes ont doublé.

MATIÈRES PREMIÈRES (les) ▬▬▬▬▬▬▬▬▬ = le fer, la soie, le cuir, le bois...

PRODUIRE ▬▬▬▬▬▬▬▬▬▬▬▬▬ = donner une récolte, une richesse
quelque chose

La Beauce produit beaucoup de blé. L'acier français est surtout produit dans le nord et l'est de la France.

→ le **producteur /-trice**

Les agriculteurs sont aussi des producteurs de lait.

→ **producteur /-trice**

Le Nord a été une importante région productrice de charbon

→ la **production** de pétrole, de charbon, de céréales, des automobiles...
la production pétrolière, charbonnière, céréalière, automobile...
→ la **sous-production** / la **surproduction**

La surproduction de pétrole a fait baisser les prix du brut.

→ le / un **produit** (= ce qui est récolté, fabriqué...)
un produit agricole, industriel, chimique...
→ un **demi-produit** / un **semi-produit** (= qui doit être terminé dans une autre entreprise)
→ un **produit semi-fini / semi-ouvré** (= encore inachevé)
→ un **produit fini** (= prêt à la vente)

La tôle d'acier est un produit fini de la sidérurgie mais ce n'est qu'un demi-produit pour la construction automobile.

D6-D8	GLOSSAIRES THÉMATIQUES

→ un **sous-produit** (= un produit dérivé d'une fabrication)

Les sous-produits de la distillation du pétrole sont très nombreux.

Attention : ne pas confondre avec **sous-production**.

→ le **P.N.B.** (= le Produit National Brut, la richesse produite en une année par une nation)

→ **productif / -ive, improductif / -ive**

→ la **productivité**

La productivité de ce type de fabrication était trop faible. Nous avons élaboré un procédé plus productif.

VENDRE ▬▬▬▬▬▬▬▬▬▬▬▬▬▬ = échanger un produit contre de l'argent

→ la **vente**, mettre en vente, retirer de la vente

un point de vente (Syn : un magasin, une boutique)

→ un **vendeur / -euse**

D7 - LE SECTEUR PRIMAIRE : EXTRAIRE, CULTIVER

AGRICULTURE (l') ▬▬▬▬▬▬▬▬▬▬▬▬▬

Une agriculture compétitive est un atout économique important.

→ l'**agriculteur / -trice** (Syn : le paysan, le cultivateur, un exploitant agricole)

→ **agricole**, exploitation agricole

Le Crédit Agricole est une banque gérée par les agriculteurs eux-mêmes. Elle peut leur faire des prêts pour acheter des terres ou du matériel agricole.

CUEILLIR ▬▬▬▬▬▬▬▬▬▬▬▬▬▬▬▬ = récolter des fruits, des légumes

Il est monté dans le cerisier et il a cueilli un plein panier de grosses cerises rouges.

→ la **cueillette**

   1. l'action de cueillir

La cueillette et le conditionnement des fruits fragiles sont des opérations délicates.

   2. le produit cueilli

Nous avons fait une bonne cueillette de haricots verts.

→ le **cueilleur / -euse**

CULTIVER la terre ▬▬▬▬▬▬▬▬▬▬▬▬▬ = travailler la terre

→ le **cultivateur / -trice** (Syn : le paysan, l'agriculteur, l'exploitant agricole)

→ la **culture** du blé / du maïs / du riz…

→ la **monoculture** (= un seul produit ou un produit dominant)

→ la **polyculture** (= plusieurs produits)

Généralement, les grandes régions productrices de vin sont des zones de monoculture.

D6-D8 | GLOSSAIRES THÉMATIQUES

→ l'**apiculture** (= l'élevage des abeilles)

→ l'**arboriculture** (= culture des arbres fruitiers)

→ l'**horticulture** (= culture et entretien des jardins)

→ la **pisciculture** (= élevage des poissons dans un bassin)

→ la **sylviculture** (= exploitation des forêts)

→ la **viticulture** (= culture de la vigne)

→ l'**apiculteur** / l'**arboriculteur** / l'**horticulteur** / le **pisciculteur** / le **sylviculteur** / le **viticulteur**

Attention : En face de **viticulteur**, **vigneron**, terme plus ancien, évoque un savoir-faire ancestral. Mais la production et la commercialisation des vins sont devenues une entreprise qui doit être gérée comme les autres et les **vignerons** sont devenus **viticulteurs**.

→ **apicole** / **arboricole** / **horticole** / **piscicole** / **sylvicole** / **viticole**

Les problèmes de surproduction viticole créent souvent des troubles dans le Midi de la France.

ÉLEVER
= du bétail, des animaux de basse-cour

Beaucoup d'agricultrices élèvent des animaux de basse-cour comme poules, canards, lapins.

→ l'**élevage**

L'élevage des animaux de boucherie

→ un **élevage** (= une entreprise d'élevage)

Il a vendu son appartement et il vit dans une vieille ferme où il s'occupe d'un élevage de chèvres.

→ un **éleveur** / **-euse**

EXPLOITER
1. exploiter une mine, une terre, une forêt = mettre en valeur et en tirer profit

→ un **exploitant** mineur / agricole / forestier (= un patron)
la F.N.S.E.A. (= la Fédération Nationale des Syndicats d'Exploitants Agricoles)
→ une **exploitation** minière / agricole / forestière (= une entreprise)

Il dirige une exploitation agricole qui occupe près de la moitié des terres cultivables de la commune.

→ l'**exploitation** de quelque chose (= l'action d'exploiter)

L'exploitation des richesses sous-marines commence à peine.

→ **exploité** / **inexploité**

→ **exploitable** / **inexploitable**

Cette carrière est inexploitable. La pierre qu'elle produit est de trop mauvaise qualité.

→ **sous-exploiter** / **surexploiter**

→ la **sous-exploitation** / la **surexploitation**

La surexploitation des terres agricoles des régions tropicales les appauvrit rapidement.

D6-D8	GLOSSAIRES THÉMATIQUES

2. exploiter une idée, un renseignement… : en tirer avantage

Ce projet de publicité est excellent. Vous avez bien exploité l'idée que je vous ai proposée.

Attention : exploiter quelqu'un = ne pas payer son travail au juste prix.

→ un **exploiteur / -euse**
Cet exploitant minier exploite honteusement ses ouvriers mineurs. C'est un exploiteur !

→ l'**exploitation** de quelqu'un
L'exploitation de l'homme par l'homme.

EXTRAIRE un minéral ▬▬▬▬▬▬▬▬▬▬▬▬ = le sortir d'une mine ou d'une carrière

→ l'**extraction** du charbon / du minérai de fer / du sable…

L'extraction à ciel ouvert, dans une carrière, est moins coûteuse que l'extraction des filons souterrains des mines.

→ **extractif / -ive**

Les industries extractives fournissent les combustibles et les principales matières premières des autres industries.

→ **extractible**

MINE (une) ▬▬▬▬▬▬▬▬▬▬▬▬ = le lieu d'où on extrait les minerais, les minéraux

→ une mine d'or / d'argent / de diamants / de charbon / de fer / de sel…
une mine souterraine / à ciel ouvert
l'École des Mines, un ingénieur des Mines

On a dû fermer les mines de charbon du Nord. Elles n'étaient pas assez rentables.

→ le **mineur**
→ le **minerai** d'or / de cuivre… (= le produit extrait)

Cette mine donne un bon minerai de fer. Quand il est fondu on obtient une fonte facilement convertible en acier.

MOISSONNER ▬▬▬▬▬▬▬▬▬▬▬▬ = récolter les céréales (blé, orge, maïs…)

Dans les plaines de la Beauce, on a commencé à moissonner le 20 juillet.

→ la **moisson**

1. l'action de moissonner

Dans l'hémisphère Nord, l'été est la saison des moissons.

→ les **moissons** (= le moment où on moissonne)

Autrefois, il y avait de grandes fêtes pendant les moissons.

→ le **moissonneur / -euse** (vieilli) (= l'ouvrier)

Les moissonneurs coupaient le blé avec une faux.

→ la **moissonneuse**

Mon voisin a loué une moissonneuse batteuse-lieuse.

2. le produit récolté

La moisson de blé a doublé en dix ans.

D6-D8 GLOSSAIRES THÉMATIQUES

PÊCHER = prendre, attraper du poisson dans la mer, une rivière…

Les marins de Saint-Malo partaient pêcher la morue au large de Terre-Neuve.

→ la **pêche**

　1. l'action de pêcher

la pêche à la ligne / au filet / au chalut

La pêche à la ligne est la distraction de nombreux Français.

　2. le produit pêché

À cause de la tempête la pêche n'est pas abondante.

→ le **pêcheur**, un patron-pêcheur, un marin-pêcheur

→ une **pêcherie** (= un lieu de pêche)

RÉCOLTER = obtenir les produits d'une exploitation agricole

Dans cette région, on récolte du blé, des betteraves, du tournesol et des pommes.

→ la **récolte**

　1. l'action de récolter

la récolte du blé (SYN : la moisson), la récolte des fruits (SYN : la cueillette), la récolte du raisin (SYN : la vendange)

La récolte du blé commencera cette année au début d'août.

　2. le produit récolté

la récolte de blé / de fruits / de raisin

En 1989, la récolte de raisin a été très abondante. C'était une bonne récolte.

VENDANGER = récolter le raisin

Le début du mois d'octobre sera très pluvieux. Il faudra vendanger dès la mi-septembre.

→ la **vendange** **1.** l'action de vendanger

En France, l'automne est la saison des vendanges. **2.** le produit récolté

L'orage a détruit une partie de la vigne. La vendange sera très mauvaise cette année.

→ les **vendanges** (= l'époque où on vendange)

Ils se sont rencontrés aux moissons. Ils se sont mariés aux vendanges.

→ le **vendangeur / -euse**

Au moment des vendanges, beaucoup d'étudiants travaillent comme vendangeurs.

D8 - LE SECTEUR SECONDAIRE : CONSTRUIRE, FABRIQUER

ARTISAN (l' / un) = celui qui travaille pour son compte et pour un travail précis (travail généralement manuel)

→ un artisan maçon / plombier / menuisier…

→ l'**artisanat**

Les grandes entreprises industrielles ne peuvent pas assurer tous les travaux. Il faut un artisanat développé, des artisans qualifiés et nombreux.

D6-D8	GLOSSAIRES THÉMATIQUES

ASSEMBLER ▬▬▬▬▬▬▬▬▬ SYN : monter / = réunir des pièces pour fabriquer quelque chose

quelque chose

→ l' / un **assemblage**

Mon voisin travaille sur la chaîne d'assemblage des carrosseries des voitures Peugeot.

CONSTRUIRE ▬▬▬▬▬▬▬▬▬▬▬▬▬▬▬ 1. bâtir une maison, un édifice

quelque chose

→ une **construction** (= un bâtiment)

La « Pyramide » du Louvre est une construction en verre et en métal.

→ la **construction** de quelque chose (= l'action de bâtir)

La construction des accès et des salles souterraines du Grand Louvre a duré trois ans.

→ la **construction** (= l'ensemble des activités du bâtiment)

Il travaille dans la construction : il est maçon.

2. fabriquer et assembler les différentes parties d'un bateau, d'un véhicule, d'un appareil, d'une machine

→ le / un **constructeur** (= celui qui construit, l'entreprise Airbus Industrie est un important constructeur d'avions.

→ la **construction** navale / automobile / mécanique…

La construction navale française est très appréciée pour la construction des grands navires de croisière.

FABRIQUER ▬▬▬▬▬▬▬▬▬ = travailler une matière première pour obtenir un objet,

quelque chose

un appareil, une machine…

→ le / un **fabricant** de télévisions / de stylos / de chaussures…

→ une **fabrication** soignée / de qualité / défectueuse…

Je vous recommande ce papier. C'est une bonne fabrication.

→ une **fabrique** (= une usine, une entreprise)
la marque de fabrique (= le nom du fabricant)

→ **préfabriquer** (= fabriquer des éléments standardisés prêts à être montés

→ **préfabriqué**, une maison préfabriquée

→ le **préfabriqué**, une maison en préfabriqué

→ la **préfabrication**

INDUSTRIE (l') ▬▬▬▬▬▬▬▬▬ = toute production en grande quantité

→ l'industrie sidérurgique / métallurgique / chimique / textile / pétrolière / automobile…

l'industrie de la machine-outil / du jouet / de la chaussure / des composants électroniques…

l'industrie lourde (= la sidérurgie, la chimie, etc.)

une branche / un secteur d'industrie

La sidérurgie est une branche importante de l'industrie.

D6-D8   GLOSSAIRES THÉMATIQUES

→ un **industriel/-elle** (= un patron d'entreprise)

Le Premier ministre a pris la parole devant les industriels de la région Rhône-Alpes réunis à la foire de Lyon.

→ **industriel/-elle**

secteur / problème / développement industriel

Au 18ᵉ siècle, la révolution industrielle a commencé en Angleterre.

→ **industriellement**

Ce produit a baissé de prix depuis qu'il est fabriqué industriellement, de façon industrielle.

→ **industrialiser / désindustrialiser / réindustrialiser**

Il faut industrialiser plus fortement certaines régions de France en créant de nombreuses usines.

→ l'**industrialisation** / la **désindustrialisation** / la **réindustrialisation**

Avec la fermeture des mines de fer, l'industrialisation de l'Est de la France est une nécessité urgente.

→ la **sous-industrialisation** / la **surindustrialisation**
→ **sous-industrialisé / surindustrialisé**

Les régions de montagne sont souvent sous-industrialisées. Il n'y a d'entreprises industrielles que dans quelques vallées.

MONTER ▰▰▰▰▰▰▰▰▰▰▰▰▰▰▰▰▰▰▰▰▰▰▰▰▰▰ = assembler, réunir des éléments
quelque chose

→ le **monteur/-euse**

Il est monteur en chauffage central.

→ le / un **montage**, une chaîne de montage

Le montage électrique des phares est mauvais.

PIÈCE (une) ▰▰▰▰▰▰▰▰▰▰▰▰▰▰▰▰▰▰▰▰ = un élément d'un appareil, d'une machine…

Le garagiste n'a pas pu réparer ma voiture : il lui manque une pièce des freins.

SOUS-TRAITER ▰▰▰▰▰▰▰▰▰▰▰▰▰▰▰▰▰▰▰ = construire, fabriquer un produit
pour une entreprise plus importante

→ le / un **sous-traitant**
→ la **sous-traitance**

La fermeture d'une usine de construction automobile entraîne la fermeture de nombreux sous-traitants qui travaillaient pour elle (fabricants de pièces mécaniques diverses, de sièges, de lampes…)

D6-D8 — EXERCICES

12 ◆

Remplissez les blancs des trois textes à l'aide des termes proposés.

a) *commerce, commerçant, commercer, commercial, commercialiser, vente, matières premières, vendre*

Les pays en voie de développement . . . . . avec les pays industrialisés en leur . . . . . leurs . . . . . (pétrole, métaux précieux, charbon, etc.).
Les entreprises multinationales ont un réseau . . . . . à l'échelle mondiale pour . . . . . leurs produits sur toute la planète.
Les représentants de . . . . . rendent visite à tous les . . . . . d'un secteur géographique pour les inciter à la . . . . . des produits qu'ils distribuent.

b) *moisonneuse-batteuse, agriculteur, moissonneur, vendangeur, agriculture, agricultrice, moissonneuse, cueillir, récolter, moissonner*

Jadis, les . . . . . et les . . . . . allaient dans les champs avec de grandes faux et des faucilles. M . . . . . . était un travail très pénible. Aujourd'hui, l'. . . . . et l'. . . . . r . . . . . avec une . . . . . Le travail va plus vite. Tous les travaux de l'. . . . . ont changé mais, dans les vignes, les . . . . . vont toujours . . . . . le raisin avec une hotte et des ciseaux.

c) *industrie, artisanat, industrialisé, construction*

Des régions fortement . . . . . vers le milieu du siècle ont vu disparaître toutes les . . . . . qui faisaient leur richesse. L'. . . . . ne peut pas suffire, il faut que de grandes entreprises de . . . . . mécanique par exemple viennent s'installer.

13 ◆ ◆

Dans l'agriculture, que peut-on cueillir, récolter, vendanger, cultiver, élever ou exploiter ?

a) Mettre une croix dans les cases convenables.

b) Quels sont les deux termes qui ont le sens le plus précis ?

	des fruits	d'une ferme	des chevaux	du raisin	d'une forêt	des céréales	des poissons
la cueillette							
la récolte							
la vendange							
la culture							
l'élevage							
l'exploitation							
la moisson							

14 ◆ ◆

Dans l'industrie, que peut-on monter, assembler, construire, fabriquer, extraire ou exploiter ?

a) Mettre une croix dans les cases convenables.

b) À quel type de produits s'applique le plus grand nombre de noms d'action ?

EXERCICES

c) Pourquoi le même terme ne s'applique-t-il pas à une mine et à du minerai ?

	d'un appareil de TV	d'une voiture	d'un avion	d'un minerai	d'outils	de médica-ments	d'une mine
le montage							
l'assemblage							
la construction							
la fabrication							
l'extraction							
l'exploitation							

15 ◆ ◆

Vous êtes journaliste et votre journal vous charge de trouver un titre pour des photos dont le contenu vous est décrit ci-dessous. Imaginez des titres percutants sur ce modèle :

Les paysans de l'Ardèche *cueillent* des tonnes de châtaignes
→ Une *cueillette* exceptionnelle de châtaignes en Ardèche.

1. Les exploitants de la Beauce *moissonnent* des quantités de blé.
....

2. La Côte-d'Ivoire *s'industrialise* à grands pas.
....

3. Les patrons-pêcheurs bretons sont satisfaits d'avoir *pêché* des tonnes de maquereaux.
....

4. La pluie continuelle depuis des semaines n'a pas permis de *vendanger* beaucoup de raisin en Alsace.
....

5. Une nouvelle machine entièrement automatisée permet *d'extraire* deux fois plus de charbon en une journée.
....

6. La nouvelle chaîne des usines Renault permet à des robots *d'assembler* les R 25.
....

7. Porsche renonce à *fabriquer* le modèle de course projeté de l'an dernier.
....

8. À la suite des pluies, les exploitants décident de *moissonner* une semaine plus tard.
....

EXERCICES

16 ◆ ◆ ◆ En vous aidant de l'article *cultiver* du glossaire thématique et des sens indiqués dans la partie supérieure de chaque case, remplir l'arbre ci-dessous. Les mots à insérer sont les suivants (dans le désordre) :

cultivateur	*piscicole*	*horticole*
monoculture	*polyculture*	*arboriculture*
arboricole	*arboriculteur*	*sylviculture*
horticulture	*sylvicole*	*viticulture*
viticulteur	*viticole*	*culture*
pisciculteur	*pisciculture*	*horticulteur*
agriculteur	*sylviculteur*	

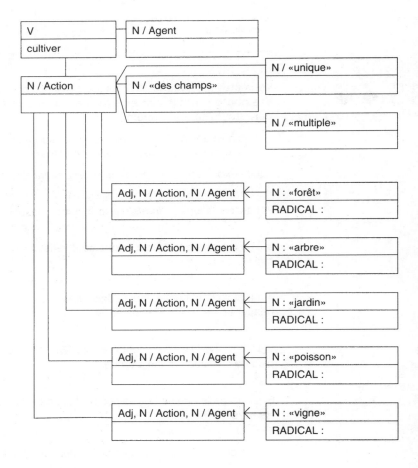

D6-D8   **EXERCICES**

17 ◆ ◆

Deux images bien connues du monde du travail : d'un côté des **exploitants** qui **exploitent** (sens 1) leur **exploitation** agricole, mais qui distinguent les terrains **exploitables** des **inexploitables**, laissant **inexploitées** les terres difficilement accessibles, mais **surexploitant** les terres riches ; de l'autre des **exploiteurs** qui n'hésitent pas à **exploiter** (sens 2) leurs employés immigrés pour tirer de leur travail un maximum de profit. **L'exploitation** de l'homme par l'homme n'a pas encore disparu !

Tous ces termes sont à insérer à la place qui convient sur l'arbre ci-dessous :

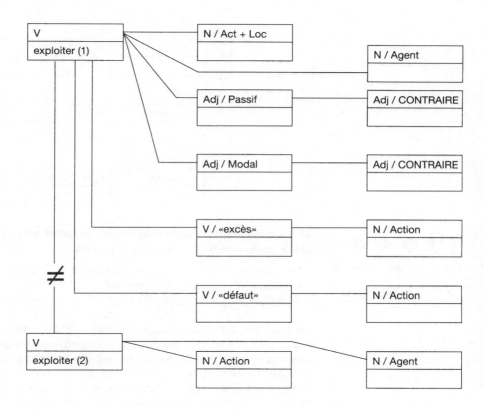

D6-D8 EXERCICES

18 ◆ ◆ ◆ À la lecture attentive de l'article *Industrie* du glossaire thématique, remplissez l'arbre ci-dessous. Les termes à introduire à la place convenable sont, dans le désordre :

industriel	industrialiser	désindustrialisation
surindustrialisé	un industriel	industrialisé
sous-industrialisé	sous-industrialisation	surindustrialisation
réindustrialiser	réindustrialisation	désindustrialiser

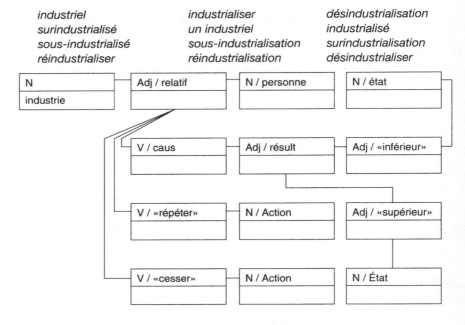

19 ◆ ◆ ◆ En vous inspirant du texte ci-dessous, remplir l'arbre du verbe *produire*. Les termes à insérer sont, dans le désordre :

production	sous-production	surproduction
produit	sous-produit	producteur
productif	productivité	P.N.B. (produit national brut)

Les pays **producteurs** de cacao, de café ou d'arachides ont souvent fait des efforts pour devenir plus **productifs**, pour améliorer leur **productivité**. Mais ces **produits** ont des prix d'achat qui varient beaucoup. Dès qu'il y a **surproduction**, les cours baissent et ils ne montent pas toujours quand il y a **sous-production**. C'est pourquoi le **P.N.B.** de certains pays reste insuffisant. Peut-être serait-il utile de moins développer la **production** et de chercher à obtenir des **sous-produits**.

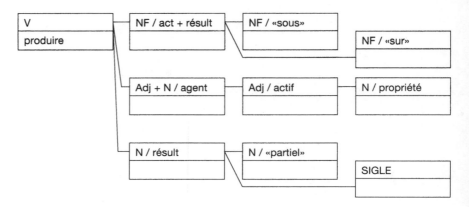

D6-D8	**EXERCICES**

20 ◆ ◆ ◆

Quels adjectifs et quels noms s'associent habituellement ? À partir des deux listes de noms et d'adjectifs et des paraphrases qui suivent, choisissez les couples Nom-Adjectif habituels :

Noms : *industrie, produit, construction, révolution, exploitation*
Adjectifs : *mécanique, agricole, forestier, fini, céréalier, lourd, semi-fini, industriel, naval, sidérurgique*

PARAPHRASES :
1. fabrication de machines...
2. industrie du fer...
3. résultat intermédiaire de la fabrication...
4. industrie métallurgique avant transformation..
5. transformation brutale des techniques de l'industrie...
6. fabrication de navires..
7. résultat final de la fabrication...
8. ferme...
9. production de blé, avoine, orge...
10. entretien d'une forêt...

21 ◆ ◆ ◆

L'un des termes de plusieurs suites de la forme Nom + (Préposition) + Nom manque dans les phrases suivantes. Essayez de les reconstituer :

1. Les étudiants qui parviennent à entrer à l'. . . . . des Mines deviennent à sa sortie . . . . . des Mines.

2. Notre maison ne met sur le marché que des fabrications de . . . . . que garantit notre . . . . . de fabrique.

3. À la . . . . . des moissons, les agriculteurs procèdent à la . . . . . du blé. Un mois plus tard, à la saison des . . . . ., les viticulteurs procèdent à la . . . . . du raisin.

4. Dans notre . . . . . d'industrie (l'électronique de pointe), on envisage de remplacer les . . . . . de montage par des ateliers où les ouvriers pourront travailler à leur rythme dans une atmosphère plus humaine.

D9 — TEXTES ET CONTEXTES

D9

Le gouvernement a demandé au **patronat** et aux syndicats des **cadres**, des **employés** et des **ouvriers** de négocier une augmentation des salaires : les **patrons** et les **responsables** syndicaux ne doivent pas mettre en danger le taux d'inflation qui se maintient à moins de 3%. Il fait appel à leur sens des **responsabilités**. Le ministre a souligné que la lutte contre le **chômage** et pour l'amélioration de l'**emploi** reste prioritaire. L'**administration** des Finances surveillera les discussions pour que ces **directives** soient suivies.

• • •

Il y a quelques années, l'**apprentissage** était mal considéré. On préférait envoyer les adolescents à l'école. On pense aujourd'hui que ce n'est pas une bonne solution. S'il a affaire à un bon **patron**, l'**apprenti** est bien placé pour apprendre un métier. Il faut que le **patronat** et l'école unissent leurs efforts pour donner au pays la **main-d'œuvre** qualifiée dont il a besoin.

• • •

L'**administrateur** et son **adjoint** ont présenté leur **démission**. Ils sont en désaccord avec les **cadres** et les **ouvriers** de l'entreprise qui refusent les **licenciements** prévus. Le **responsable** des syndicats a déclaré que trop d'**emplois** avaient été perdus, que la **gestion** de l'usine était mauvaise et qu'il ne pouvait pas accepter la mise au **chômage** de 30 personnes. Le **personnel** de l'usine souhaite rencontrer le **P.D.G.** du groupe ou bien l'un des **dirigeants** pour discuter de l'**administration** de l'entreprise.

• • •

Paul Dupont, rédacteur en **chef** du *Petit Pêcheur*, quitte notre revue ce mois-ci. Depuis cinq ans, il a **travaillé** au succès actuel de la revue. Il devient **directeur** de la rédaction de *Sud-France*. Il sera remplacé par Marc Lebois, jusqu'alors rédacteur en **chef adjoint**, qui était son **assistant** depuis deux ans.

• • •

Entreprise de travaux publics cherche **secrétaire** trilingue (français-anglais-espagnol) pour **travailler** à Toulouse.

• • •

Vous êtes **ingénieur** agronome ? Vous souhaitez être un **agent** efficace du développement ? Rejoignez notre équipe de **cadres** et de **techniciens**. Écrivez à Monsieur Jean, **directeur** des ressources humaines…

• • •

La ville de X recrute son **responsable** de la **direction** des études d'aménagement et d'urbanisme. Mission : réalisation personnelle d'études et **encadrement** des **techniciens**, **employés** et **ouvriers** des travaux de la ville. Formation souhaitée : **Ingénieur** et expérience dans un secteur semblable.

• • •

Hebdomadaire régional (ouest) recherche **Chef** de Publicité. Prendre contact avec le **secrétariat** général de la rédaction.

• • •

D9	TEXTES ET CONTEXTES

Monsieur le **Directeur**, J'ai l'honneur de vous faire savoir que je **démissionne** de mon poste de **secrétaire-comptable**.

• • •

Plusieurs industries manquent de **main-d'œuvre** qualifiée. Les **travailleurs licenciés** sont nombreux, mais les **employeurs** ne peuvent pas leur confier des **travaux** qu'ils ne savent pas faire.

• • •

« Réunis en Assemblée générale sous la **présidence** de M. Pierre Suard, les **actionnaires** de la Compagnie Générale d'Électricité (C.G.E.) ont adopté l'ensemble des résolutions qui leur étaient proposées. » (*Le Monde,* 07 juillet 90, p. 22)

• • •

« La manifestation était soutenue par la C.G.T. et le comité des **chômeurs** de l'ex-chantier naval. » (J. Contrucci, *Le Monde,* 07 juillet 90, p. 23)

• • •

« 845 000 lecteurs **cadres**, *Le Monde* est le premier titre d'information des **cadres**, 634 000 lecteurs **cadres supérieurs**, Le Monde est la première source d'information des **cadres supérieurs**. » (Publicité *Le Monde,* 07 juillet 90, p. 24)

D9 | GLOSSAIRE THÉMATIQUE

D9 - LES HOMMES

ACTION (l') ▨▨▨▨▨▨▨▨▨▨▨▨ = document remis
en échange d'une somme d'argent versée au capital d'une société ;
en échange, le possesseur d'une action reçoit une part des bénéfices de la société

→ un **actionnaire** (= personne qui possède des actions)

ADJOINT / -TE (l') ▨▨▨▨▨▨▨ **SYN** : l'assistant / = celui qui aide un supérieur

→ un directeur adjoint

Il est l'adjoint du chef du service commercial.

ADMINISTRER une entreprise ▨▨▨▨▨ = diriger les services du personnel, des finances, du commerce…

→ l'**administrateur /-trice**

→ l'**administration** d'une entreprise (= les services)

*Le Conseil d'administration de la Société des Établissements Dupont
se réunira mercredi prochain.*

Attention : l'**administration** (= les services publics, d'État) voir D6.

AGENT (l') ▨▨▨▨▨▨▨▨▨ = toute personne qui accomplit un travail

Attention : dans une entreprise le nom est toujours précisé par la nature
du travail ; ce sont des emplois de salariés équivalents à ceux des employés
ou des ouvriers.

→ un agent technique / commercial / administratif

un agent d'entretien / de surveillance

APPRENDRE ▨▨▨▨▨▨▨▨▨▨▨▨▨

→ un **apprenti /-ie** (= jeune ouvrier placé chez un artisan pour apprendre le métier
et préparer son C.A.P.)

→ l'**apprentissage**, être en apprentissage

ASSISTER ▨▨▨▨▨▨▨▨▨▨▨ **SYN** : aider, seconder

quelqu'un

→ l'**assistant /-ante** (SYN : l'adjoint)

*M. X est l'assistant du directeur financier de l'entreprise. Il est directeur
assistant.*

C.A.P. ▨▨▨▨▨▨▨▨▨▨▨ = Certificat d'Aptitude Professionnelle.
Diplôme professionnel des ouvriers et des employés

Il a passé un C.A.P. de secrétariat.

CHEF (le) ▨▨▨▨▨▨▨▨ = celui qui commande un groupe d'ouvriers, d'employés

→ le chef d'atelier / d'équipe

le chef du personnel / des services financiers / du service de nettoyage…

Il joue au petit chef. (= au chef qui se croit important)

→ le **sous-chef**

D9	GLOSSAIRE THÉMATIQUE

CHÔMER ▬▬▬▬▬▬▬▬▬▬▬▬▬▬▬▬▬▬▬▬ = ne pas avoir de travail

→ un **chômeur / -euse** (= personne sans emploi)

→ le **chômage**, être au chômage

allocations de chômage (= argent versé aux chômeurs)

En France, le chômage touche particulièrement les femmes et les jeunes. Les chômeuses de tous les âges et les chômeurs de plus de 55 ans ont beaucoup de mal à retrouver un emploi.

CONTREMAÎTRE / -ESSE (le / la) ▬▬▬▬▬▬▬▬ **SYN** féminin = la contre-dame /
= salarié qui dirige les ouvriers

DÉMISSIONNER ▬▬▬▬▬▬▬▬▬▬▬▬▬▬ = quitter volontairement son emploi

Attention : ne pas confondre avec **être licencié**.

→ la **démission**, une lettre de démission, donner sa démission
(familièrement : donner sa **dem**)

→ le / la **démissionnaire**

DIRIGER ▬▬▬▬▬▬▬▬▬▬▬▬▬▬▬▬▬▬ = commander, être à la tête de

quelque chose   → diriger une entreprise / un service

→ le **dirigeant / -ante** (= celui qui dirige)

un dirigeant d'entreprise

un dirigeant politique / syndical

M. X. dirige l'entreprise Dupont. Les ventes et les bénéfices sont en progrès et il n'y a pas de conflits avec le personnel. C'est un bon dirigeant.

→ le **dirigisme** (= politique économique dirigée par l'État)

→ **dirigiste**, une politique dirigiste

→ le **directeur / -trice** (= titre du cadre salarié qui dirige une entreprise précise, un service précis

M. X. est le directeur de l'entreprise Dupont.
Je voudrais parler à Madame la Directrice du service.

Attention : dirigeant est le terme général, **directeur** est le titre officiel :
Monsieur le Directeur de…

→ le **sous-directeur / -trice**

Monsieur Y. sous-directeur du service commercial.

→ la **direction**

1. l'action de diriger

Elle a la direction de tous les services financiers.

2. l'ensemble des dirigeants

Il y a un grave conflit entre le personnel de l'usine et la direction.

→ **directorial / -ale** (= qui concerne le directeur)

Il parle d'un ton trop directorial. Il pourrait être plus aimable !

| D9 | # GLOSSAIRE THÉMATIQUE |

→ la **directive** (= une circulaire venant de la direction (2))

La dernière directive concernant les horaires de travail a été affichée hier soir.

→ les **directives** (= ensemble des règles à suivre)

Le personnel doit absolument obéir aux directives concernant la sécurité.

→ **directif / -ive** (= qui donne trop d'ordres)

→ la **directivité** / la **non-directivité**

Il est trop directif. Il fait preuve de trop de directivité. Il ne laisse pas assez de responsabilité et d'initiative à ses adjoints.

EMPLOYER ▬▬▬▬▬▬▬▬▬▬ = donner du travail et payer un salaire

Notre entreprise emploie quarante ouvriers, sept employés de bureau et dix cadres.

→ un **employeur / -euse** (SYN : un patron)

Je suis fonctionnaire. Mon employeur, c'est l'État.

→ un **employé / -ée**

1. tout salarié

un employé de maison (= un domestique)

2. dans une entreprise, salarié chargé d'un travail de bureau

Dans ce bureau, il y a trois employés, une secrétaire, un agent administratif et une dactylo.

→ l'**emploi** (= le travail, en général)

La situation de l'emploi est mauvaise. Il y a trop de chômeurs.

→ le **plein-emploi** (= l'absence de chômage)

→ un **emploi** (= un travail précis)

Il a trouvé un emploi de secrétaire trilingue.

ENCADRER (le personnel) ▬▬▬▬▬▬▬ = le diriger dans son travail

→ les **cadres** (= salariés responsables des activités d'une entreprise ; direction, recherche, fabrication, financement, vente…)

→ un **cadre** supérieur / moyen

un cadre technique / commercial / technico-commercial

→ passer / devenir cadre

la C.G.C. = Confédération Générale des Cadres (syndicat)

Le service comptabilité comporte cinq employés secrétaires aides-comptables et deux cadres comptables : la directrice et son adjoint.

→ l'**encadrement** (= l'ensemble des cadres d'une entreprise)

FERMIER ▬▬▬▬▬▬▬▬▬▬▬ **1.** (sens courant) paysan, cultivateur

2. (sens technique) celui qui gère une exploitation agricole et paye le propriétaire en argent (à la différence du métayer)

→ le **fermage**, prendre une exploitation en fermage

D9	GLOSSAIRE THÉMATIQUE

GÉRER ▓▓▓▓▓▓▓▓▓ **1.** exploiter une entreprise, tenir un commerce pour le compte de quelqu'un d'autre

→ le **gérant / -ante**

Il n'est pas propriétaire de son magasin. Il est gérant.

→ la **gérance** (= l'action de gérer)
prendre / exploiter en gérance

→ une **gérance** (= une exploitation en gérance)
prendre / exploiter une gérance

Il a pris une gérance. C'est un garage.

2. administrer

→ la **gestion** (= l'action de gérer)
→ le / la **gestionnaire**

La gestion du précédent directeur était mauvaise. J'espère que vous serez un meilleur gestionnaire que lui.

→ l'**autogestion** (= la gestion d'une entreprise par son personnel)
→ **autogéré / -ée**, l'usine autogérée
→ **autogestionnaire**, une théorie autogestionnaire

INGÉNIEUR (un / une) ▓▓▓▓▓▓▓▓▓ = cadre qui a obtenu le diplôme d'ingénieur dans une école d'ingénieurs

→ un ingénieur débutant / expérimenté / confirmé

un ingénieur agronome / agricole / chimiste / commercial / généraliste / informaticien...

un ingénieur d'affaires / d'études / de recherches / de production / d'application...

un ingénieur **en** aéronautique / en électricité / en mécanique / en télécommunications...

→ un **ingénieur maison** (= cadre qui n'a pas été élève dans une école d'ingénieurs mais qui a acquis une expérience que la direction de l'entreprise juge satisfaisante pour le traiter comme un ingénieur diplômé)

LICENCIER ▓▓▓▓▓▓▓▓▓ = ne plus employer

quelqu'un

L'entreprise a licencié dix personnes pour des raisons d'économie.

→ un **licencié / -ée** (= salarié qui perd son emploi)

Attention : ne pas confondre avec un *licencié* (= étudiant qui a obtenu sa licence)

→ le **licenciement**, lettre de licenciement

MAIN-D'ŒUVRE (la) ▓▓▓▓▓▓▓▓▓ = l'ensemble des travailleurs

Le bâtiment et les travaux publics sont des branches d'activité qui demandent une abondante main-d'œuvre.

MÉTAYER ▓▓▓▓▓▓▓▓▓ = gérant d'une exploitation agricole qui paye le propriétaire en lui donnant une part de la récolte (à la différence du fermier)

→ le **métayage**, prendre une exploitation en métayage
→ la **métairie** (= exploitation en métayage)

D9	GLOSSAIRE THÉMATIQUE

METTRE À LA PORTE ▬▬▬▬▬▬▬ = licencier pour faute de travail / **SYN** familier : vider

OUVRIER / -ÈRE ▬▬▬▬▬▬▬▬▬ = salarié qui effectue un travail manuel
→ un ouvrier agricole / mécanicien / maçon…
un ouvrier d'entretien
F.O. : Force Ouvrière (syndicat)
→ un **ouvrier spécialisé** (O.S.) (= peu qualifié)
→ un **ouvrier professionnel** (O.P.) (= qualifié)

PATRON / -ONNE (le / la) ▬▬▬▬▬▬▬ **SYN** plus précis = directeur /
= celui, celle qui dirige une entreprise
→ le **patronat** (= l'ensemble des patrons)
Le C.N.P.F. = le Conseil National du Patronat Français

PERSONNEL (le) ▬▬▬▬▬▬ = l'ensemble des personnes qui travaillent dans une entreprise
Le personnel des usines Dupont s'est mis en grève pour protester contre les conditions de travail.
→ le **personnel d'encadrement** (SYN : les cadres)

PRÉSIDER (une société) ▬▬▬▬▬▬▬▬▬▬▬
→ le **président** du Conseil d'administration
le P.D.G. = Président Directeur Général
→ la **présidence**

RESPONSABLE (le / la) ▬▬▬▬▬▬ **SYN** plus précis : le directeur, le chef
→ le responsable du service commercial
→ la **responsabilité**
Il a la responsabilité du service commercial. Il est responsable de sa bonne marche

SECRÉTAIRE (le / la) ▬▬▬▬▬▬▬ = employé chargé du courrier, des écritures, des rendez-vous d'un cadre ou d'un service
→ une secrétaire de direction
un secrétaire administratif / commercial / comptable…
→ le **secrétariat** (= le service qui regroupe les secrétaires)
Monsieur le directeur est absent mais vous pouvez prendre rendez-vous en téléphonant à son secrétariat.

TECHNICIEN / -IENNE ▬▬▬▬▬▬▬ = ouvrier très qualifié, cadre moyen
→ **B.T.** = Brevet de Technicien
→ **B.T.S.** = Brevet de technicien supérieur (diplôme de l'enseignement supérieur technique)

TRAVAILLER ▬▬▬▬▬▬▬▬▬▬▬▬▬▬
→ le **travailleur / -euse**
un travailleur manuel / agricole
C.F.T.C. = Confédération Française des Travailleurs Chrétiens (syndicat)
→ le **travail**
un travail temporaire / à mi-temps / à temps partiel / à temps plein
C.G.T. = Confédération Générale du Travail (syndicat)
C.F.D.T. = Confédération Française Démocratique du Travail (syndicat)

D9

EXERCICES

22 ◆

Complétez le texte avec les mots donnés. Ils peuvent être employés plusieurs fois.

apprendre - apprenti - apprentissage - main-d'œuvre - patron - employer - licencier - président - travail

Les députés doivent examiner un projet de loi sur l'. . . . . . Il s'agit de mieux protéger les . . . . . contre les . . . . . qui les . . . . . à des . . . . . d'entretien au lieu de leur . . . . . le métier. Les représentants des . . . . . sont d'accord pour que cessent ces procédés. Comme l'a déclaré le . . . . . de leur syndicat : « L'. . . . . est chez nous pour . . . . . son métier. Le . . . . . qui aime son métier, aime le faire connaître à un jeune. Il ne faut pas que les jeunes deviennent une . . . . . mal payée qu'on peut facilement . . . . . .

23 ◆

Les 21 professions suivantes entrent dans l'un des quatre groupes professionnels mentionnés dans les colonnes du tableau ci-dessous. Ranger chaque nom de métier dans la colonne qui lui convient :

administrateur - apprenti - cadre - exploitant - chef d'atelier - métayer - directeur - ouvrier professionnel - ingénieur - fermier - gestionnaire - ouvrier spécialisé - contremaître - gérant - agent technique - patron - président - responsable - secrétaire - technicien - ouvrier agricole.

l'administration	le personnel d'exécution	l'encadrement	le monde de la ferme

24 ◆ ◆

Répondez aux questions de votre collègue de travail en employant des noms d'action sur le modèle suivant :

- Sais-tu *gérer* un budget ?
- Non, je ne connais rien à la *gestion* d'un budget.

1. Es-tu apte à *encadrer* des apprentis ?
2. Es-tu prêt à *travailler* de nuit ?
3. Exiges-tu de me voir *assister* à toutes les réunions ?
4. Te proposes-tu de *diriger* notre filiale de Rome ?
5. Souhaites-tu *présider* le comité d'entreprise ?
6. Veux-tu te mettre à *apprendre* les nouvelles techniques de distribution ?
7. As-tu peur qu'on te *licencie* ?

| D9 | **EXERCICES** |

25 ◆ ◆ ◆

Les *dirigeants* doivent-ils être *directifs* ? Les *directeurs* (et les *sous-directeurs*) doivent-ils *diriger* leur service à coups de *directives* ? Quelle est la meilleure politique pour la *direction* : le *dirigisme* ou la *directivité* ?

Autant de casse-tête quand on a une fonction *directoriale* !

Insérez les mots en italique de la famille de *diriger* dans l'arbre ci-dessous :

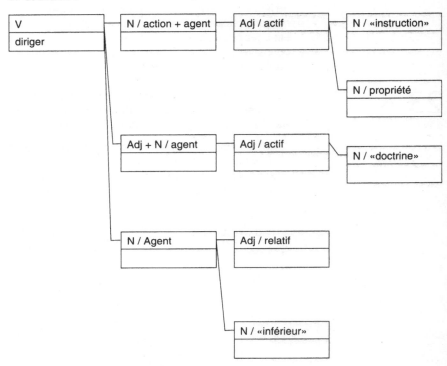

V
diriger

N / action + agent

Adj / actif

N / «instruction»

N / propriété

Adj + N / agent

Adj / actif

N / «doctrine»

N / Agent

Adj / relatif

N / «inférieur»

26 ◆

De quelle tâche professionnelle s'agit-il ?

1. Au sommet de la hiérarchie, il peut être *général* ou *adjoint* : le . . . . .

2. Selon les services, il peut être *technique*, *commercial* ou *administratif* : l'. . . . .

3. À la tête d'une organisation, il peut être *syndical* ou *politique* : le . . . . .

4. Entre le patron et les ouvriers, ils peuvent *moyens* ou *supérieurs* : les . . . . .

5. Experts scientifiques, ils sont par exemple *agronomes*, *chimistes*, *commerciaux* : les . . . . .

6. À la base de l'entreprise, ils sont *professionnels*, *qualifiés* ou *spécialisés*, à la ferme ils sont *agricoles* : les . . . . .

7. Ils ou elles apportent une aide *administrative* ou *commerciale* : les . . . . .

D9	**EXERCICES**

27 ◆

Trois destins ! Reconstituez-les en retrouvant les collocations du type *Nom + Préposition + Nom* dont l'un des termes a disparu du texte :

1. Robert était . . . . . d'entretien aux usines de mécanique de précision du Nivernais et rêvait de passer . . . . . d'atelier ou d'équipe. Mais le . . . . . du personnel a anéanti brutalement ses rêves : il vient de recevoir sa . . . . . de licenciement et ne peut plus compter que sur son . . . . . de chômage jusqu'à ce qu'il retrouve du travail.

2. Jean, après avoir fréquenté une . . . . . d'ingénieurs très réputée, est devenu ingénieur de . . . . . (chargé de la fabrication), puis ingénieur d'. . . . . (chargé des négociations commerciales) avant de finir sa brillante carrière comme . . . . . d'entreprise.

3. Magali était la . . . . . de direction du P.D.G. Après avoir eu son premier enfant, elle a abandonné son travail à . . . . au profit d'un travail à . . . . Plus tard la venue au monde de son second enfant l'a empêchée de poursuivre son travail et elle a dû adresser à son patron sa lettre de . . . . . .

28 ◆ ◆ ◆

Le texte comporte 11 passages écrits en italique. Ces passages correspondent aux 11 expressions incomplètes qui suivent le texte. Complètez-les en vous aidant des 11 mots donnés maintenant :

apprentissage - conseil - chef - donner - passer - employée - porte - directeur - maison - chômage - main

J'ai commencé ma carrière dans les Établissement Fauché quand je suis *devenu apprenti* (1). Les Établissements avaient besoin de *personnel* (2), parce que les *administrateurs* (3) avaient *licencié* (4) des employés qui jouaient *à commander à tout le monde* (5). Depuis que j'y travaille, je ne crains plus d'*être sans travail* (6) ; je suis des cours de formation continue pour *faire partie de l'encadrement* (7) et je rêve de devenir *un ingénieur formé par l'entreprise* (8). Actuellement, ma femme est encore une *employée au service d'une famille* (9), mais elle va bientôt *démissionner* (10) pour devenir la secrétaire du *patron* (11) des Établissements Fauché.

1. entré en . . . . .
2. . . . . . d'œuvre
3. . . . . . d'administration
4. mis à la . . . . .
5. jouaient au petit . . . . .
6. être au . . . . .
7. . . . . . cadre
8. ingénieur . . . . .
9. employée de . . . . .
10. . . . . . sa démission
11. . . . . . général

MODULE D	**EXERCICES DE SYNTHÈSE**

29 ◆ ◆

Après le suffixe *-eur*, ce sont les suffixes *-aire*, *-iste* et *-ant(e)* qui forment la majorité des noms de métier dérivés d'un verbe ou d'un nom. Répondez aux questions suivantes à l'aide de l'un de ces noms de métier :

Comment appelle-t-on quelqu'un qui :

1. produit des copies d'œuvre d'art sans indiquer que ce sont des *faux* ?
2. poursuit ses *études* ?
3. assure la *gestion* d'un service ?
4. donne sa *démission* ?
5. *exploite* une terre ?
6. *assiste* un professeur d'université ?
7. effectue des *maquettes* ?
8. au Moyen Âge *copiait* des manuscrits ?
9. *gère* une société ?
10. *fabrique* des meubles ?

30 ◆ ◆

Chacun des noms, verbes et adjectifs mentionnés dans la colonne de droite peut se combiner avec (au moins) 2 préfixes. Chaque préfixe peut se combiner avec (au moins) 2 mots qui se suivent. L'ensemble forme une chaîne dont nous vous donnons un anneau. À vous de retrouver les autres :

AVANT = qui précède

CONTRE = 1) opposé 2) sans autorisation

PLEIN = complètement

RE (2 fois) = à nouveau

SOUS (3 fois) = 1) insuffisamment 2) en dessous dans la hiérarchie

SUR = excessivement

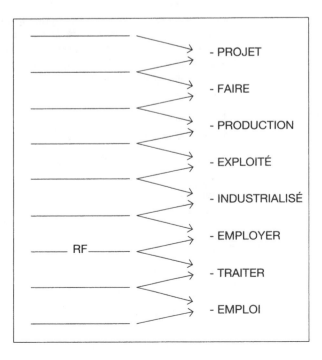

MODULE D GLOSSAIRE ALPHABÉTIQUE

LISTE DES MOTS ESSENTIELS

administration	emploi	ouvrier
agriculture	employeur	patron
apprendre	entreprise	plan
artisan	étude	produire
cadre	fabrication	produit
chômage	imaginer	recherche
construire	industrie	récolter
contrôler	ingénieur	secrétaire
créer	inventer	société
croquis	licencier	sous-produit
décider	main-d'œuvre	technicien
devis	matières	travailler
direction	premières	

GLOSSAIRE COMPLET

A

action, nf	D9
actionnaire, nm	D9
adjoint, nm	D9
administrateur, nm	D9
administration, nf	D9
administrer, v	D9
agent, nm	D9
agricole, adj	D7
agriculteur, nm	D7
agriculture, nf	D7
apicole, adj	D7
apiculteur, nm	D7
apiculture, nf	D7
apprendre, v	D9
apprenti, nm	D9
apprentissage, nm	D9
arboricole, adj	D7
arboriculteur, nm	D7
arboriculture, nf	D7
artisan, nm	D8
artisanat, nm	D8
assemblage, nm	D8
assembler, v	D8
assistant, nm	D9
assister, v	D9
autogéré, adj	D9
autogestion, nf	D9
autogestionnaire, adj	D9
avant-projet, nm	D4

B

B.T.	D9
B.T.S.	D9

C

cadre, nm	D9
canevas, nm	D4
C.A.P.	D9
C.F.D.T.	D9
C.F.T.C.	D9
C.G.C.	D9
C.G.T.	D9
chef, nm	D9
chercher, v	D2
chercheur, nm	D2
chômage, nm	D9
chômer, v	D9
chômeur, nm	D9
C.N.P.F.	D9
C.N.R.S.	D2
commencer, v	D1
commerçant, nm	D6
commerce, nm	D6
commercial, adj	D6
commercialisation, nf	D6
commercialiser, v	D6
concept, nm	D2
concepteur, nm	D2
conception, nf	D2
concevoir, v	D2

conditionnement, nm	D6
conditionner, v	D6
conditionneur, nm	D6
conseil (administration), nm	D1
constructeur, nm	D8
construction, nf	D8
construire, v	D8
contre-dame, nf	D9
contrefaçon, nf	D3
contrefacteur, nm	D3
contrefaire, v	D3
contrefait, adj	D3
contremaître, nm	D9
contre-projet, nm	D4
contrôle, nm	D5
contrôler, v	D5
contrôleur, nm	D5
copiage, nm	D3
copie, nf	D3
copier, v	D3
copieur, nm	D3
copiste, nm/f	D3
créateur, nm	D2
créatif, adj	D2
création, nf	D2
créativité, nf	D2
créer, v	D2
croquis, nm	D4
cueillette, nf	D7
cueilleur, nm	D7
cueillir, v	D7

cultivateur, nm	D7
cultiver, v	D7
culture, nf	D7

D

décider (se), v	D1
décideur, nm	D1
décision, nf	D1
découverte, nf	D2
découvrir, v	D2
demi-produit, nm	D6
démission, nf	D9
démissionnaire, nm	D9
démissionner, v	D9
désindustrialisation, nf	D8
désindustrialiser, v	D8
dessein, nm	D1
dessin, nm	D4
dessinateur, nm	D4
dessiner, v	D4
devis, nm	D4
directeur, nm	D9
directif, adj	D9
direction, nf	D9
directive(s), nf/nfpl	D9
directivité, nf	D9
directorial, adj	D9
dirigeant, nm	D9
diriger, v	D9

MODULE D GLOSSAIRE ALPHABÉTIQUE

dirigisme, nm	D9
dirigiste, adj	D9
dissoudre (une société), v	D1

E

ébauche, nf	D4
ébaucher, v	D4
élaboration, nf	D4
élaborer, v	D4
élevage, nm	D7
élever, v	D7
éleveur, nm	D7
emploi, nm	D9
employé, nm	D9
employer, v	D9
employeur, nm	D9
encadrement, nm	D9
encadrer, v	D9
entreprendre, v	D1
entrepreneur, nm	D1
entreprise, nf	D1
envisager, v	D1
épure, nf	D4
épurer, v	D4
esquisse, nf	D4
esquisser, v	D4
essai, nm	D5
essayage, nm	D5
essayer, v	D5
étude, nf	D4
étudier, v	D4
exploitable, adj	D7
exploitant, nm	D7
exploitation, nf	D7
exploité, adj	D7
exploiter, v	D7
exploiteur, nm	D7
extractible, adj	D7
extractif, adj	D7
extraction, nf	D7
extraire, v	D7

F

fabricant, nm	D8
fabrication, nf	D8
fabrique, nf	D8
fabriquer, v	D8
faux, adj/nm	D3
faussaire, nm	D3
fermage, nm	D9
fermier, nm	D9
F.O.	D9
F.N.S.E.A.	D7

G - H

gabarit, nm	D5
gérance, nf	D9
gérant, nm	D9
gérer, v	D9
gestion, nf	D9
gestionnaire, nm	D9
horticole, adj	D7
horticulteur, nm	D7
horticulture, nf	D7

I

idée, nf	D2
imaginatif, adj	D2
imagination, nf	D2
imaginer, v	D2
imitateur, nm	D3
imitation, nf	D3
imiter, v	D3
industrialisation, nf	D8
industrialiser, v	D8
industrie, nf	D8
industriel, nm/adj	D8
industriellement, adv	D8
inexploitable, adj	D7
inexploité, adj	D7
ingénieur, nm	D9
innovateur, adj	D2
innovation, nf	D2
innover, v	D2
I.N.R.A.	D2
I.N.S.E.R.M.	D2
intention, nf	D1
inventer, v	D2
inventeur, nm	D2
inventif, adj	D2
invention, nf	D2

L

licencié, nm	D9
licencier, v	D9
licenciement, nm	D9

M

main-d'œuvre, nf	D9
maquette, nf	D4
maquettiste, nm/f	D4
matières premières, nfp	D6
métairie, nf	D9
métayage, nm	D9
métayer, nm	D9
mettre (à la porte), locv	D9
mettre (au point), locv	D5
mettre (en vente) locv	D5
mettre (en service) locv	D5
mine, nf	D7
minerai, nm	D7
mineur, nm	D7
mise au point, nf	D5
mise en service, nf	D5
mise en vente, nf	D5
mi-temps (travail à), nm	D9
modèle, nm	D4
modèle réduit, nm	D4
moisson, nf	D7
moissonner, v	D7
moissonneur, nm	D7
moissonneuse, nf	D7
monoculture, nf	D7
montage, nf	D8
monter, v	D8
monteur, nm	D8

O

original, adj, nm	D2
originalité, nf	D2
ouvrier, nm	D9

P

patron, nm	D9
patronat, nm	D9
paysan, nm	D7
P.D.G., nm	D9
pêche, nf	D7
pêcher, v	D7
pêcherie, nf	D7
pêcheur, nm	D7
personnel, nm	D9
photocopie, nf	D3
photocopier, v	D3
photocopieuse, nf	D3
pièce, nf	D8
piratage, nm	D3
pirate, nm	D3
pirater, v	D3
piscicole, adj	D7
pisciculteur, nm	D7
pisciculture, nf	D7
plan, nm	D4
planification, nf	D4
planifier, v	D4
planning, nm	D4
plein-emploi, nm	D9
P.M.E.,	D1
P.N.B.,	D6
politique, nf	D4
polyculture, nf	D7
préfabrication, nf	D8
préfabriqué, adj, nm	D8
préfabriquer, v	D8
président, nm	D9
présidence, nf	D9
présider, v	D9
prévision, nf	D3
prévoir, v	D1
producteur, nm	D6
productif, adj	D6
productivité, nf	D6
production, nf	D6
produire, v	D6
produit fini, nm	D6
produit semi-fini, nm	D6
produit semi-ouvré, nm	D6
projet, nm	D1
projeter, v	D1
projeteur, nm	D4
prototype, nm	D4

R

recherche, nf	D2
rechercher, v	D2
récolte, nf	D7
récolter, v	D7
recopier, v	D3
réindustrialisation, nf	D8
réindustrialiser, v	D8

reproduction, nf	D3
reproduire, v	D3
responsable, nm/f	D9
responsabilité, nf	D9

S

schéma, nm	D4
schématique, adj	D4
schématiquement, adv	D4
schématiser, v	D4
secrétaire, nm/f	D9
secrétariat, nm	D9
semi-produit, nm	D6
simulation, nf	D4
simuler, v	D4
société, nf	D1
sous-chef, nm	D9
sous-directeur, nm	D9
sous-exploitation, nf	D7
sous-exploiter, v	D7
sous-industrialisation, nf	D8
sous-industrialisé, adj	D8
sous-production, nf	D6
sous-produit, nm	D6
sous-traitance, nf	D8
sous-traitant, nm	D8
sous-traiter, v	D8
surexploitation, nf	D7
surexploiter, v	D7
surindustrialisation, nf	D8
surindustrialiser, v	D8
surproduction, nf	D6
sylvicole, adj	D7
sylviculteur, nm	D7
sylviculture, nf	D7

T

technicien, nm	D9
télécopie, nf	D3
télécopier, v	D3
télécopieuse, nf	D3
temporaire (travail), nm	D9
test, nm	D5
tester, v	D5
travail, nm	D9
travail à temps partiel, nm	D9
travail à temps plein, nm	D9
travailler, v	D9
travailleur, adj	D9

V

vendange, nf	D7
vendanger, v	D7
vendangeur, nm	D7
vendeur, nm	D6
vendre, v	D6
vente, nf	D6
vérificateur, nm	D5
vérification, nf	D5
vérifier, v	D5
vigneron, nm	D7
viticole, adj	D7
viticulteur, nm	D7
viticulture, nf	D7

Imprimé en France par MAME Imprimeurs à Tours (n°07092130) - Dépôt légal: 10/2007 - Collection n°23 - Édition n°07 - 15/4868/4